主　编：刘家骈　郭桂萍

副主编：李晓敏　陈义山　陈　珍

参　编（排名不分先后）：
　　　　赵　奕　薛元惠　李　丹
　　　　古中林　万　东　徐丽莉

主审：钟　玲

大学生人文素养教育系列教材

高职大学生就业与创业指导

GAOZHI DAXUESHENG JIUYE YU CHUANGYE ZHIDAO

北京师范大学出版集团
BEIJING NORMAL UNIVERSITY PUBLISHING GROUP
北京师范大学出版社

图书在版编目（CIP）数据

高职大学生就业与创业指导/刘家骒主编. —北京：北京师范
大学出版社，2010.3（2023.8重印）
ISBN 978-7-303-10764-3

Ⅰ.①高… Ⅱ.①刘… Ⅲ.①大学生-就业-高等学校：技术
学校-教材 Ⅳ.①G717.38

中国版本图书馆 CIP 数据核字（2010）第 014544 号

教材意见反馈：gaozhifk@bnupg.com　010-58805079
营销中心电话：010-58802755　58800035
编辑部电话：010-58802883

出版发行：	北京师范大学出版社　www.bnupg.com
	北京市西城区新街口外大街 12-3 号
	邮政编码：100088
印　　刷：	天津市宝文印务有限公司
经　　销：	全国新华书店
开　　本：	787 mm×1092 mm　1/16
印　　张：	15
字　　数：	305 千字
版　　次：	2010 年 3 月第 1 版
印　　次：	2023 年 8 月第 19 次印刷
定　　价：	25.80 元

策划编辑：姚贵平	责任编辑：姚贵平
美术编辑：陈　涛　焦　丽	装帧设计：陈　涛　焦　丽
责任校对：陈　民	责任印制：马　洁

出版说明

职业性、实践性、应用性是高职高专教育的重要特点。但高职高专教育作为教育的一个门类，培养人格健全、身心健康、发展全面的人乃其根本目的。由此，高职高专院校在注重专业课程建设的同时，更应注重通识教育课程的建设。

通识教育，也称博雅教育。哈佛大学提出的《自由社会中的通识教育》指出，通识教育的目的是培养完整的人，此种人需具备有效思考的能力、能清晰沟通思想的能力、能做适当明确判断的能力、能辨识普遍性价值的认知能力；认为通识教育课程应包括人文科学、社会科学、自然科学三大领域。通识教育以其独特的魅力，越来越多地为高职高专院校所重视，纷纷开设以通识教育为主要内容的必修课或公共选修课。

课程建设，教材是抓手。高质量的、适宜的教材能让课程发挥更大的效用。为切实推进高职高专通识教育的开展，我们在深入高职高专院校进行调研的基础上，依托百年老校——北京师范大学丰富的专家资源，吸纳长期耕耘于高职高专教学一线、对高职高专通识教育有较深了解与体验并懂得高职高专教材开发特点与规律的优秀教师，策划、编写、出版这套为高职高专量身订做的通识教育教材。

本套教材由《职业生涯规划》《高职心理健康教育》《演讲与口才》《应用文写作》《公共关系理论与实务》《大学生文化修养》《大学生就业与职业发展指南》《大学生军事训练》《艺术欣赏》等构成。这是一个开放的系列，将随着社会经济与高职高专教育自身的发展而不断扩充，但其均具有以下特点：

第一，注重文化的传承。将适宜于高职高专的优秀传统文化纳入教材之中。

第二，注重意识的培养。引导学生树立全面发展的意识，为其职业生涯发展夯实基础。

第三，注重方法的学习。重点引导学生掌握学习的方法、做事的方法，授学生以"渔"。

第四，注重素质的养成。人生能否取得成功，素质是关键。本套教材围绕学生的心理素质、人文素质、人格素质等基本素质展开。

第五，注重能力的形成。引导学生全面打造以方法能力、社会能力和专业能力为主体的核心竞争力。

第六，注重学生的实际。从高职高专学生身心特点出发，选择教学内容，设计教材体例，突出科学性、实用性、适宜性与可读性。

为高职高专学生提供优质教材，促进其全面发展是作为"国家一级出版单位""全国百佳图书出版单位""全国文化体制改革先进企业"的北京师范大学出版社和本套教材编写组始终不渝的追求。我们期待与您携手，共同为高职高专通识教育教材的编写、出版、推广、完善作出贡献！如果您有好的建议，或希望参与本套教材的编写，或希望选用本套教材，请发邮件给我们：bsdcbs@126.com。

北京师范大学出版社

高职高专通识教育系列规划教材编写组

前　言

随着社会主义市场经济体制的建立，高校毕业生就业制度也发生了深刻的变化，计划经济体制下的国家统一分配的就业分配制度被打破，代之而起的是学校推荐就业，用人单位和毕业生实行"双向选择"的就业机制，求职择业成为高校毕业生所面临的人生重大课题之一。由于我国就业形势十分严峻，特别是高职毕业生面临更加激烈的就业竞争，指导高职毕业生正确面对就业问题，提高他们的就业能力是当前高职院校工作的一个重点和难点。这不仅关系到高职学生本人的生存发展，也关系到高职教育的可持续发展，关系到社会的和谐稳定，高职大学生就业指导课程在这方面发挥着十分重要的作用。

高职大学生就业与创业指导旨在帮助学生了解职业、准备职业、选择职业、适应职业、转换职业和创造职业。本书结合高职教育的特色和高职大学毕业生的特点，介绍了高职大学毕业生在求职择业中的能力要求、心理调适、能力储备、就业准备、就业途径、就业过程中的技巧、就业权益保护和创业指导等内容，既有理论的阐述，又有实例的介绍，集知识性、趣味性于一体，是一本具有较强针对性和实用性的高职大学生就业与创业指导教材。

本书具有以下特点：

第一，贴近高职大学生的实际，针对性强。针对高职大学生普遍存在和关心的问题进行分析，并进行系统的讲解，同时精心剖析了一些典型案例，给大学生以启发。

第二，形式灵活，可读性强。正文采用了多种形式的表达方式，设计了小贴士、知识链接、职场链接和小故事等小栏目，使行文灵活多样，增强了可读性。

第三，语言亲切，通俗易懂。结合高职大学生的知识水平，在语言表达上通俗易懂，避免语言的晦涩难懂，使之更贴近高职大学生的实际状况，吸引他们去阅读。

　　本书在编写过程中，借鉴和参考了国内外有关就业指导方面的文献资料、专著和期刊，同时还查阅了网上的有关资料，在此向所有的原作者表示感谢。由于时间较紧，加之作者水平有限，书中难免有不妥之处，敬请广大专家、同行和读者提出宝贵的意见和建议，以便不断修改完善。

编者

2010 年 2 月

目　　录

一、高职大学生就业与创业指导的作用和意义

随着我国经济的快速发展，为地方经济发展培养高级技术适用型人才的高职教育也形成了一定规模，其地位和作用得到了社会的承认和重视。但是，我们也应看到，在国家就业形势依然较严峻的时候，随着高职在校生人数的急剧增加，高职大学毕业生的就业形势则更加严峻。假如大学生毕业后，不能走上工作岗位，怎能谈得上教育适应和推动了生产力的发展呢？假如学生毕业后就失业，教育又怎能体现它的效率和效益呢？因此，我们说，对高职学校来讲，其重要目标就是能让学生毕业后较顺利地走上工作岗位；对高职大学生来说，他们在学校学习完后的直接目标是能够就业。学校有责任和义务对学生进行就业指导。高职大学毕业生是我国宝贵的人力资源财富，搞好毕业生就业指导，不论是对毕业生本人，还是对国家、对培养他们的高职院校，都具有重要意义。

(一)就业指导的内涵

1. 就业指导的定义

就业指导有狭义和广义之分。狭义的就业指导是指向有求职意向者传递就业信息，为他们与具体的职业结合发挥桥梁作用，充当中间媒介，帮助求职者寻找和选择职业。广义的就业指导是指依据社会的需要，针对他们的个性(素质、能力、特长、性格、志向、经历)以及家庭与社会环境等，引导求职者树立正确的就业意识，确定恰当的就业方向，以及为其选择劳动岗位或者转移到新的职业领域提供知识信息和技能，并组织劳动力市场和推荐介绍、组织招聘等与就业有关的综合性社会咨询服务活动，是沟通求职者和用人单位、教育部门和社会的有效途径。人们接受就业指导后，能更好地认识就业与创业，开阔眼界，探求理想；更全面地认识自己，自信自强，扬长避短；就可以了解升学、就业的形势，了解国家就业政策，树立正确的职业观，顺势成才；把今天的学习和明天的升学和就业联系在一起，为实现职业生涯目标作好准备。人生最重要的生涯是学习和职业，学习生涯可以促进个人才智的增长和一生的发展；职业生涯是个人谋生的手段，又是服务社会、造福人民的人生实践。每个人要获取生活来源，为国家建功立业必然要立足于一定的职业岗位上。因此，职业生涯在人生中居于重要地位，应该像设计高楼大厦那样设计多彩的

人生。

2. 新时期加强就业指导的必要性

第一，加强就业指导是广大毕业生的迫切要求。①为毕业生提供就业政策指导。就业指导可以帮助毕业生全面了解国家就业政策，便于学生在国家就业政策范围内通过"双向选择"实现就业。②为毕业生提供及时、准确、丰富的就业信息。③为毕业生提供求职技巧的指导，向用人单位充分展示自己的特长和聪明才智，顺利就业。④毕业生在求职过程中可能遇到各种各样的挫折及其他问题，往往容易引起心理问题和心理障碍，需要进行求职心理辅导等。

第二，加强毕业生就业指导是高职学校自身生存发展的迫切需要。面对市场经济，高职院校也要面向市场求生存。作为高职院校生产的"产品"，高职毕业生是否能够得到市场的认可，主要从毕业生就业方面得到体现。市场就像一只无形的手，调整着"产品"的生产，实现人才资源的合理配置。就业状况的好坏直接影响学校的声誉及招生，影响学校的生存与发展。

第三，加强毕业生就业指导是党和政府的要求。党中央、国务院高度重视毕业生就业工作，采取了一系列措施，深化高校毕业生就业制度改革，扩大就业渠道，保障毕业生充分就业。高校扩招后出现的毕业生就业困难如果不能得到很好的解决，学生毕业即失业，将直接影响社会的大局稳定，影响社会主义现代化建设。因此，加强毕业生就业指导，提高毕业生就业率是党和政府的要求。

毕业生就业指导工作还有利于学风建设。就业指导使毕业生直接感受到社会的需求，了解社会对大学生的期望和要求，从而促使其正确地认识自我、认识社会，激起努力进取、奋发向上的竞争意识，自觉地按社会需要来培养自己。

（二）就业指导的作用

随着毕业生就业形势的日益严峻以及高校毕业生分配体制的变化，各高校也越来越重视就业指导的作用，纷纷建立了毕业生就业指导机构，开设了就业指导课程，并把就业指导课程纳入正常的教学计划中，成为必修课程。随着这些机构的建立和发展，以及就业指导工作的开展，就业指导的作用也越来越为大家所认同。归纳起来，其作用主要体现于以下几个方面。

1. 导师作用

"自主择业"使大学生面临的首要问题便是如何择业和求职。择业有择业观，求职有求职技巧。"自主择业"不是"自由择业"。我国各地经济发展不平衡，就业环境不同，有的毕业生在择业时产生一些脱离实际的择业观，片面追求经济利益和物质条件，而较少考虑自身实际条件，而有些毕业生在求职时因未掌握一些技巧，使自己当与用人单位见面时，无法让对方了解自己的真才实学，甚至无法表达自己的真实意愿，导致求职失败。因此，需要就业指导机构对毕业生进行就业指导，引导学生开拓思路，提高认识；帮助学生处理好理想与现实、个人与社会之间的关系，克服好高骛远、急功近利的思想，树立正确的就业观。同时，帮助学生掌握求职技巧，针对就业环境的客观实际及自身的特点，选择适合于自己的切实可行的求职方法，从而实现自己的职业生涯目标。

2. 沟通信息

大学毕业生"自主择业"是在国家方针政策指导下，在一定范围内进行的；是在有限度的情况下，毕业生与用人单位的相互选择，即我们常说的双向选择。为了使这种选择科学、合理，使毕业生人尽其才，使用人单位才尽其用，为了在毕业生与用人单位之间搭建起一个沟通信息的平台，实现人才与社会的最佳配置，发挥人才与社会两方面的最大效能，需要有一个收集和传递就业信息的机制。就业指导一方面可以通过向有关企事业单位及政府机关部门发函，收集各单位对毕业生的需求情况及拟招对象的要求条件等，为毕业生提供就业信息。另一方面，可以把学生的思想表现、学习成绩、健康状况、兴趣爱好及奖惩情况等，利用电脑及表格、录像等手段，提供给用人单位查阅，并向用人单位介绍、推荐合适的毕业生人选。这样，就业指导就起到了沟通毕业生和用人单位双方信息的作用。

3. 桥梁作用

毕业生树立了正确的职业观，掌握了一定的择业技巧，了解了一定的人才需求信息后，接着便是与用人单位正面接触，即供需见面。供需见面实际上是对学生各种能力的全面检验。就业指导在这个阶段起着一种桥梁和纽带作用。首先要为学生及用人单位精心组织，安排面试，力求毕业生与用人单位之间有一个满意的结果。其次，沟通学校与社会的联系。通过就业指导，学校向社会介绍所设专业的培养方向，让社会了解学校培养的各种类型的专门人才，并向社会推荐。同时，将用人单位对毕业生的要求及使用情况反馈给学校，便于学校改进教学和育人工作。这样，有利于克服学校的教育培养与社会的实际需求相脱节的现象，增强教育对社会经济发展的影响能力。

4. 促进就业

在双向选择的就业机制中，毕业生自主择业，直接面向市场，凭自己的能力去敲开用人单位的大门。因此，学校要使学生在进入大学时就有明确的能力培养目标，以便在今后的大学学习期间有目的地学习和锻炼自己的能力；让学生了解自己所学的专业，了解将来从事的职业范围和将要担当的社会角色，并根据个人的性格特征、兴趣爱好和专长优势来设计自己的未来，从而建立起自己的职业目标、职业理想。

（三）就业指导的意义

高校毕业生的就业问题是国家的一项重要工作。高校毕业生就业状况关系到国家的长远发展和社会的稳定，也关系到毕业生个人的发展前途，因此，搞好毕业生就业指导，无论是对毕业生本人还是对国家和社会都具有重要的意义。

1. 就业指导能帮助毕业生树立正确的就业观

就业观是指人们在一定的世界观、人生观和价值观的指导下，对自己未来从事的职业和发展目标的基本认识和态度。它直接影响着人们的求职、择业和就业准备，直接指导人们的职业选择，并通过职业选择、职业活动体现出来。每个高校毕业生在从学校步入社会、走上职业工作岗位时，都要面临一次就业观的考验。在这时，应处理好三方面的关系：

第一，事业与谋生的关系。就业是人们谋生的基本手段，但是，就业又不只是为了谋生，应将自己所从事的职业和国家、社会以及单位的需要联系起来，以极大的工作热情去实现职业理想，奠定就业的坚实基础，所以，两者的关系应是事业重于谋生。

第二，奉献与索取的关系。此两者，奉献重于索取。就业要通过自己的劳动获取一定的报酬，但是，社会要发展，每个人的需要要得以满足，还要每个人都对社会作贡献，承担起对社会的责任。职业岗位是我们对社会作贡献的渠道和途径，大学毕业生应建立奉献重于索取的思想，逐步形成自己的就业观。

第三，发展与眼前的关系。现在一些高校毕业生在就业时往往把眼光盯在眼前，总想一走出校门就能找到一个理想的工作岗位，而对一些条件较差、较艰苦的工作采取抵触的态度，这实际上是没有处理好发展与眼前的关系。在两者的关系中，发展重于眼前，我们的眼界应更宽一点，不能只看眼前，应用发展的眼光看问题，从长远发展的角度选择自己的工作岗位。就业指导可以引导学生正确处理好这些关系，正确认识社会、认识自己，树立正确的就业观。

2. 就业指导能帮助毕业生有效地进行职业选择

职业选择是指求职者根据自己的职业意向、职业兴趣、职业能力以及个性特点和社会需要等，从众多的职业岗位中选择适合自己的职业岗位的过程。它包括两方面的含义：一方面是就业者对用人单位的选择；另一方面是用人单位对就业者的选择。可见职业选择是双向的。择业者在选择就业岗位时，是基于不同的兴趣爱好，结合自身条件对职业岗位作出的选择。一般来说，个人在选择职业时考虑的因素主要有：职业的社会地位、劳动报酬、福利待遇、工作环境、工作条件和工作地点、个人的才能和专长、兴趣爱好等。每个人在选择职业时对这些因素的考虑又各有侧重点，是不尽相同的。由于高校毕业生是初次就业者，在选择职业时缺乏经验，对许多方面不熟悉、不了解，甚至很陌生。对各种因素的考虑欠理性的思考，使他们在就业过程中遇到许多困难，往往举棋不定、错失良机。在人才进入市场的今天，就业指导既可以帮助毕业生在正确的人生价值观、良好的道德准则和行为规范基础上选择职业获得成功，又可以为毕业生在选择职业时提供一些求职技巧，帮助毕业生顺利就业。

3. 就业指导能促进毕业生的发展和成才

求发展、求成才是每一个大学毕业生的美好愿望。能否实现这一愿望，与他们毕业后迈向社会的第一步关系重大。毕业生在选择职业时怎样才能使自己的机会更多，怎样才能选择最能使自己全力以赴、自己的长处得到充分发展的职业？当选择能与自己的兴趣、爱好和特长相一致的职业时，就能精神饱满、信心百倍、奋发努力，快速成长起来，在事业上取得成功。就业指导在这方面有着十分重要的意义。通过就业指导，能帮助毕业生找到比较适合自己的工作岗位，使其信心百倍地走向社会，为将来的发展和成才创造条件，打下基础。

4. 就业指导能拓展毕业生的就业空间

就业指导对于引导学生走创业之路具有重要的意义。就业指导不仅帮助毕业生在已有的职业岗位上选择适合自己的岗位，这叫"吃现成饭"。就业指导还注重培养学生的创业精神和创业能力，这正是素质教育的要求，即培养人才的创新精神、创新思维和创新能力。这是要在已有的岗位之外，创造新的岗位，这叫自己"造饭碗"。在我国就业形势比较严峻、毕业生供大于求的情况下，国家鼓励大学毕业生自主创业。就业不能等、靠、要，而是要主动出击，不但为自己的发展开路，也为国家"解难"，其意义特别重大。就业指导适应国家就业形势发展的需要，为大学毕业生自主创业提供策略性的指导，引导毕业生发挥自己的聪明才智，调动他们的主观能动性，努力实现自主创业，既解决了自己的就业问题，又增加了社会的就业岗位，帮助更多的人走上工作岗位，拓展就业空间。

二、高职大学生就业与创业指导的内容和方式

（一）高职大学生就业与创业指导的内容

高职大学生就业与创业指导是当前高校就业工作的重要组成部分。就业指导的目的是帮助大学生树立正确的择业观、就业观，掌握就业的基础知识，并建立职业生涯的初步图景，从而实现顺利择业、顺利就业，并在职业生涯发展中取得成功。高职大学生就业与创业指导的基本内容包括就业思想教育，就业制度、政策的宣传和指导，择业技巧指导、择业和创业心理指导以及自主创业准备等。

1. 就业思想教育

就业思想教育就是引导学生树立正确的人生观、价值观、成才观、择业观和就业观，将自我价值实现和社会需要结合起来，将个人的前途和祖国的建设结合起来，倡导艰苦奋斗、自强不息、无私奉献，帮助高职大学生正确对待就业。要将就业思想教育贯穿于就业指导之中，首先，要把世界观、人生观、价值观的教育渗透到就业指导工作中去，落实到择业标准、求职道德和成才道路等方面，教育和引导高职大学毕业生把个人理想与国家需

要结合起来，避免和纠正择业时的短期行为，抵制眼前功利的诱惑，真正做到以事业为重，首先考虑国家利益，勇于到基层去建功立业。其次，要指导高职大学毕业生调整择业期望值，既要面对社会、面对现实，又要不甘落后、勇于竞争、抓住机遇、实现发展。再次，要引导高职大学毕业生确立高尚的求职道德。无论是对待用人单位还是作为竞争对手，都要恪守诚信、公平竞争。就业思想教育，可以帮助高职大学毕业生正确地处理社会需要与个人理想、成才与发展、事业与生活、个人与集体、自己与他人的关系，提高思想境界，并以积极进取的态度过好"就业关"，进而在工作岗位上发挥应有的作用。

2. 就业政策、形势的宣传和指导

就业政策、形势的宣传和指导就是对国家就业政策与形势作分析，帮助高职大学生正确分析就业形势，了解社会对高职人才的要求，认清高等职业教育的发展前景，掌握政策、把握社会需求，调整择业期望。大学生就业政策是大学生求职择业时的重要指南，有些高职大学毕业生对国家的就业政策缺乏认识和了解，在择业时带有较大的随意性和盲目性，没有明确的目标和计划，往往漫无目的、贻误时机。因此，需要对高职大学生进行就业政策的宣传，帮助学生了解国家有关就业政策以及各地制定的行业性和区域性的就业政策，为学生择业提供政策指导，引导学生正确处理国家需要和个人志愿的关系，准确定位自己，理性择业。在服从国家需要、服务社会中去实现自己的职业理想。对就业形势的介绍能帮助高职大学生较全面地认识和了解社会对劳动者的需求情况以及用人单位的基本状况，了解人才市场的行情，做到求职时有的放矢，减少盲目性。

3. 择业技巧指导

择业技巧指导是对高职毕业生求职择业的方法和技巧等具体操作环节进行指导。择业技巧是现代大学毕业生顺利求职择业的必要技能。决定和影响毕业生求职成功与否的因素很多，既有求职者自身的知识水平和技能水平方面的因素，也有求职者的择业技巧问题。求职择业也要讲艺术，有了正确的方法和技巧，可以增加求职者获得成功的砝码。面临就业选择的高职毕业生普遍存在就业时思想准备不足，面对用人单位选拔感到手足无措的情况。有些高职毕业生不清楚国家及学校的毕业生就业办法，不了解自己拥有哪些权利和义务，更不知道应如何行使自己的权利。在面对用人单位的考查时，缺乏应对技巧。因此，学校应就具体的招聘、应聘、就业程序以及个人表格和自荐材料的准备、整理及应用，面对用人单位的考查、面试如何表现自己，以及应有的礼仪和言谈举止等对高职毕业生进行必要的指导和培训，让学生掌握必要的求职择业技巧，减少由于技术原因造成的求职障碍，为毕业生成功就业助一臂之力。

4. 择业和创业心理指导

择业和创业心理指导是属于就业和创业过程中的心理层内容指导，是消除高职毕业生在择业和创业过程中出现焦虑、迷惘、困惑、急躁、自卑、嫉妒、自负、怯场等心理障碍的教育指导。在就业过程中常常会遭遇挫折，如果处理不当，就会出现焦虑、烦躁等心理过激反应，部分同学甚至会出现严重的心理失衡。当学生在求职时出现这些心理问题时，需要就业指导老师进行心理危机干预，给学生介绍一些心理调适的方法，引导学生正视自我、正视现实、不怕挫折、面向未来，以良好的心态面对职业生涯。

就业过程中的心理调适包括心理咨询、心理辅导和集体授课等形式。通过这些形式，对高职毕业生进行就业前的心理指导，帮助高职大学生正确认识自己的气质性格、道德品质、兴趣爱好、能力特长以及生理特征，强化他们的择业、创业竞争意识，在心理上消除传统的择业观念，做好参与竞争的心理准备。同时，通过就业心理指导，培养高职大学生勇于面对挫折的心理，引导他们在遇到挫折后，树立起正确的就业观念，调整就业心态，寻找失败的原因，争取新的就业机会。

5. 自主创业准备

在对高职大学生的就业指导中，不仅要帮助学生在社会现有的岗位上实现就业，在目前我国就业形势比较严峻的条件下，更重要的是引导学生自主创业，要教育学生做好自主创业的准备。为此，学校首先要对全体高职大学生进行创业意识教育，培养他们的创业意识。其次，要帮助学生形成创业能力，从理论知识、能力素质等方面进行发展性指导。最后，应指导学生在校期间利用课余时间进行一些模拟性的探索，使学生在实践中不断培养和提升自己的创业能力，为走向社会作准备。

(二)高职大学生就业与创业指导的方式

高职大学生就业与创业指导常采取集体指导与个别指导、日常指导与集中指导、校外指导与校内指导相结合的方式。具体讲，主要有以下几种方式。

1. 开设就业与创业指导课程

开设就业与创业指导课程是通过正规教学的形式，由专门的职业指导教师担任就业指导教学工作，全面、系统地向学生传授职业生涯知识、就业技巧、创业知识等，将就业指导科学化、系统化和规模化，是落实高职大学生就业与创业指导工作的主要途径。

2. 个别咨询与辅导

个别咨询与辅导是指学校的就业工作人员和就业指导教师为个别毕业生提供就业咨询服务和辅导。由于高职大学生在自我认识、职业探索以及参与职场实践的过程中遇到的许多问题都因人而异，在求职中存在各种复杂的情况，这在就业指导课的教学中是不可能全部解决的，课堂上只能就普遍的问题进行解答，而对于个性化的一些问题只能通过个别咨询与辅导为学生提供针对性的意见、建议和帮助咨询。在个别咨询与辅导时，就每个学生遇到的具体情况进行答疑解惑。

3. 就业与创业体验

学校可以创造条件让高职大学生利用假期参加一些社会实践，获得实践知识、体验求职就业生活，有条件的还可以引导学生进行创业体验，或组织毕业生到人才市场体验求职就业生活，将用人单位组织到校内召开模拟招聘会，让学生亲身体验求职就业气氛。通过实践环节强化高职大学生的求职、就业与创业知识。

4. 开展就业咨询

就业咨询主要是学校组织就业工作人员和就业指导教师回答学生关于就业的有关问题，解答学生在就业过程中所遇到的疑问，为同学们选择职业提供一些意见和建议，帮助同学们处理好就业中的各种问题。就业咨询的内容主要包括职业信息、自我评价、就业政策、择业心理、创业认识等。

5. 加强宣传

学校可以采取多种形式的宣传教育活动，如举办就业指导专题讲座、发放就业指导宣传资料、创办就业信息宣传栏、建立就业信息网站、开展校园社团活动等一系列就业指导活动，营造就业指导的舆论氛围。还可以充分发挥校园内各种媒体的宣传作用，增强日常就业指导的渗透性和广泛性，如利用校刊、广播和有关学生社团刊物，有导向性地对学生进行就业指导。此外，可以利用学生的校园文化活动，让他们开展有关择业和创业的活动，如举办模拟招聘活动、以就业和创业为主题的征文活动等，引导高职毕业生开展讨论，充分调动他们的参与意识和积极性，不断提升他们的就业能力。

三、高职大学生就业与创业指导的学习方法

高职大学生就业与创业指导是一门实践性很强的实用型课程，它能帮助高职大学生正确认识社会，客观评估自己的能力，科学规划自己的职业生涯，正确面对和处理就业过程中遇到的各种矛盾和问题，满怀信心地走上职业岗位。因此，在校高职大学生应掌握好这门课程的学习方法，认真学习这门课程。

（一）理论联系实际

就业与创业指导课既有基本理论的学习，也有基本技能的培养与锻炼，因而，既要认真学习课内的理论，又要积极参加校内外的各种实践活动，将理论与实践相联系，把学习的相关理论融入择业和创业实践中，把个人的职业兴趣、职业心理、职业能力和求职技巧变成理论指导下的自觉行动。

（二）互动式学习

互动式学习是指围绕一名在某一方面富有经验的主持人，组成一个由 10～20 名成员组成的互动学习小组，在主持人的指导之下，通过游戏、活动、讨论和演讲等多种方式共同讨论相关理论和技巧的一种学习方法。由于这种学习方法主题明确、组织灵活、成员参

与性强，是学生学习提升自我的一种非常有效的学习方法。高职大学生就业能力的培养和职业素质的养成必须在情境互动中才能完成，因此，互动式学习是一条非常有效的途径。在互动式学习小组中，主持者要根据学习内容和讨论主题设计大量的活动，让小组成员参与、体验、分享、感悟，通过领悟和内省，帮助学生获得认知和行为上的改变。

（三）体验式学习

学生的职业认识和职业能力的形成不是在短时间里就能实现的，而是在一个较长的时期努力学习、不断实践、用心体验才能逐渐得以提升，因此，必须坚持在就业实践中去体验，以获得相应的知识，培养相关能力。同学们可根据自己对职业的认识和接收职业信息的可能性决定参加相关活动，如主题班会、劳模报告会、参观企事业单位、参加招聘会、尝试创业等，从中了解和认识职业并获取信息，以便进一步认识课堂上学习的职业知识，在现实工作环境中进一步检查自己的职业规划与职业决策。只有亲自参加就业实践活动，学生才能对就业理论知识有感性的认识，才能将这些知识融会贯通，形成就业能力。

总之，只要我们正确认识就业指导课的目标，认真上好每一堂课，掌握就业指导知识，积极参加各种就业实践活动，不断提高自身的就业能力，客观、全面地认识自己，理性认识社会与职业，就一定能促使自己尽早顺利地走上职业岗位。

思考与练习

1. 结合高职院校的培养目标，谈谈你对学习就业与创业指导课程的认识。
2. 收集近年来与本专业有关的就业信息，分析自己的就业前景。

第 一 章

大学生就业环境与形势

第一节 大学生就业形势

案例导入

四川省教育厅最新提供的数据显示，截至 2009 年 8 月底，全省 2009 年高校毕业生就业人数达 23.5 万余人。其中，研究生就业率为 84％，本科生就业率为 82.23％，高职高专生以 88.1％的就业率高于研究生和本科生。

一、大学生就业现状

我国高校毕业生数量再创历史新高，就业形势十分严峻，就业工作的困难和压力很大。

（一）大学生就业中存在的问题

当前大学生就业问题，从根本上说，是前进中的问题，发展中的问题，是高等教育事业改革和发展必须经历的过程。当前影响和制约大学生就业的主要问题有以下几个方面。

第一，大学毕业生的就业机制有待改革，就业政策有待完善。当前，大学生的就业制度还存在缺陷。国家已经明确了大学生就业实行"双向选择"的市场就业模式，但作为供给方，大学生所在学校仍然有派遣大学生到一些地区或省市的指标限制，如某名牌大学的"留京指标"为大学生总数的 15％左右，这些指标先满足研究生，余下的部分能够分到本科生头上。作为需求方，大中城市接收学生的单位也需要进人指标，两者合二为一才能够实现大学生的就业，并通过派遣制度予以保证。大学生的档案和户口随着派遣证转移，任何一关出现问题，均不能够保证大学生就业的实现。虽然国家出台了一系列促进大学生就业的政策措施，但由于管理方面的脱节，一些政策还"悬在空中"，得不到落实。

另外，虽然国家政策规定大学生毕业 2 年内可以由学校保留档案，但由于派遣指标仅在当年有效，过期就不再办理，使得部分已经找到工作的大学生，因为没有指标而不能被派遣，仍处于不确定状态。

第二，大学生就业服务有待加强。大学生劳动力市场是一个独立的市场，其特点在于人员素质较高，市场范围较大，大学生毕业时较容易实现本国甚至国际流动。这使得建立完善的大学生供求信息网络，提供有效的信息服务，显得十分重要。目前，大学毕业生就业信息服务系统和就业服务体系仍有待完善。大学生毕业就业主要依靠学校、人才市场举办招聘会等比较原始和低效的方式获得信息与需求方见面，信息渠道比较窄，效率比较低。

第三，全社会和大学生个人的就业观念要有所改变。在市场就业的情况下，大学生个人的就业观念需要有所转变，全社会对大学生的就业观念也需要调整。比如，大学生求职出现"三多三少"，即东部多、西部少，城市多、农村少，外企多、国企少的现象，影响了大学生的就业面。由于就业观念的不适应，有的大学生盲目跟潮，有的不能根据自身的特点进行择业，还有的不根据实际调整就业目标。目前，社会、家庭对大学生就业的期望值较高，对大学生自主创业和多种形式灵活就业的认同度较低，接受不了大学生失业的现实等，这些都对大学生就业产生不利影响。

（二）促进大学生就业的办法

目前，政府正从以下方面努力，促进大学生就业。

第一，加强领导，完善和落实大学生就业政策。

按照就业市场化的要求加快大学生毕业就业制度改革，打破大学生干部身份、户籍制度、用人指标的限制，促进大学生自主流动。

制订鼓励大学生自主创业的扶持政策。国家和地方共同设立大学生创业担保基金，为创业的大学生提供小额贷款担保。对自主创业的大学毕业生，有关部门要简化审批手续，免收登记类、管理类、证照类的各种行政性收费，并制订相应的税收减免扶持政策，鼓励大学生创业。对创业的大学生提供专门的创业培训，进行开业指导、政策咨询、项目论证、跟踪辅导等服务，提高其创业能力。

制订鼓励大学生到基层就业和中西部地区就业的政策。为引导大学毕业生到基层和西部地区就业，可采取"挂职锻炼"和"志愿者"等方式，实行来去自由的政策。国家每年安排专项经费补贴大学生到中西部经济贫困地区的乡镇一级教育、文化、卫生、工商、税务、农技服务等机构和单位工作。

结合政府正在推动的社区建设工程，从编制、人员、经费安排等方面为大学生从事社区管理工作和其他基层工作创造有利条件。

完善灵活就业办法，引导大学生灵活就业。鼓励大学毕业生灵活就业，研究制订灵活就业人员劳动关系和社会保险办法，解除大学生灵活就业的后顾之忧。在各级社会保险经办机构设立专门窗口，为从事个体经营、自由职业和创业的大学毕业生提供社会保险缴费和接续等服务。

第二，针对当前特定形势采取特殊过渡办法。

鉴于当前大学生就业矛盾突出，部分大学生对失业承受能力较差的现实情况，应在不违背改革的原则和方向的前提下，采取一些过渡性的鼓励性安置措施。如可以考虑在一定时期和一定期限(1~2 年)内，鼓励企业和基层用人单位实行大学生见习制度，用人单位按计划录用人员的 1 倍的规模接收见习人员。在见习期内，企业支付见习工资(约相当于正常聘用人员的 1/2)，国家对企业给予税费减免和岗位补贴，以鼓励企业多吸收大学生，同时也给大学毕业生一个积累就业的经验、增强与企业双向了解的机会。这也是一个实现岗位分享、缓解当前大学生就业矛盾的办法。

二、高职大学生就业的特点

(一)就业观念更新

随着国家就业制度的变革，"统招统分"的传统观念不断淡化，"自主择业"的思想逐步树立起来，大部分毕业生能够主动走向市场，进行自我推销，参加就业竞争。毕业生寻求"铁饭碗"的求稳思想观念正在淡化。

(二)就业渠道走向多元

我国处于社会主义初级阶段，是以公有制为主体，多种所有制并存的经济模式。大多数毕业生能够适应这一情况，择业时不再紧紧盯着行政事业单位、国有大中型企业，同时也面向外资企业、民营企业、个体企业，部分同学已经开始自主创业。

(三)就业途径丰富多样

大学毕业生就业途径多种多样，如通过招聘会、学校推荐、网上求职、亲友引荐、职业中介、自主创业、公务员考试、出国等。毕业生可以根据自己的情况，通过适当的方式进行择业。

(四)就业环境不断改善

党和政府根据严峻的就业形势，出台了一系列有利于毕业生就业的政策和举措，如毕业生择业期延长为两年，要求各地政府和高校将毕业生就业当做"一把手"工程切实抓好等。各高校也意识到学生就是自己的"产品"，不仅重视"生产"过程，同时也重视"产品"的推销。因此，普遍开设了就业指导课，对学生进行就业观、就业技巧、就业心理准备等方面的教育、指导，并主动与用人单位联系，举办招聘会、介绍学生就业、进行订单式教学等。当前毕业生就业环境正在不断改善。

三、高职大学生就业的机遇与挑战

人才市场上高技能人才"旺需"与高职人才"滞销"并存，这说明高等职业教育是十分重要的。高职毕业生就业有其自己的优势和特点：操作能力、动手能力强，比较安心于基层工作，有吃苦精神。经过努力，会得到社会的理解、认同，成为经济建设和社会发展的重要力量。

(一)招聘单位更加理性

大部分用人单位一改印象中非名牌、高学历的毕业生不用的状况，现在更重视学生的综合素质和专业素养。有资料表明，一些高级技工的薪水甚至可以超过研究生。可见，用人单位更多的是从实际需要出发来选择不同学历层次的毕业生的，其招聘行为的理性化程度大大提高。这样一种环境，无疑将给高职高专毕业生的就业带来更多的发展空间。他们当中可能会有更多的人将来会加入"高级技师"这一行列。

(二)民营企业将成为最大的就业机会提供者

一些国有企业仍将为大学毕业生提供相当数量的工作岗位，学校和科研机构也是接收毕业生的重要力量。但自 2005 年以来民营企业的人才需求量增长迅猛，其已成为接纳毕业生就业的一支新生力量，而且随着个体、民营经济的快速发展，其人才需求必将进一步增加，并且其提供的收入水平已接近外资企业。中国毕业生网分析，民营企业已成为 2006 年大学生就业机会的最大提供者。这要求广大毕业生，积极转变就业观念，不要将目光仅仅局限在大公司、大企业上。要适应形势要求，投身到充满生机与活力的民营企业中去。

(三)就业空间将进一步扩大

中国经济的快速发展为高职大学生提供了广阔的就业可能。国内生产总值 2010 年要比 2000 年翻一番，近几年，每年保持 8% 以上的增长速度。专家预测国内生产总值每增加一个百分点，就将提供 80 万～100 万个就业岗位。加入 WTO、西部大开发战略的深入实施等都增加了更多的就业机会。国企改革等的逐渐完成，也需要大规模储备人才。另外，由于人才流动机制的完善和大学生就业观念的改变等，大学毕业生就业呈现出多样化和自主化的特点。

四、树立正确的择业观

我国各个层次的毕业生都将先后步入社会，寻求自己生存和发展的空间，找到自己比较理想的位置。要达到这一目的，首先就要树立正确的就业观念，要衡量自己的综合素质有多高，专业知识有多少，实际操作能力有多强。根据这些自身基本条件去判断，自己干什么工作比较合适，然后有针对性地应聘。如果没有正确地估价自己，盲目上阵，就容易失败。树立正确的就业观必须从下面几个方面着手。

（一）认清严峻的就业形势，珍惜就业机会

尽管这些年来，我国经济发展速度很快，就业岗位逐年增多，每年都要增加800多万个工作岗位，但失业率仍居高不下。2006年我国普通高校毕业生人数达413万，据国家发改委统计，2010年城镇新增长劳动力约为900万人，下岗人员460万人和城镇登记失业人员840万人，按政策需在城镇安排就业的农村劳动力和退伍军人约300万人，需要安排就业的人数总量约为2500万。劳动力供大于求的局面在我国相当时段内还不能完全改变。在就业形势十分严峻的情况下，高校投入了大量的人力、物力，为毕业生就业做了大量工作，每个就业机会都来之不易，每个同学都应十分珍惜。

（二）明确学习目的，练就一身好本领

扎扎实实学好专业，熟练掌握一两项技能。当前，尽管就业形势很严峻，但专业学得好，动手能力强的同学仍是人才市场的"抢手货"。有些高校推行的"2+1"培养模式，正是适应社会的需要而实施的。每个同学在毕业前一定要扎扎实实学好专业课，取得相关职业资格证书，拓宽就业渠道。

（三）客观估价自己，"文凭只看三个月"

有的同学在应聘时，没有客观地估价自己的素质、知识、悟性、能力等，对用人单位所聘的职位自己能不能干、能不能干好没有定位好，只片面认为我是大学毕业生，要多少工资，多好住宿条件，才会满意。没有认识到能力比文凭更重要，而对这个单位不满意，对那个公司不称心，挑三拣四，一个单位都选不上。自己眼高手低，还埋怨学校没有把自己教好。要知道文凭只代表文化程度，文凭的价值会体现在底薪上，往往只在试用期内有效。文凭只是应聘的"敲门砖"、"介绍信"，进门之后，"是骡子是马"，拉出来一遍就见分晓。单位看中的是你的悟性、知识、功底、能力、敬业精神。这就是为什么有的中专生比大学生的工资还高的原因。初涉社会，不要太看重自己的学历文凭，要客观估价自己的素质和专业技能。

（四）记住择业"五忌"

择业是大多数毕业生踏入社会要走的第一步。怎样走好这一步，选择一份既切合自身实际，又称心如意的职业，具有十分重要的意义。大学生在择业时，一定要记住五种忌讳。

一忌仓促上阵。一定要有精神和物质方面的充分准备。思想上要有自信心；物质上，

必需的证件和资料要准备好，应聘被录取后的路费、生活费要提前准备。

二忌眼高手低。要客观估价自己的能力，把握机会，不要这山望着那山高。不要过分强调专业对口，要先就业再择业；先求生存，后求发展；先蓝领，后白领。

三忌互相攀比。你的同学或同乡找的单位或待遇比你好一些，如果你有攀比的思想就放弃眼前的机会，结果你可能会一事无成。

四忌轻信受骗。你的同学由于自身原因，可能对学校推荐的单位不满意，而到不正规的人才市场或职介所去求职，"病急乱投医"，往往上当受骗。

五忌要价过高。如果你选中了中意的单位，在工资待遇上则不要提出过高的要求，要有长远的眼光。

（五）珍惜就业机会，切忌草率放弃或轻易跳槽

经过自己的努力得到好的就业机会，一定要珍惜，要努力奋斗，敢于拼搏，这是获取事业成功的关键。如果没有这种意识，在工作中稍不顺心就轻易跳槽，长久下去就会像"白头翁"一样，一生一事无成。

（六）坚持终身学习，不断优化自身的知识与素质结构

当今是知识爆炸的时代，知识日新月异，生存发展的竞争更加激烈，我们应活到老、学到老，不断获取新知识，才能不被社会发展所淘汰。正如宋朝大思想家朱熹所说："无一人不学，无一事不学，无一时不学，无一处不学。"现代上班族生活节奏、工作节奏都很快，整体都较忙碌。那就更要精打细算，安排每一刻时间去汲取新知识，利用各种渠道去学习。如不断从自身的生涯中去总结学习；当自己遇到逆境或挫折时，学会迎接挑战；在组织中通过团队来学习；访问前辈，请教经验。孔子云："三人行，必有我师焉。"在人际交往中学习，在复杂的社会人际中磨炼意志；参加相关训练，做到一专多能；参加专业系统学习，做到"吾日三省吾身"。

（七）走好人生路，跌倒了，爬起来继续前进

"路漫漫其修远兮，吾将上下而求索。"人生的道路总是漫长而曲折崎岖的，只有那些不畏艰险而努力攀登的勇士才能到达诱人的巅峰。要想成为不畏艰难险阻的斗士我们就要像劲松一样，不畏乱云飞渡，勇攀险峰去领略人生的无限风光，走好人生路，跌倒了，爬起来继续前行。

第二节 大学生就业制度

案例

张某是某职业技术学院机械专业的一名学生，毕业时家人托关系为其联系到家乡一个稳定、清闲但收入不高的工作。他认为这没有发展前途，依然选择了当时还不被人们看好的机械行业。他不怕苦、不怕累、不怕脏、不嫌收入低和工作环境差，潜心学习，钻研技术，很快成为公司的业务骨干，并在一次全省的技能大赛中一举夺冠。于是，许多公司争着高薪聘请他。公司为留住张某，还给了他股份。

张某毕业时放弃了父母为自己找的工作，坚持根据自己的专业特长选择了专业对口而自己又非常喜欢的工作，最终取得成功。这得益于他自己的坚持，也得益于我国的就业政策和就业制度的改变。

一、大学毕业生就业制度改革

大学毕业生是一种高素质、高智力结构的人力资源。在经济增长愈来愈依赖于科学技术和市场竞争日趋激烈的今天，一个国家、一个地区、一个部门大学生的拥有量、质量、结构已成为经济增长和发展的重要条件。对大学毕业生的就业采取何种方式，关系着社会中高素质人力资源在国民经济各部门、地区间的合理配置，关系着大学毕业生和用人单位积极性、创造性、主动性的发挥，从而关系着人力资源的利用率和社会经济效益，关系着社会主义市场经济体制的建立和现代化的实现。在国家就业方针、政策指导下，高校毕业生就业从过去的"统包统配"和包当干部的就业制度，改革为自主择业，用人单位择优录用的"双向选择"制度。这样的改革有利于加强学校与社会的联系，努力提高教育质量，充分发挥教育投资的效益，使学校切实按照社会需求培养合格的"四有"人才。有利于调动学生学习的积极性，全面提高学生自身的素质，激发他们努力进取与奋发有为的精神，促进他们努力掌握社会所需要的知识和能力，使他们更好地为社会主义现代化建设事业服务。有利于促使用人单位关心和支持教育，尊重知识，珍惜人才，努力做到学以致用，人尽其才，为充分发挥毕业生的作用创造良好的社会环境。

传统大学毕业生的就业是采用以行政手段为基础的分配方式。其中的主要问题是：①它没能做到人尽其才、才尽其用，致使用非所学、学非所用和大材小用的现象比比皆是。②人才不能流动，一次分配定终身，埋没了大量有用之才，造成大学毕业生这种高素质人力资源严重浪费。③在传统体制下，即使毕业生分配的岗位是很适合的，也没有足够的激励机制使他们的主动性、创造性和积极性充分发挥出来。

随着高校的扩招，大学生就业越来越成为一个重大问题。面对严峻的就业形势，国家出台了一系列重要举措以促进高校毕业生就业工作的展开。

目前高校毕业政策具有以下特点：①毕业离校时未落实工作单位的毕业生，可根据本人意愿，将档案转到家庭所在地或就读学校所在地的经政府人事部门授权的人才交流机构，或县级以上的政府授权的公共职业介绍机构，这些服务机构对未就业的毕业生免收服务费；也可将户口转至入学前户籍所在地或两年内继续保留在原就读的高等学校，待落实工作单位后，将户口迁至单位所在地。超过两年仍未落实工作单位的高校毕业生学校和档案管理机构将其在校户口及档案迁回入学前户籍所在地。②人才合理流动政策更加灵活。省会及省会以下的城市开放对吸收高校毕业生落户的限制，省会以上的城市也要根据需要，积极放宽高校毕业生就业落户规定，简化手续。③"小企业解决大就业"，"引导并吸纳高校毕业生到基层或中小企业就业"。对于到非公有制单位就业的高校毕业生，档案可转到聘用单位地经人事部门授权的人才交流机构或县级以上政府授权的公共职业介绍机构。从事个体经营和自由职业的毕业生可将档案存放在其常住地经人事部门授权的人才交流机构或县级以上的经政府部门授权的公共职业介绍机构并按当地政府的规定，到社会保险经办机构办理社会保险登记，缴纳社会保险费。为鼓励和支持高校毕业生自主创业，工商和税务部门简化审批手续，积极给予支持。④基层将为毕业生就业创造更好的条件。鼓励和支持高校毕业生到农村基层支教、支农、支医、扶贫等，经过两三年的锻炼，根据工作的需要从中选拔优秀人员到县、乡（镇）机关、学校或企事业单位担任领导工作，或到基层金融、工商、税务、审计、公安、司法、质检等执法部门。⑤鼓励毕业生到西部地区工作。根据本人意愿，户口可迁至工作地区，也可迁回原籍，由政府部门所属的人才交流机构提供人事代理服务；到西部偏远地区工作的毕业生，可提前定级，并根据实际情况适当提高定级工资标准。⑥我国将加强高等学校专科层次学生职业技能培训，鼓励他们取得相应的职业资格证书。

小贴士

五项最有效的求职方法：

根据自己的特长和专业知识创新求职法——成功率86%。

直接找公司的负责人——成功率47%。

找朋友介绍——成功率27%。

利用母校就业指导中心——成功率21%。

二、就业准入制度

就业准入制度是指根据《劳动法》和《职业教育法》的有关规定，对从事技术复杂、通用性广，涉及国家财产、人民生命安全、消费者利益的职业（工种）的劳动者，必须经过培训，并取得相应的职业资格证书后，方可就业上岗的制度。

2000年3月，原劳动保障部制定发布了《招用技术工种从业人员规定》，要求用人单位招用从事技术复杂以及涉及国家财产、人民生命安全和消费者利益工种（职业）的劳动者，必须从取得相应职业资格证书的人员中录用。技术工种范围劳动和社会保障部确定并向社会发布。

实施就业准入制度既是经济社会发展的需要，也是合理开发和配置我国劳动力资源的战略举措。其目的就是要促进劳动者改善素质结构和提高素质水平，进而促进劳动者就业和再就业能力的提高。

实行就业准入控制，推行职业资格证书制度，一是可以规范劳动力市场建设，为劳动者就业创造平等的竞争环境。二是可以实现劳动力资源合理开发和配置，并使其纳入良性发展的轨道。三是可以促进劳动者主动提高自身的技术业务素质，使我国的就业从安置型就业转化为依靠素质就业，达到使劳动者尽快就业和稳定就业的目的。

职业资格是对从事某一项职业所必备的学识、技术和能力的基本要求。职业资格包括从业资格和执业资格。从业资格是指从事某一项专业（职业）学识、技术和能力的起点和标准。执业资格是指政府对某些责任较大、社会通用性强、关系公共利益的专业（职业）实行准入控制，是依法独立开业或从事某一特定专业（职业）学识、技术和能力的必备标准。职业资格证书是表明劳动者具有从事某一职业所必备的学识和技能的证明。它是劳动者求职、任职、开业的资格凭证，是用人单位招聘、录用劳动者的主要依据，也是境外就业、对外劳务合作人员办理技能水平公证的有效证件。职业资格证书制度是国际上同行的一种对技术技能人才的资格认证制度；是我国劳动就业制度的一项重要内容，也是一种特殊形式的国家考试制度。主要内容是指按照国家制定的职业技能标准或任职资格条件，通过政府认定的考核鉴定机构对劳动者的技能水平或职业资格进行客观公正、科学规范的评价和鉴定，对合格者授予相应的国家职业资格证书的政策规定和实施办法。职业资格证书与学历证书的主要区别：学历文凭主要反映学生学习的经历，是文化理论和知识水平的证明。职业资格证书与职业劳动的具体要求紧密结合，更直接准确地反映了特定职业的实际工作标准和操作规范，以及劳动者从事该职业所达到的实际工作能力水平。

《劳动法》规定"由经过政府批准的考核鉴定机构负责对劳动者实施职业技能考核鉴定"，合格的即可获得职业资格证书。职业技能鉴定是一项基于职业技能水平的考核活动，属于标准参照考试，由考试考核机构对劳动者从事某种职业所应掌握的技术理论知识和实际操作能力做出客观的测量和评价，全国统一鉴定采取笔试方式进行。职业技能鉴定是国家职业资格证书制度的重要组成部分。

🔧 相关链接

目前有87个工种(职业)必须持职业资格证书就业。

生产、运输设备操作人员:车工、铣工、磨工、镗工、组合机床操作工、加工中心操作工、铸造工、锻造工、焊工、金属热处理工、冷作钣金工、涂装工、装配钳工、工具钳工、锅炉设备装配工、电机装配工、高低压电器装配工、电子仪器仪表装配工、电工仪器仪表装配工、机修钳工、汽车修理工、摩托车修理工、精密仪器仪表修理工、锅炉设备安装工、变电压安装工、维修电工、计算机维修工、手工木工、精密木工、音响调音员、贵金属首饰手工制作工、土石方机械操作工、砌筑工、混凝土工、钢筋工、架子工、防水工、装饰装修工、电气设备安装工、管工、汽车驾驶员、起重装卸机械操作工、化学检验工、食品检验工、纺织纤维检验工、贵金属首饰钻石珠宝玉石检验工、防腐蚀工。

农林牧渔业生产人员:动物疫病防治员、动物检疫检验员、沼气生产。

工商业、服务业人员:营业员、推销员、出版社发行员、中药购销员、鉴定估价师、医药商品购销员、中药调剂员、冷藏工、中式烹饪师、中式面点师、西式烹饪师、西式面点师、调酒师、营养配餐员、前厅服务员、客户服务员、保健按摩师、职业指导师、物业管理员、锅炉操作工、美容师、美发师、摄影师、眼镜验光员、眼镜定配工、家用电子产品维修工、家用电器新产品维修工、照相器材维修工、钟表维修工、办公设备维修工、养老护理员。

办事人员和有关人员:秘书、公关员、计算机操作员、制图员、话务员、用户通信终端维修员。

全国统一鉴定的职业和能力测试有:人力资源管理师、心理咨询师、物业管理师、项目管理师、职业指导师、电子商务师、营销师、企业信息管理师、物流师、秘书、公关员、计算机高新技术考试、职业英语水平考试及职业汉语能力、创新能力、通用管理能力测试。

三、人事代理制度

人事代理,在我国是指在社会主义经济条件下,经组织人事部门批准或授权指定的人才服务机构受单位、个人委托,运用社会服务方式和现代化手段,按指定的法律和政策规定,为其代办有关人事业务。简单地说,就是把"单位人"变成"社会人",实现人事关系管理与人员使用分离,即单位管用人,而一些具体的人事管理工作,如档案管理、计算工龄、评定职称、社会保险等，由人才管理中心代管。1995 年 12 月人事部正式提出推行人事代理制，使之规范化、法制化。预示着人事代理将促进人才产业化，最终使人事管理变成一种公众服务。

目前，全国各地人事代理发展迅速，代理内容不断丰富，代理形式趋于多样化，概括起来主要包括四个方面：①围绕人事档案管理进行的低层次的人事代理，包括存放和传递人事关系、调整档案工资、评定专业技术职称、办理因私因公出国政审、出具各种人事证明等。②围绕社会保障进行的新形势的人事代理。包括失业保险、养老保险、医疗保险等。③围绕人力资源开发进行的深层次代理。包括人才招聘、人才评测、人事诊断、人才考核和人才发展规划。④围绕信息咨询进行服务性代理。如发布人才供求信息、代发招聘广告和公司形象设计、工薪制度咨询、就业指导、职业咨询等。人事代理的对象、规模不断扩大。人事代理最初服务对象大多是三资企业、民办科技企业、乡镇企业和非国有单位，现在已发展到代理一部分国有企业和事业单位。

人事代理的特点：人事代理制度首先是个制度，它的特点是法制化、系统化、社会化和专业化。法制化就是人事代理单位和被代理单位要有严格的合同约束，有明确的权利、责任、义务保证；开展人事代理业务要以人事法规政策为依据，符合人事管理的每一个环节的要求。系统化就是人事代理业务扩展到人事管理的每个环节，从宏观的人事规划到具体的人事管理业务。社会化就是人事代理的范围和服务领域具有广泛性和市场化的特点，国有企业可以委托，其他多种经济成分的用人单位也可以委托；单位可以委托，个人也可以委托；既可以全权委托，也可以单项委托。专业化就是人事代理机构应该具有较强的人事代理业务能力和相关专业技术设备、技术手段，提供具有较高专业水准的服务。

人事代理的意义：①是对人才化观念的再认识，促进了人才使用权与所有权的分离。②适应了企事业单位人事制度改革的需要，是深化人事制度改革的切入口。③人事代理制度是适应知识经济对人事管理高水平要求的重要内容。

小贴士

如何签订《人事代理协议书》

签订《人事代理协议书》需准备以下材料："人事代理"申请及单位简介。②单位营业执照附本复印件。③人事代理需存档的人员名单。④单位详细地址、邮编、人事部门负责人及联系电话。⑤签订《人事代理协议书》，甲、乙双方代表在协议书上签字盖章后生效。

四、国家公务员制度

国家公务员是指代表国家从事社会公共事务管理，行使国家行政权力，履行国家公务的人员。各国对公务员的称谓有所不同，英国称"文职人员"，法国称"职员"或"官员"，美国称"政府雇员"。国家公务员制度是指党和国家对国家公务员进行管理的有关法律、法规、政策等的统称或总称。

我国国家公务员包括各级国家行政机关中除工勤人员以外的工作人员。考虑到我国机构编制的实际情况，对行使国家行政权力从事行政管理活动，但使用事业编制的单位中除工勤人员以外的工作人员，也列入国家公务员的范围。

我国国家公务员制度是根据我国基本国情建立的，同时又改革了传统的人事制度的弊端，因此，它既不同于西方文官制度，也不同于我国传统的人事管理制度。与西方文官制度比较，有以下特点。

第一，我国公务员制度坚持和体现了党的基本路线，而西方文官制度则标榜"政治中立"。

第二，我国公务员制度坚持党管干部的管理原则，而西方文官制度要求公务员与"党派脱钩"。

第三，我国公务员制度强调德才兼备，西方文官制度缺乏统一的、全面的用人标准。

第四，我国公务员制度强调全心全意为人民服务的宗旨，国家公务员不是一个独立利益集团，而西方文官是一个单独的利益集团。

国家公务员制度与传统人事制度比较，也是有差别的：

第一，国家公务员制度在科学化、法制化上比传统的人事制度有很大的提高。

第二，国家公务员制度在管理机制上比传统的人事制度进一步健全和强化。

第三，国家公务员制度在队伍优化上比传统的人事制度有新的突破。

第四，国家公务员制度在工资、福利、保险上比传统人事制度更科学合理。公务员实行新的职级工资制，按不同的职能分为职务工资、级别工资、基础工资、工龄工资四个组成部分。

要指明的是各级人民政府组成人员是国家公务员，但他们的产生和任免要依照国家有关法律、法规，由各级人民代表大会及其常委会选举产生或决定任命。

国家公务员面向全日制普通高等院校优秀应届毕业生(定向培养、委托培养生除外)和社会人员招考。这些人员只要符合以下条件就可以参加考试。

第一，具有中华人民共和国国籍，享有公民政治权利。

第二，拥护中国共产党的领导，热爱社会主义。

第三，遵纪守法，品行端正，具有为人民服务的精神。

第四，基础理论扎实，学习成绩优良，具有较强的分析、解决问题和组织协调能力。

第五，报考省级以上政府工作部门的应具有大专以上学历。

第六，身体健康，年龄35周岁以下。

第七，具备拟报考职位所需资格条件。

第八，录用主管机关的其他规定。

目前，有些地方（如山东省）招考公务员已彻底打破身份界限，不管是农民还是工人，只要符合职位所规定的条件，就可以参加考试。另外，有些地方在招考公务员的过程中，已经打破地域，可以招收本辖区以外的报考对象。

国家公务员考试有以下类别和科目。

中央、国家机关公务员录用考试分 A、B 两类进行。A 类职位的公共科目为：《行政职业能力测验》（A）、《申论》两科。《行政职业能力测验》（A）包括语言理解与表达、常识判断、数量关系、判断推理和资料分析。《申论》主要通过报考者对给定材料的分析、概括、提炼、加工，测查报考者解决实际问题、阅读理解、综合分析、提出问题和文字表达能力。

B 类职位的公共科目为：《行政职业能力测验》（B）一科。《行政职业能力测验》（B）的结构、考试时限与 A 类相同，但题型、题量、难度等与《行政职业能力测验》（A）有所不同。

国家公务员录用考试由考试录用主管机关统一组织，分为制订录用计划、公告、报名、考试、考核和体验、公布拟录用人员名单、审核备案七个步骤。

五、劳动合同制度

由于生产资料公有制的建立，使得每个劳动者都成为国家的主人，都处在主人翁的地位。而劳动者主人翁地位的个体内容，又是由享有的基本权利和劳动者履行的基本义务构成的。那么，在现实生活中劳动者的权利和义务又是怎样被体现出来的呢？它是通过劳动者与用人单位订立的劳动合同体现出来的。那么，什么是劳动合同？劳动合同的基本内容是什么？订立劳动合同的基本原则和法定程序是什么？实行劳动合同制度的意义是什么？

（一）劳动合同

劳动合同是指劳动者与用人单位之间发生的劳动关系并确立双方的权利和义务的协议。换句话说，劳动合同就是"劳动契约"。它是用人单位与劳动者之间为了确立劳动关系，明确相互之间的劳动权利和义务所达成的协议。

劳动合同有以下作用。

第一，劳动合同是劳动者和用人单位双方建立劳动关系的凭证，也就是调整双方劳动关系的手段。

第二，劳动合同是一种法律文本，是确立双方关系的法律形式，劳动者的权益据此能够得到国家法律的保护。

第三，劳动合同是规范双方行为的准绳，用人单位按照合同提供正常的劳动条件、发放工资报酬等，劳动者要按照合同从事工作，完成任务。

第四，劳动合同中的各项条款，是处理双方之间劳动争议的重要依据。

劳动合同的内容是指在劳动合同中需要明确规定的劳动关系双方当事人的权利和其他事项，除了"开始条款"和"结束条款"按照一般合同的格式书写外，劳动合同的条款主要有以下几个方面。

第一，《劳动法》规定的七项劳动合同必备条款：合同期限、工作内容、劳动保护和劳动条件、劳动报酬、劳动纪律、合同终止的条件、违反劳动合同的责任。

第二，除上述七项条款外，双方认为需要约定的其他内容。

第三，有关的附件，如用人单位的一些规章制度。

订立劳动合同应当遵循的原则是：平等自愿，协商一致，依法订立。上述原则是具有普遍约束和指导意义的法律规则，是衡量当事人双方订立劳动合同是否合法的有效标志。

劳动合同的期限分为三种类型：①有固定期限的劳动合同，如一年、三年、五年等。②无固定期限的劳动合同，指订立合同当事人在合同书上只写明起始日期，而没有写明终止日期，合同的期限不是固定的，根据双方当事人的意愿可长可短。这种合同一般都要说明规定解除劳动合同的条件，不符合解除条件的，任何一方都不得解除合同。③以完成一定的工作期限的劳动合同，是指订立合同的当事人双方把完成某项工作和工程的时间作为劳动合同起始和终止的条件。在订立劳动合同时，可以规定一定的试用期。试用期一般不得超过半年。

（二）劳动合同制度

劳动合同制度是指专门规范劳动合同的制度。换句话说，劳动合同制度就是通过订立劳动合同这一法律形式来规范和调节所有者、经营者和劳动者三方之间的劳动关系的一种法律制度。劳动合同是法律形式，劳动合同制度是法律制度。劳动合同制度既是一个经济概念，又是一个法律概念。作为经济概念，劳动合同制度是指用人单位与劳动者通过相互选择和平等协商而建立起的期限可长可短、稳定性与灵活性相结合的反映劳动关系的制度。也就是说，从经济角度讲，劳动合同制度是一种合同制度，实行上述用人制度时，必须通过订立劳动合同来具体规定双方的权利和义务。这是劳动合同与劳动合同制度的联系与区别。

劳动合同制度是一种适合我国社会主义市场经济要求的新型劳动制度。它在我国出现于 20 世纪 80 年代，20 世纪 90 年代开始在全国范围内推行。1995 年我国颁布《劳动法》将劳动合同以法律条文的形式确定并加以规范。到 1996 年年底，我国绝大部分地区已基本上实行了劳动合同制度。劳动合同制度适用于下列用人单位和与之形成劳动关系的各类人员（劳动者）：国有企业、城镇集体企业、乡镇企业、股份制企业、私营企业、个体商户和其他经济类型的企业。另外，劳动合同制度也适用于国家机关、事业单位、社会团体和与之建立劳动合同关系的劳动者。由此我们可以看出，劳动合同与每一个劳动者都息息相关，它是每个劳动者在走上工作岗位与用人单位发生劳动关系时必须签署的协议。

实行劳动合同制度的意义：

第一，实行劳动合同制度可以促进劳动力资源合理配置。

第二，建立劳动合同制度可以增加劳动者的竞争意识和促进劳动者自身素质的提高。

第三，实行劳动合同制度有利于调动劳动者的积极性和创造性。

第四，实行劳动合同制度是维护劳动者的权利，体现劳动者主人翁地位的法律保障。

相关链接

××省劳动合同范本

劳动合同

甲方(用人单位)名称：

法定代表人：

所有制性质：

地址：

乙方(劳动者)姓名：

性别：　　　　　　　　　　　　　　　出生年月：

民族：

文化程度：

居民身份证号码：

住址：

根据《中华人民共和国劳动法》以及有关法律、法规、规章和政策的规定，经双方平等协商，乙方为甲方城镇(农民)合同制职工，并订立本合同。

一、劳动合同期限

按下列第　　款确定：

(一)本合同为固定期限合同。合同期从　年　月　日起至　年　月　日止。其中熟练期(培训期、见习期)从　年　月　日起至　年　月　日止；试用期从　年　月　日起至　年　月　日止。

(二)本合同为无固定期限的劳动合同。合同期从　年　月　日起至法定或约定的解除(终止)合同的条件出现时为止。其中熟练期(培训期、见习期)从　年　月　日起至　年　月　日止；试用期从　年　月　日起至　年　月　日止。

(三)本合同为以完成一定任务为期限的劳动合同。合同期从　年　月　日起至　年　月　日止(起讫时间必须明确具体)。其中熟练期(培训期、见习期)从　年　月　日起至　年　月　日止;试用期从　年　月　日起至　年　月　日止。

二、工作内容

乙方同意甲方生产(工作)需要,在　岗位(工种)工作,完成岗位(工种)工作所承担的各项工作内容。

三、劳动保护和劳动条件

甲乙双方都必须严格执行国家有关工作时间、生产安全、劳动保护、卫生健康等规定。甲方应为乙方提供符合规定的劳动设施、劳动防护用品及其他保护条件。乙方严格遵守各项安全操作规程。

四、劳动报酬

乙方熟练期(培训期、见习期、试用期)间的月工资为　元;熟练期(培训期、见习期、试用期)满的定级工资为　元。乙方月工资　元。工资发放日期为　日,甲方不得无故拖欠。

乙方工资的增减,奖金、津贴、补贴、加班加点工资的发放,以及特殊情况下的工资支付等,均按相关法律、法规、规章和政策,以及甲方依法制定的规章制度执行。

五、劳动纪律

甲乙双方应严格遵守法律、法规、规章和政策。甲方应依法制定各项具体的内部管理制度。乙方应服从甲方的管理。

六、劳动合同变更、解除、终止的条件

(一)具有下列情形之一,经甲乙双方协商同意,可以变更本合同相关的内容。

1. 本合同订立时所依据的客观情况发生重大改变,致使本合同无法履行。

2. 乙方不能从事或者不能胜任原岗位(工种)工作。

(二)乙方具有下列情形之一的,甲方可以解除劳动合同。

1. 在试用期被证明不符合录用条件的。

2. 严重违反劳动纪律或者甲方规章制度的。

3. 严重失职、营私舞弊,对甲方利益造成重大损害的。

4. 被依法追究刑事责任的。

(三)具有下列情形之一的,甲方可以解除劳动合同,但是应当提前30日以书面形式通知乙方本人。

1. 乙方患病或非因工负伤,医疗期满后,不能从事原工作也不能从事由甲方另行安排的工作的。

2. 乙方不能胜任工作，经过培训或者调整工作岗位，仍然不能胜任工作的。

3. 乙方不能从事或者不能胜任原岗位(工种)工作，经甲乙双方协商又不能就变更本合同达成协议的。

4. 本合同订立时所依据的客观情况发生重大变化，致使本合同无法履行，经甲乙双方协商未能就变更本合同达成协议的。

(四)甲方濒临破产进行法定整顿期间或者生产经营状况发生严重困难，达到政府规定的严重困难企业标准，确需裁减人员的，应当提前30日向工会或者全体职工说明情况；听取工会或者职工的意见，并以书面形式向劳动行政部门报告后，可以解除劳动合同。

(五)乙方具有下列情形之一的，甲方不得依据本条第(三)、(四)款的规定解除劳动合同。

1. 患职业病或者因工负伤并被劳动鉴定委员会确认丧失或者部分丧失劳动能力的。

2. 患病或者负伤，在规定的医疗期内的。

3. 女职工在孕期、产期、哺乳期内的。

(六)有下列情形之一的，乙方可以随时通知甲方解除本合同。

1. 在试用期内的。

2. 甲方以暴力、威胁或者非法限制人身自由的手段强迫劳动的。

3. 甲方未按照本合同约定支付劳动报酬的。

4. 经国家有关部门确认，甲方劳动安全卫生条件恶劣、严重危害乙方人身安全和身体健康的。

(七)经甲乙双方协商一致，本合同可以解除。

(八)本合同期满或者甲乙双方约定的本合同终止条件出现，应当即行终止。由于生产(工作)需要，经双方协商一致，可以续订劳动合同。

七、社会保险和福利

(一)甲乙双方依法参加社会保险，按期足额缴纳养老保险基金、失业保险基金、工伤保险基金、医疗保险基金和生育保险基金。乙方个人缴纳部分，由甲方在其工资中代为扣缴。

(二)乙方的公休假、无休假、探亲假、婚丧假，女工孕期、产期、哺乳期待遇以及解除和终止劳动合同时乙方生活补助(经济补偿金)、医疗补助费发放等，均按有关法律、法规、规章、政策以及甲方依法制定的规定执行。

(三)乙方患职业病或因工负伤的待遇。因工或因病死亡的丧葬费、一次性抚恤费、供养直系亲属生活困难补助费等均按有关法律、法规、规章、政策和甲方依法制定的规定执行。

八、违反劳动合同的责任

（一）由于甲乙任何一方的过错造成本合同不能履行或者不能完全履行的，由有过错的一方承担法律责任；如属双方过错，根据实际情况，由双方分别承担各自的法律责任。

（二）因不可抗力造成本合同不能履行的，可以不承担法律责任。

（三）甲乙任何一方违反本合同，给双方造成经济损失的，应当根据后果和责任大小，向对方支付赔偿金。

九、乙方在职期间（含转岗）由甲方出资进行职业技术培训，当乙方在未满甲方约定服务年限解除本合同时，甲方可以按照实际的培训费（包括培训期的工资）计收赔偿金，其标准为每服务一年递减实际支付的培训费总额的_____%。

十、双方需要约定的其他事项。

十一、本合同条款与法律、法规、规章、政策和甲方依法制定的规章制度相抵触的，以及本合同未尽事宜，均按法律、法规、规章、政策和甲方依法制定的规章制度执行。

十二、本合同依法订立后，双方必须严格履行。

十三、本合同履行中发生劳资纠纷，甲乙双方应当协商解决，协商不成或不愿协商的，可以向本单位劳动争议调解委员会申请调解，调解不成的，可以向劳动争议仲裁委员会申请仲裁。甲乙任何一方也可以直接向劳动争议仲裁委员会申请仲裁。对仲裁裁决不服的，可以向法院起诉。

十四、本合同一式三份，甲乙双方各执一份，签证机关存档一份。

甲方（盖章）：　　　　　　　　　　签证机关（盖章）：

　　　　　　　　　　　　　　　　　签证编码：

乙方（签字）：　　　　　　　　　　签证人员（盖章）：

合同订立日期：　年　月　日　　　　签证日期：　年　月　日

思考与练习

1. 结合个人实际，谈谈你对高职毕业生就业前景的看法。
2. 谈谈劳动合同制度的重要意义。

第 二 章

高职大学生职业生涯规划

高职大学生职业生涯规划是指高职大学生在大学期间进行系统的职业生涯规划的过程。职业生涯规划的有无及好坏直接影响到高职大学生大学期间的学习、生活质量，更直接影响高职大学生求职就业甚至未来职业生涯的成败。职业生涯规划有利于高职大学生增加危机意识，促进自我觉醒，增强在就业中的竞争力，在明白自己优势与不足的基础上，扬长避短，展现自我，挖掘自我潜能，明确以后要走的人生道路。

第一节　职业生涯规划概述

案例点击

江苏省教育厅学生处林伟处长做客"扬子直播室"时，对 2008 年江苏省高校就业形势进行了介绍，并提醒广大面临就业的大学生，职业生涯规划要越早越好。林伟处长说："我省 60％的大学生没有职业规划概念，不知道自己的优势、劣势是哪些，更不知道自己适合干什么工作，造成毕业时出现就业恐慌。"说到找工作，不少大学生都觉得是毕业时才应该考虑的问题，其实这种想法是错误的。林伟处长介绍，他们之前对全省大学生做了一次调查，发现有 60％的大学生对自己没有职业规划，根本不知道自己的能力有多强，自己的兴趣爱好是什么，自己的潜力是什么。造成了很多大学毕业生考虑不足，随便找个工作就去应聘，所以成功率很低。

林处长说，2008 年我省的高校毕业生达到 427000 人，人数相当多。如何才能使自己"绝处逢生"，这就需要自己对未来提早规划。他建议大学生，大学一年级就要了解自我，了解自己擅长什么；大学二年级要锁定兴趣爱好；大学三年级要提高自己的职业修养，锻炼自己的能力，为今后的职业生涯储备知识技能；大学四年级就要完成从学生到职业者的转换。现在很多大学生找工作要不就是靠自己的感觉，往往简历投了很多，一个回音也没有；要不就一味依赖父母。他在招聘会上就看见有不少家长陪孩子来找工作，这样的学生是没有哪家单位会录用的。

（资料来源：扬子晚报）

一、职业与职业生涯规划

（一）职业

不同的学说对于职业概念的理解有所不同，从社会学的角度看，职业概念分为四个层次：

第一，职业是社会分工体系中的一种社会位置。这种位置是个人进入社会生活中获得的一种劳动角色。

第二，职业是从事某一专门工作和活动的社会分工。

第三，职业同权力和利益是紧密相连的。

第四，职业是国家确定和认可的。

经济学中的职业概念也分为四个层次：

第一，职业是社会分工体系中劳动者所获得的一种劳动角色。

第二，职业是一种社会活动，具有社会性。

第三，职业具有连续性和稳定性。

第四，职业具有经济性。

总之，职业是一种相对固定的，体现了社会分工的，并要求工作者具备一定技能的劳动。职业是社会分工的必然产物。

（二）生涯

美国学者舒伯认为生涯是生活中各种事件的演进方向和历程，它统合了人一生中依序发展的各种职业和生活的角色，由此表现出独特的自我发展形势；它也是人生从青春期到退休后，一连串有酬与无酬职位之综合。

生涯的特征表现在四个方面，即终身性、独特性、发展性、综合性。

（三）职业生涯规划

职业生涯规划指个人根据自身的主观因素和客观条件，确立自己的职业生涯发展目标，选择实现这一目标的职业，制订和安排相应的教育、培训、工作计划并付诸行动，实现职业生涯目标的过程。包括四个方面：自我分析、设定目标（分层次、阶段）、实现目标的策略、评估与修正。

大学生职业生涯规划是指学生在大学期间进行系统的职业生涯规划的过程。它包括大学期间的学习规划、职业规划、爱情规划和生活规划。职业生涯规划的有无及好坏直接影响到大学生大学期间的学习、生活质量，更直接影响到求职就业甚至未来职业生涯的成败。从狭义职业生涯规划的角度来看，此阶段主要是职业的准备期，主要目的在于为未来的就业和事业发展作好准备。客观而言，进行系统的学习和实践至关重要。

二、大学生职业生涯规划的意义

案例点击

哈佛大学有一个非常著名的关于目标对人生影响的跟踪调查。

调查的对象是一群智力、学历、环境等条件差不多的年轻人。

调查发现：27％的人没有目标，60％的人目标模糊，10％的人有清晰但比较短期的目标，3％的人有清晰且长期的目标。

25年的跟踪研究结果显示，他们的状况及分布现象十分有意思：

那些3％有清晰且长期目标的人，25年来几乎都不曾更改过自己的人生目标。25年来他们都朝着同一方向不懈地努力。25年后，他们几乎都成了社会各界的顶尖成功人士。他们中不乏白手创业者、行业领袖、社会精英。

那些10％有清晰短期目标者，大多在社会的中上层。他们的共同特点是，短期目标不断被达成，状态稳步上升，成为各行各业的不可或缺的专业人士，如医生、律师、工程师、高级主管等。

而那些60％的模糊目标者，几乎都在社会的中下层面。他们能安稳地工作，但都没有什么特别的成绩。

剩下的27％是那些25年来都没有目标的人群，他们几乎都生活在社会的最底层。他们都过得不如意，常常失业，靠社会救济，并且常常都在抱怨他人，抱怨社会，抱怨世界。

美国耶鲁大学也曾经做过类似的调查研究，调查结果表明，3％有清晰的长远目标的毕业生，20年后挣的钱比剩下97％的毕业生挣的钱的总和还多。

（资料来源：申平华. 目标定位——人生的"定海神针". 发现，2007(3). 有改动）

其实，每个人的内心深处都有一种对成功发展的渴望。如果你能发掘它，便能找到成功的方向，找到一种支持你不懈努力的持久力量。然而，正如西方的那句谚语所说，"如果你不知道你要到哪儿去，那通常你哪儿也去不了"。成功的事业不仅建立在良好的教育背景和环境条件下，而且还需要科学的规划。确定自己的职业目标，规划自己的职业生涯，提高自己的就业能力，制订自我发展的行动计划，对于个人的发展来说必不可少。职业生涯规划只要开始，就永远不晚。大学生有意识地了解并实施职业生涯规划是十分必要的，具有以下几方面的意义。

（一）有利于大学生增强危机意识，促进自我觉醒

物竞天择，适者生存。当今社会竞争无处不在，如何在这激烈的竞争中脱颖而出，立于不败之地，那就必须先做好自己的职业生涯规划。大学生职业生涯规划能够引导大学生学习有关职业的知识，促使大学生考虑从学生向职业人转变所需要的技能和素养，增强学习的目的性和动力。有关专家建议，大学生首先要对自己未来的职业有一个清晰的认识，并树立明确的目标，在目标的指引下不懈努力，这样职业生涯规划的实施效果才会比较好。

（二）有助于增强大学生在就业中的竞争力

影响大学生求职的原因多种多样，包括学校品牌、所学专业与相关行业的发展前景、社会经济发展态势、学生个人综合素质、就业观念、就业技巧、性别、生源地、家庭背景、就业市场建设、就业服务与管理等。但成功的大学生涯首先需要科学的规划，未雨绸缪，做好职业生涯规划，有了清晰的认识和明确的目标之后再把求职活动付诸实践，才能有效增强就业竞争力。

（三）有利于确定职业发展目标，为未来的职业成功夯实基础

职业生涯规划能够帮助我们做自我分析，从而认识自己，了解自己，估计自己的能力，确认自己的性格，认识自己的优缺点，明确自己和别人的差距。通过客观分析，确定适宜的职业生涯路线，尽早制定合理的职业发展目标。要想自己未来拥有成功的职业生涯，实现自己的人生价值，就应按照职业生涯规划有步骤、有计划地去实施，为自己的未来储备能量，创造机会，为未来的职业成功夯实基础。

相关链接

2006 年中国最具影响力的八大职业规划事件

No.1：北京大学新生报到第一课——职业规划

北京大学新生报到第一课上的是职业规划，东华大学 3700 名新生在军训前就先上职业规划课，复旦大学更是把生涯规划纳入思政教育体系，成为全校必修课。天津、浙江、武汉等一些高校也竞相效仿……2006 年，更多的大学开始把职业规划作为大学教育的第一课。

上榜理由：高校对职业规划大开绿灯，让大学生从大一开始就合理科学地利用宝贵的大学生涯，为以后职业发展服务，从而从源头上解决就业问题。名牌大学的这种举动也带来极大的示范作用，将对高校教育改革产生不小的影响。

No.2：中英职业规划大师首度对话

3月，英国职业生涯教育权威机构思特莱德大学 Sampile 教授应邀到上海进行访问并作精彩演讲，同专家及上海紧缺人才培训中心、上海市高校就业指导中心等官方机构进行首度对话，交流学术，共同研讨中国职业规划的现况与发展。10月，Sampile 教授与她的团队重访中国，并与有关官方机构进一步探讨合作事宜。

上榜理由：中英两国职业规划大师首次对话，不仅具有非凡的学术意义，这预示着在中国职业规划的专业水平开始与国际接轨，并开启了中外合作的大门，为以后的合作打下基础、预备道路。英国的百年职业规划经验和先进理论将成为中国职业规划行业的一大财产。

No.3：第一届中国大学生职业规划大赛

随着第一届中国大学生职业规划设计大赛烽火的燃起，全国各地掀起了如火如荼的赛事，广东、湖南、湖北、河南等省市纷纷举办大学生职业规划大赛。华中科技大学更是办起了研究生职业规划大赛。

上榜理由：首次举行的大学生职业规划大赛就涉及了全国高校总数的 37%，参加人数达 12 万之多，成为职业规划在中国的空前盛典。各种大小比赛吸引上百家媒体，将大学生职业规划推向一个新的高潮。

No.4：IT 行业流行职业规划

2006 年 9 月，国内 IT 专家聚首长沙，参加 IT 职业规划论坛，探讨 IT 与职业规划的关系。另一方面，慧识达教育签约北大青鸟培训专业职业规划师，诸多 IT 教育机构纷纷联合职业规划专业机构在 IT 培训过程中给学员进行职业规划培训及辅导，很多 IT 培训中心也纷纷邀请职业规划专家为学员进行职业设计。

上榜理由：IT 行业目前已成为吸纳人才数量巨大的朝阳行业，工程师这几年都是香饽饽，IT 也创造了许多的奇迹和神话，这个行业对职业规划的呼唤一方面推动了职业规划的发展，另一方面也具有强烈的象征意义。

No.5：职业规划测评软件大行其道

面对大量的职场"盲人"，各大网站马上迎合市场，纷纷推出职业规划测评软件。BT 测评、个性测评、职业能力测评，甚至薪水测评的软件都很受大家欢迎，成为网络上又一大热点。

上榜理由：各式测评软件之多，范围之广，测评者之多，创历史之最。许多人在其中找到了一个答案，虽然不一定正确，但至少可以定个方向。各种测评成了人们最简单、原始的职业规划。

No.6：又一批职业规划师走向前台

2006 年 5 月和 10 月，经过系统的理论培训、案例实习与严格的考核之后，两批共有 50 多位职业规划师先后"出炉"。他们取得了国内职业规划行业唯一的政府认证——由上海紧缺人才培训办公室认证的《职业规划岗位资格证书》。11月，上海紧缺人才培训工程再次推出了全国首个初级职业规划师认证培训（JCP），课程倡导"做自己的职业规划师"，在全国职场人士中大面积普及职业规划知识和技能。

上榜理由：全国职业规划潮流需要大批专业人才。JCP让大学生及各类职场人可以成为自己的职业规划师，帮助个人求职、就业、发展。JCP出自于国内唯一被政府认可、支持的职业规划师培训机构——向阳生涯职业咨询机构，具有行业绝对权威地位。

No.7：清华硕士自杀

10月的最后一天，一位清华大学硕士在泉州跳楼自杀，震惊全国。遗书显示，该硕士因毕业求职不理想，忧郁成疾，接受过医院的心理医生专门治疗，回家休养时最终选择了自杀。

上榜理由：清华硕士一度是人们追捧的光环，与北大学子卖肉、摆地摊一样，这事件对社会产生了极大的震撼，让人们明白，缺失职业规划，将可能有什么样的后果与灾难。

No.8：企业给普通员工做职业规划

2005年浙江绍兴烟草集团为经理做职业规划。2006年，福建亲亲股份有限公司关注员工的发展，为他们逐一做职业规划。

上榜理由：一家合资企业能够给普通员工逐一进行职业规划，体现了国内企业人力资源管理上的极大飞跃和创新，为企业人力资本管理提供了良好的范本，可谓首开先河。事件的象征意义远远大于实际意义。

（资料来源：向阳生涯职业咨询机构. 2006年12月30日. 有改动）

三、大学生职业生涯规划的主要原则

由于大学阶段是一个人职业生涯发展中的重要准备期，因此在大学阶段为自己选定一个职业发展方向，放眼未来，着手当前，对大学生涯进行规划是可行的而且也是非常必要的。大学生的职业生涯规划应遵循以下原则。

（一）目标导向原则

什么是目标？有人说："目标即梦想的日期化和数字化。"在一定的时间内达到具有一定规模的期望值就叫目标。以目标为导向是大学生进行职业生涯规划的首要原则。目标是前进的动力、行动的灯塔。

小故事

比塞尔是西撒哈拉沙漠中的一个小村庄。这里从来没有一个人走出过大沙漠，据说不是他们不愿离开这块贫瘠的地方，而是尝试过很多次都没有走出去过。英国皇家学院的院士莱文对这种现象感到很奇怪。他来到这个村子向这里的每一个人问其原因，每个人的回答都一样：从这里无论向哪个方向走，最后结果总是转回出发的地方。

为了证实这种说法，他尝试着从比塞尔村向北走，结果三天半就走了出来。莱文非常纳闷，比塞尔人为什么走不出来呢？为了进一步找到原因，莱文雇了一个比塞尔人，让他带路，而莱文自己收起指南针等现代设备，只挂着一根木棍跟在后面。

10天过去了，他们走了大约800英里的路程，第11天的早晨，他们果然又回到了比塞尔。这一次莱文终于明白了，比塞尔人之所以走不出大漠，是因为他们根本就不认识北斗星。

在一望无际的沙漠里，一个人如果跟着感觉往前走，他会走出许许多多、大小不一的圆圈，最后的足迹十有八九是一把卷尺的形状。比塞尔村处在浩瀚的沙漠中间，方圆上千公里没有一点参照物，若不认识北斗星又没有指南针，想走出沙漠，确实是不可能的。

这个与莱文一起配合的青年就是阿古特尔。阿古特尔因此成为比塞尔的开拓者，他的铜像竖立在小城中央。铜像的底座上刻着一行字：新生活是从选定方向开始的。

职场就像每一个人职业生涯的撒哈拉大沙漠，每个人的职业生涯就像要走出这撒哈拉大沙漠一样，在亲身经历之前一切都是未知的，成功注定是在大沙漠的另一边。职业生涯的发展，首先从选定方向开始。人的一生成功与否往往只有一步之遥。成功的人可以无数次地修改方法，但绝不轻易放弃目标；不成功的人经常变换目标，却从不改变方法。成功一开始仅仅是一个选择。我们选择什么样的目标，就会有什么样的人生。在职业生涯的道路上只要不放弃目标，我们最终是会成功的。

（二）可行性原则

职业生涯规划各阶段的目标必须明确清晰，大学生在做职业生涯规划时要考虑其可行性，应做到以下两点：

第一，符合自己的实际情况，包括自己的学历、性格、兴趣和优缺点等。

第二，满足社会需求，包括职业需求、行业需求、家庭需求等。

如果不根据自身的实际情况制订职业生涯规划，将会使自己陷入迷茫之中，发挥不出个人的潜能。无视社会需求，将会使自己的职业生涯规划变成空洞的自我设计，成为一种空想。

下面是某大学生的职业生涯规划书，请大家分析其可行性。

大学阶段的奋斗目标

总目标：

争取公费读研——某领域极有影响力的领导人，创办"士心"集团（终极目标，有绝对实力才能实现）

目标分解：

大一。扩大交际面，增强影响力；自学C语言；学会五笔打字，学期结束时打字完全用五笔；学会使用基本办公软件（word、excel、power point）；期末考试英语达80分。

大二。上学期，9月份考计算机二级，自学计算机三级（数据库），争取过英语四级并为下学期报考英语六级作准备；下学期，确定专业发展方向，大量阅读相关专业书籍，提高管理能力，进入大公司见习，积累工作经验，为将来就业增加筹码。

大三。融合所学知识，对自己所学专业某一领域做到能有自己独到的见解；整理收集个人资料，精心撰写简历；学习求职、面试技巧。

工作后。边工作边考研，工作就就业业，最终从技术岗位走向管理岗位，并成为极有影响力的领导人！

大学发展规划的实施步骤（三年不变的）

第一，周一到周五夏天每天6点起床，6：40～7：40读英语（相关考试内容要用一定时间重点学习，但读英语的时间不得少于30分钟），天晴在草坪上读，雨天在主楼上读。冬天6：30起床，（天亮得晚）7：00～7：40读英语。

第二，身体是革命的本钱，所以必须坚持锻炼身体。每周打两次篮球，每次一个半小时，一是锻炼身体，二是将兴趣发展为特长，并认真上好每节体育课。

第三，坚持每周从双休日中抽出一天时间梳理本周所学内容，多去图书馆和崇文广场，获取知识。

第四，收集好的学习网站并坚持利用互联网学习。

第五，有意识地培养创新思维，不断提高自己的创新思维能力。

第六，坚持学习制作网页，并在大学期间建好个人主页。

年级不同，实施策略也相应变化（不变的内容下面不再赘述）：

大一：课程相对较少，课余时间较多，竞选班长（现状：任班长）。进入学生会（现状：竞选失败，现为自强社的负责人）。课余时间自学C语言，不懂的虚心请教师哥师姐,到 C 语言的专业班去听课(现状:已学 6 章,每周五一二节课在通信专业班上课,并得到学哥们的帮助与指导),参加勤工助学,缓解经济压力。利用课余时间多接触计算机,经常使用办公软件,并接触了解一些其他软件。在九楼机房免费练习五笔,在平时上机时尽量用五笔,到大一结束时要完全用五笔(现状:基本学会,不熟练)。多参加课外活动,SHOW 出自己,广交贤良(现状:参加阳光义卖、植树、义捐图书、演讲大赛、IT 书法比赛、太阳鸟征文竞赛等活动)。

暑期:在武汉边打工边做计算机二级的试题,做好考计算机二级的充分准备。认真学英语,扩大生词量,准备英语四级考试。

大二:上学期,任务太重,不再在班上任职。用打工挣的钱买一台二手电脑,但并不联网,只用 U 盘下载一些软件(CAD,Mathematic,3DMax)装上,学习使用。9 月份考计算机二级,之后精心准备英语三级考试,力争考过三级。下学期,通过一年多的学习和老师的帮助与指导,找准自己的专业发展方向。利用图书馆和互联网大量获取相关专业知识,尽量做到了解本专业在哪些领域发挥着重大作用,受哪些大型公司青睐。并了解目前与本专业联系较紧的有哪些重大新成果,有哪些小发明,有哪些新设想,有哪些新难题,该领域内有哪些行家。参加大型招聘会,感受会场气氛,了解招聘流程。提高处事和应变能力。

暑期:最好找到能充分利用所学知识、技能的短期工作,以便进一步提高自己的知识技能。

大三:到了大三,把一些社团的职务都辞了,继续参与班级管理,经过大二一年对专业知识的学习,做到使自己在某一领域有自己独特的见解。把自己的想法与同学讨论,与老师交流、探讨。积极主动写专业论文,争取写出一篇较有影响力的论文。整理个人资料,收集两年多来在学习、工作、生活上所获得的各种资料,精心写好简历,并寻求老师及师兄师姐的指导。学习求职技巧,阅读相关书籍,收集整理拟订应聘的公司的详细资料,包括规模、经营情况、高层领导、管理模式、用人原则和用人倾向等。

(三)全面评价与反馈原则

全面评价与反馈原则是指对职业生涯规划进行全过程、多角度评价,并将评价结果反馈给有关人员,以促进其改正缺点、发扬优点,更好地实现职业发展目标。

除上述原则外,在制订职业生涯规划时,还要遵循可控性、公平性和激励与挑战性等原则。在执行规划时应尊重原则的严肃性,以保证原则的效力。

第二节　职业生涯规划的步骤与方法

一、大学生职业生涯规划的基本步骤

　　职业生涯规划是一个周而复始的连续过程，其基本步骤包括：清晰个人生涯愿景，认识自我，评估环境，确定职业生涯发展目标，设定职业生涯发展路线，制订弥补差距的行动方案，实施、评估与修订。

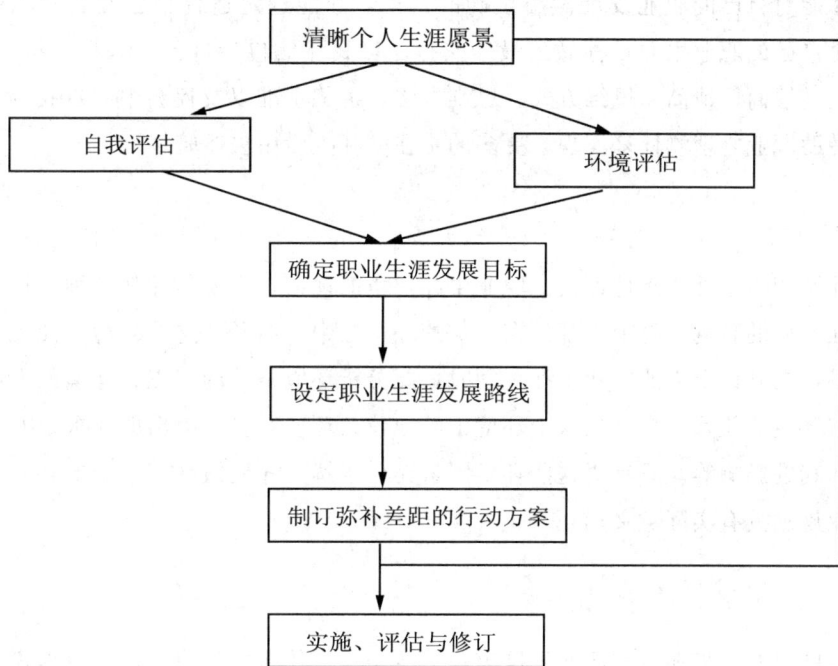

（一）清晰个人生涯愿景

　　在为自己制订职业发展规划的时候，需要弄明白"自己到底想过一种什么样的生活？"即个人生涯愿景。生涯愿景是个人发自内心的，一生最热切渴望达成的结果，它是一种期望的未来或意象。由于人在一生中要扮演多个角色，因此生涯愿景是多方面的。总的来说，要清晰个人生涯愿景就要认真思考以下几个方面的问题。

　　第一，自我形象。你希望成为什么样的人？假如你可以变成你向往的那种人，你会有哪些特征？

　　第二，有形财产。你希望拥有哪些物质财产？希望拥有多大的数量？

第三，家庭生活。在你的理想中，你未来的家庭生活是什么样的？

第四，个人健康。对于自己的健康、身材、运动以及其他与身体有关的事情有什么期望？

第五，人际关系。你希望与你的同事、家人、朋友以及其他人拥有什么样的关系？

第六，工作状况。你理想中的工作环境是什么样子？取得什么样的成就？

第七，社会贡献。对社会作出什么样的贡献？

第八，个人休闲。期望拥有什么样的休闲生活？

（二）自我评估

自我评估相当于内在条件评估。自我评估的目的是认识自己、了解自己。因为只有认识自己，才能对自己的职业发展做出正确的选择，才能选定适合自己发展的职业生涯路线，才能对自己的职业生涯目标做出最佳抉择。自我评估包括自己的兴趣、特长、性格、学识、技能、智商、情商、思维方式、思维方法、道德水准以及社会中的自我等。这部分内容可以借助职业心理测评来实现，更多的是在实际生活中去体验。

（三）评估环境

评估环境相当于外在条件评估。职业生涯环境的评估，主要是评估各种环境因素对自己职业生涯发展的影响。每个人都处在一定的环境之中，离开了这个环境，便无法生存与成长。所以，在制订个人的职业生涯规划时，要分析环境条件的特点、环境的发展变化情况、自己与环境的关系、自己在这个环境中的地位、环境对自己提出的要求以及环境对自己有利与不利的影响等。只有对这些环境因素充分了解，才能做到在复杂的环境中趋利避害，使职业规划具有实际意义。

（四）确定职业发展目标

职业发展目标是指期望在职业发展道路上达到一个什么样的位置，简单地说即获得什么职位。职业发展目标的设定，是职业生涯规划的核心。大学生职业生涯目标的设定，是其职业生涯规划的重要组成部分。一个人事业的成败，很大程度上取决于有无正确适当的目标。职业发展目标是以自己的最佳才能、最佳性格、最大兴趣、最有利的环境等信息为依据而设定的。通常可分为短期目标、中期目标、长期目标和人生目标。短期目标一般为3～5年的目标，长期目标一般为5～10年的目标。

（五）制订弥补差距的行动方案

心动百次不如行动一次。在确定了大学生涯目标后，行动就成为最为关键的环节了。这里的行动是指落实目标的具体措施。例如，为了实现目标，在专业学习方面，计划学习哪些知识，掌握哪些技能，如何提高专业技能。这些计划应具体。职业生涯每次质的飞跃，都是以学习新知识、获取新技能为前提的。为了顺利实现目标，个人首先应对达到目标所要求的条件进行分析，然后对照自己找出差距，并找到弥补差距的具体办法。

（六）实施、评估与反馈

计划永远赶不上变化。影响职业生涯规划的因素很多，有的可以预测，有的难以预料。因此，就要在实施职业生涯规划的过程中对其进行评估与修订，从而使得规划更加符合自身情况与社会需求，让它变得更加行之有效。对大学生来说，反馈修订的内容主要包括：职业方向的重新选择，各阶段目标的修正，实施措施与计划的变更等。

关于职业生涯规划的流程与步骤，不同的人有不同的方法，但不管流程如何，其本质都是有计划地实现自己的职业或生涯发展目标。

相关链接

大学生职业生涯规划的步骤与误区

面对严峻的就业形势，职业生涯规划对大学生来说显得越来越重要。有专家认为，其实职业生涯规划应从大一做起，大学时期是毕业起跑的助跑期。职业生涯规划大学生应该人手一份。

白玲工作室首席专家白玲认为学生找到满意的工作，决胜点在于长期的点滴的积累。有很多同学找工作之前会突击拿一些证书，有的同学很自卑没有骄人的成绩。其实，这些并不令人担忧，令人担忧的是大学生没有注重有计划地在生活中培养自己真正有发展潜力的素质。证书、成绩、丰富的经历只是求职的表面文章，真正的"内功"才是最后面试成功的关键所在。而这种"内功"是需要认真规划的。

白玲介绍，大学生职业生涯规划应包括评估自我、确定短期和长期目标、制订行动计划和内容、选择需要采取的方式和途径四个步骤。

第一，进行自我评估，根据家长、老师和同学们的评价，借助于职业兴趣测验和性格测验，发现自己是一个较为外向开朗的人还是内向稳重的人，并对哪些问题较为感兴趣，如经济问题还是管理问题，或擅长哪些技能，如分析、对数字敏感、语言表达能力等，也可分析出自己的一些弱点。她说："一般的大学生抗压力能力，合作能力较弱，考虑问题的深度不够，文字表达能力不佳。"

第二，确定短期和长期目标。长期目标一般是以后职业规划的顶点，或较高点。也就是理想，但要细化至具体工作，如毕业后进入国际知名管理顾问公司从事研究分析、咨询工作。短期目标设立一般是素质能力的提高，或考试或有用证书的通过或获取。

第三，制订行动计划应分阶段实施。不同年级的大学生需要采取不同的方式和途径。

大学生虽然重视了职业生涯规划，并有相应的目标和实施途径，但也存在一些误区，影响了职业生涯规划的效果。

误区一：急功近利。机电专业的李小琴刚上大一，因为父母希望自己以后读研究生，所以暑假期间每天都自学英语和数学，感觉和高中一样紧张，对工作的事情先不考虑，社会活动也不想参加，怕影响学习。白玲认为，早准备不是坏事，但也不用想一口吃成个胖子或两耳不闻窗外事。首先小琴的目标不是出自自己的意愿，这与小琴年龄小、决定能力不强有关，但到了大三或大四，有了自己的主见再想转向就会为时已晚，即使以考研为目的也不应一条腿走路，毕竟早晚要就业。如果不增强自己的综合素质、适应社会的能力以及交际能力，书读得再好再多也只能纸上谈兵。

误区二：准备不足。大学生往往在时间、实力和经验方面准备不足。时间准备不足表现为误以为找工作应从大三开始准备就可以了。其实对社会的认识、资料的收集、能力的提高需要提早准备。实力准备不足表现为误认为看得见的准备（如证书、成绩单）比看不见的素质重要。其实单位看重的是个人长期积累的素质，如合作意识、沟通能力、自我认识等。经验准备不足表现为误认为有一些社会实践的背景就可以帮助自己找工作。其实，经验的获取是需要一段时间、反复进行的，个别时间的尝试难以让人拥有有价值的经验。

二、大学生职业生涯规划的方法

（一）SWOT 法

SWOT 法最早是由美国旧金山大学的管理学教授在 20 世纪 80 年代初提出来的。SWOT 是四个英语单词的缩写，其中 S 代表 Strength（优势），W 代表 Weakness（弱势），O 代表 Opportunity（机会），T 代表 Threat（威胁）。其中，S、W 代表内部因素，O、T 是外部因素，包括组织环境和社会环境。运用这个方法，有利于人们对个人或组织所处环境进行全面、系统、准确的研究，有助于人们制订发展战略和计划，以及与之相应的发展计划或对策。SWOT 法可以使我们清楚地了解自己的个人优点和弱点在哪里，分析出自己所感兴趣的不同职业道路的机会和威胁之处。

一般来说，进行 SWOT 分析时，可以通过以下五个步骤完成。

第一步，分析环境。包括内部环境和外部环境。内部环境指能力、优势，评估自己的长处和短处。

第二步，找出你的职业机会和威胁。

第三步，提纲式地列出今后 3～5 年的职业目标。

第四步，提纲式地列出一份今后 3～5 年的职业行动计划。

第五步，寻求专业帮助。

（二）"七 What"法

"七 What"法，又称自我规划法，是一种简单易行的方法，也是目前比较常用的一种方法。这种方法需要大学生独立思考并如实回答以下七个问题，找到它们的最佳答案，将所有答案进行综合就可以设计出自己的职业生涯规划。该方法尤其适合即将毕业的大学生朋友。

第一，What am I?　　　　　　　我是谁？

第二，What I want?　　　　　　我想做什么？

第三，What can I do?　　　　　我能做什么？

第四，What can support me?　　环境支持或允许我做什么？

第五，What is my advantage?　　我的优势是什么？

第六，What is my disadvantage?　我的劣势是什么？

第七，What can I be in the end?　我最终的职业目标是什么？

回答以上问题时需注意如下有关事项。

在回答问题一"我是谁"时，要先考虑自己所扮演的社会角色，突出自己的性格特点和能力、素质，争取尽可能多地回答这个问题，以帮助你更加清醒地认识自己。

在回答问题二"我想做什么"时，要对自己职业理想的发展过程进行一次测试。一个人在不同的阶段可能有不同的理想，根据自己不同阶段的成长环境、兴趣爱好、性格等加以分析，最终确立好自己的理想。

"我能做什么？"这个问题是对自己能力和潜能的考查。一个人的能力决定职业定位，潜能决定发展空间。

"环境支持或允许我做什么？"既要考虑影响个人职业生涯的主观因素，包括个人的社会关系；又要考虑客观因素，包括人事政策状况、企业制度、职业所在地的经济发展状况等。然后将主客观因素中的有利方面和不利方面分别列出，按其重要程度排序就可以清楚地看到环境支持或允许我做什么。

第五个问题"我的优势是什么"，需要回答以下三个问题：你学习了什么（包括学校学习和社会实践活动）、你曾经做过什么、你所做的事情里面最成功的是什么？

"我的劣势是什么？"这个问题应从你性格的弱点和经验中所欠缺的方面来回答。

回答了以上六个问题后，我们就可以清楚地找出对于实现职业目标的有利和不利方面，从而找出不利条件最少、自己想做且通过努力能够达到的职业目标。

案例

某高校计算机系女生，在临近毕业时常常对自己的职业动向难以选择。就现在来说，计算机专业属于热门，找一份较满意的工作并不难。但由于自己是女生，在就业时肯定又不如同班的男生，同时自己对教师的职业比较喜欢。在这种存在多种矛盾的情况下，我们不妨与她一起进行一次有关职业规划的认真思考，确定其就业方向。

What am I?

某重点高校计算机系毕业生。

校优秀学生干部，学业成绩优秀，英语通过国家六级。

辅修过心理学、管理学课程。

参加过高校演讲比赛，拿过名次。

家庭状况一般，既不属于有钱之类，也不是生活拮据的那种，父母工作稳定，身体健康，暂时还不需要有人特别照顾。

自己身体健康；性格上不属内向，但也不是特别活跃，喜欢安静。

What I want?

很想成为一名教师。这不仅是儿时的梦想，而且比较喜欢这种职业。

其次可以成为公司的一名技术人员。

如果出国读管理方面的硕士，回国成为一名企业管理人员也是可以接受的。

What can I do?

做过家教，虽然不是自己所学的专业，但与孩子交流有天生的优势，当家教时当学生成绩进步时很有成就感。

当过学生干部，与下属相处比较好，组织过几次有影响的大型活动。

实习时在公司做过一些软件开发工作，虽然没有大的成就，但感觉还行。

What can support me?

家里亲戚推荐去一家公司做技术开发。

GRE考得还可以，已经申请了国外几所学校，但能不能有奖学金还很难说，况且现在签证比较困难。

去年曾有几家学校来系里招聘教师，但不是当教师，而是去学校做计算机技术维护，今年不知会不会有学校再来招聘教师。

有同学开了一家公司，希望自己能够加盟，但自己不了解这家公司的具体业务，也不知道它有多大的发展前途。

What can I be in the end?

最后的选择可能有四种：

第一，到一所学校当教师。自己有这方面的兴趣和理想，在知识和能力方面并不欠缺，在素质教育大趋势下，与师范类专业相比，自己有专业方面的优势，讲授知识时可以让学生了解更多前沿知识，特别是现在计算机在中学生中有了相当的普及和基础，并且自己有信心成为学生心目中理想的好老师。不足的就是缺乏作为一名教师的基本功训练以及一些教学技巧，但这可以逐渐提高。

第二，到公司做技术人员。收入会多一些，但从这几年的发展看，这种行业起伏较大。同时，由于技术发展较快，得随时对自己进行知识更新，压力较大，信心不足，兴趣也不是很大。

第三，去同学的公司。丢掉专业从最底层做起，风险较大。这与自己求稳的心理性格不符，同时家庭也不会支持。

第四，如愿获得奖学金，出国读书，回国后去做一名企业管理人员。不确定因素较多，且自己可把握性较小，自己始终处于被动状态。

单纯从职业发展上看，这四种选择都有其合理性，但如果从个体而言，第一种选择显然更符合她本人的职业取向。从心理学的角度看，选择第一种能够使得她得到最大的满足，在工作中也最容易投入，做出一定的成绩后有很大的成就感。从职业前途看，教师这个职业也日益受到社会的尊重，社会地位呈上升趋势。从性格上看，这种职业也比较符合她的职业取向。主要困难是非师范生进入这个职业的门槛比较高，如果她能够确定自己的最终目标后努力去弥补与师范生在职业技巧方面的差距，那么她实现自己的职业理想将为时不远。

（资料来源：yipan. 职业生涯规划案例. http://xj. hdu. edu. cn. 有删减）

（三）大学生涯愿景模型法

1. 个人愿景

个人愿景是发自个人内心的，一个人真正关心的，一生最热切渴望做成的事情。它是一个特定的结果，一种期望的未来或意象。当你为一个自己认为至高无上的目标献上无限心力的时候，它就是一种自然的、发自内心的强大力量。

愿景有多个方面。有物质上的欲望；有个人的健康、自由方面的欲望；还有对社会方面的贡献；对某领域知识的贡献等，都可以成为人们心中真正愿望的一部分。总的来说，个人愿景主要包括以下几个方面。

自我形象：你希望成为什么样的人？假如你可以变成你向往的那种人，你会有哪些特征？

有形财产：你希望拥有哪些物质财产？希望拥有多大的数量？

家庭生活：在你的理想中，你的家庭生活环境是什么样子？

个人健康：你对于你的健康、身材、运动以及其他和身体有关的事情，有什么期望？

人际关系：你希望和你的同事、家人、朋友以及其他人保持哪一种关系？

职业工作：你理想中的职业状况是什么样子？你希望你的努力可以发挥什么样的影响力？

个人休闲：在个人的学习、旅游、阅读或其他的活动领域中，你希望创造出什么样的成就？

2. 清晰个人愿景

学会把焦点放在全过程追求的目标上，而非仅放在次要的目标上，这样的能力是"自我超越"的动力。人在做真正想做的事情时，就精神奕奕，并充满热忱。当遭受挫折的时候，会坚韧不拔，认为是自己分内该做的事，觉得很值得做，意愿很强烈，效率自然高。

每个人都有自己的愿景，但在很多情况下，人们对自己的愿景往往是模糊的，或者是误解的，这样就会造成行动的盲目。因此，对于每个人来说，关键并不是如何建立个人愿景，而是如何理清个人愿景。清晰自己愿景的步骤：

第一，想象实现愿景后的情境。这到底是什么样的情境，你怎样来形容它？你的感觉如何？这种感觉是不是你真正想要的？

第二，形容个人愿景。请回顾你在学童时代、高中毕业时、大学阶段以及现在的个人愿景，其中哪些愿景实现了，哪些没有实现，原因是什么？这些愿景包括自我形象、有形的财产、感情生活、个人健康、人际关系、工作和个人休闲等。

第三，检验并弄清楚愿景。如果你现在就可以实现愿景，你会接受它吗？假定你现在就实现了愿景，这愿景能为你带来什么？你接受了它，你的感受又会是怎样的？

（四）PPDF 法

PPDF 的全称是 Personal Performance Development File，即个人职业表现发展档案，也可译成个人职业生涯发展道路。

在发达国家的不少企业里都有一种称为 PPDF 的东西。这个东西看起来很简单，但作用却非常大。有不少企业、公司靠它将自己的员工形成了一种合力，形成了团队，为了单位的目标去努力实现自我价值。为什么它能起到这样的作用呢？主要是它将所有员工的个人发展同企业的发展紧紧地联系在一起。它为每个员工都设计了一条经过努力可以达到个人目标的道路，使他明确只有公司发展了，他个人的目标也就可以实现了。这实际上是一种极有效的人力资源开发的方法。正因为如此，许多企业纷纷效仿。

每个人对自己的一生都有良好的理想设计。这些设想有的可以实现，有的可能就难以实现。当一个人在一个单位工作时，如果这个单位的管理者能够为他去进行设计，他就会有一种追求感。管理者给员工进行具体的设计时，要使他们的职业生涯规划建立在现实的、合理的基础上，并且通过必要的培训、职务设计及有计划的晋升或职务调整，为他个人的职业生涯发展创造有利条件。

个人的职业生涯发展计划有三个方向：①纵向发展。即员工职务等级由低级到高级的提升。②横向发展。指在同一层次不同职务之间的调动，如由部门经理调到办公室任主任。此种横向发展可以发现员工的最佳发挥点，同时又可以使员工自己积累各个方面的经验，为以后的发展创造更加有利的条件。③向核心方向发展。虽然职务没有晋升，但却担负了更多的责任，有了更多的机会参加单位的各种决策活动。

1. PPDF 的主要目的

PPDF 是对员工工作经历的一种连续性的参考。它的设计使员工和他的主管领导，对该员工所取得的成就，以及员工将来想做些什么有一个系统的了解。它既指出员工现时的目标，也指出员工将来的目标及可能达到的目标。它标示出，你如果要达到这些目标，在某一阶段你应具有什么样的能力、技术及其他条件，等等。同时，它还帮助你在实施行动时进行认真思考，看你是否非常明确这些目标，以及你应具备的能力和条件。

2. 怎样使用 PPDF

当你希望达到某一目标时，PPDF 为你提供了一个非常灵活的档案。将 PPDF 的所有项目都填好后，交给你的直接领导一本，自己留一本。领导会找你，你要告诉他你想在什么时间内，以什么方式来达到你的目标。他会同你一起研究，分析其中的每一项，给你指出哪一个目标你设计得太远，应该再近一点儿；哪一个目标设计得太近，可以将它往远处推一推。他还可能告诉你，在什么时候应该与电大、夜大等业余培训单位联系，他还可能会亲自为你设计一个更适合于你的方案。总之，不管怎样，你将单独地与你信任的领导一同探讨你该如何发展、奋斗。

3. PPDF 的主要内容

(1)个人情况

A. 个人简历。包括个人的生日、出生地、部门、职务、现住址等。

B. 文化教育。初中以上的就读校名、地点、入学时间、主修课程等。所修课程是否拿到学历，在学校负责过何种社会活动等。

C. 学历情况。填入所有的学历、取得的时间、考试时间、课程以及分数等。

D. 曾接受过的培训。曾受过何种与工作有关的培训(如在校、业余还是在职培训)、课程、形式、开始时间等。

E. 工作经历。按顺序填写你以前工作(实习)过的单位名称、工种、工作地点等。

F. 有成果的工作(实习)经历。写上你认为有成绩的工作，不要写现在的。

G. 以前的行为管理论述。写你对工作(实习)进行的评价，以及关于行为管理的事情。

H. 评估小结。对档案里所列的情况进行自我评估。

(2)现在的行为

A. 现时工作情况。应填写你现在的工作岗位、岗位职责等。

B. 现时行为管理文档。写上你现在的行为管理文档记录，可以在这里加一些注释。

C. 现时目标行为计划。设计一个目标，同时列出与此目标有关的专业、经历等。这个目标是有时限的，要考虑到成本、时间、质量和数量的记录。如果有什么问题，可以立刻同你的上司探讨解决。

D. 如果你有了现时目标。它是什么？

E. 怎样为每一个目标设定具体的期限？此处写出你和上司谈话的主要内容。

(3)未来的发展

A. 职业目标。在今后的3～5年里，你准备在单位里做到什么位置。

B. 所需要的能力、知识。为了达到你的目标，你认为应拥有哪些新的技术、技巧、能力和经验等。

C. 发展行动计划。为了获得这些能力、知识等，你准备采用哪些方法和实际行动。其中哪一种是最好、最有效的，谁对执行这些行动负责，什么时间能完成。

D. 发展行动日志。此处填写发展行动计划的具体活动安排，所选用的培训方法。如听课、自学、所需日期、开始的时间、取得的成果等。这不仅是为了自己，也是为了了解工作、了解行为。同时，你还要对照自己的行为和经验等，写上你从中学到了什么。

参照上述办法，大学生可以为自己的大学生涯设计一个PPDF，每隔一定时间对照一次，看看执行情况如何，以便及时调整、改进。

目前，行之有效的职业生涯规划方法主要有以上几种。方法对于问题的解决来说往往没有绝对的对错之分，但是，结合个人实际和目标对象，就会有优劣之别。因此，多掌握和了解一些问题解决的方法，在规划职业生涯发展的时候做出恰当的选择和使用，对问题的解决很有帮助。同时，还要做好科学、全面、深入的分析和现实的抉择，学会灵活、适时地调整。

下面是一位大学生四年的职业生涯规划方案，供大家参考。

【姓　　名】程锐

【规划期限】四年

【起止时间】2006年9月1日至2010年7月

【年龄跨度】18～22岁

【总体目标】成为一家大公司的总裁。

【阶段目标】顺利毕业；成为一名有一定经验的市场营销人员（职业方向）。

【个人分析】自己很外向，善于沟通，曾经有过兼职推销的经历并取得相当不错的成绩。而且，自己所学的专业也是市场营销，这也正是自己的兴趣所在。

【社会环境分析】中国现在政治稳定，经济、文化高速发展，这种状况还将持续。这为每一个人都提供了一个好的发展机遇。随着市场经济的发展，市场在经济活动中的作用将越来越大。

【职业分析】社会的发展将会对市场营销这一职业产生重要影响，对市场营销的依赖将越来越大。个人选择的具体行业还没有最后确定，但比较感兴趣的是制药、保险和食品。这些行业是社会所不可缺少的行业，而且随着社会的发展，这些行业的发展空间也相当大。

【目标分解与目标组合】

1. 目标分解

目标可分解成两个小目标——一个是顺利毕业；另一个是成为一名有一定经验的市场营销人员。

对于第一个目标，又可分解为把专业课学好和把选修课学好，以便修完足够的学分，顺利毕业。接下来，还可以细分：在专业课程中，如何学好每一门课程；在选修课程中，需要选择哪些课程，如何学好……

对于第二个目标，又可分解为接触市场阶段，了解市场阶段、熟悉市场阶段。接下来，还可以细分：在接触市场阶段，要采用什么办法，与哪些公司保持联系……

2. 目标组合

顺利毕业的前提是学好专业课程，而专业课程的学习则对职业目标(成为一名有一定经验的市场营销人员)有促进作用。

【具体实施方案】要成为一名有一定经验的市场营销人员，需要缩小自己与有一定经验的市场营销人员的差距。这些差距包括：

1. 思想观念上的差距

刚从事销售的人一般会认为销售只是卖出商品，但有一定经验的人则会认为销售是"卖出自己"——客户只有相信销售者，才可能购买商品。为了缩小这种差距，需向有经验的人员请教，并在实践中去体会。

2. 知识上的差距

书本知识的欠缺只是一个方面，更重要的应当是实践的差距。为了缩小这种差距，需要在学习书本知识的同时，多参与真正的商品销售，在实践中应用书本知识。

3. 心理素质的差距

市场销售需要百折不挠，而作为一名学生，缺少的恰恰是这一点，往往遇到一点挫折和失败就会退缩。这种差距，需要在实践中逐步消除。

4. 能力的差距

这一点可能是最重要的。为了缩小这种差距，除了在实践中逐步学习外，还要与七八名销售高手保持密切的联系，以便随时请教和学习。

【检查和反馈】在向销售高手请教的过程中，发现自己学习的书本知识还不够，特别是外语能力需要提高，否则，就无法适应现在的销售要求。所以，决定加强英语的学习，准备报英语口语班，每周学习一次。同时，准备参加学校里的英语角，切实提高英语水平。在销售过程中还发现，销售中有很多只是一些事务性的活动，没有太多的智力成分，所以决定以后减少参加类似活动的次数，把精力用在那些对自己有锻炼意义的事情上去。

(资料来源：姜静波. 明天的饭碗在哪里. 北京：当代世界出版社. 有改动)

思考与练习

1. 在职业生涯规划中，目标为什么如此重要？

2. 如何正确理解职业生涯规划的主要原则？

3. 制订一份职业生涯规划书，并与老师和同学讨论实现它的可行性。

第 三 章

高职大学生就业能力储备

就业竞争实质上是就业能力的竞争，决定高职大学生求职成功与否的因素有很多，但其中最重要的因素是求职者的知识与能力。一名高职大学生的文化水平高低，专业技能是否达到一定岗位的技能要求，决定其在求职择业时的成功率和相应的职位层次。高职大学生应自觉地把学校学习同今后的就业紧密地联系起来，建立起合理的知识结构，提高自己的实用技能，锻炼各方面的能力，做好就业能力的储备，为顺利就业作好准备。本章将重点介绍高职大学生就业能力储备的内容和方法，引导高职大学生打好就业基础。

第一节　就业能力储备的内容

一、就业能力及其分类

就业能力是指从事某种职业所需要的能力。一个人想要顺利地找到工作，在工作中做出成绩，就必须具备一定的就业能力。就业能力包括一般就业能力和特殊就业能力。

一般就业能力包括以下内容：第一，求职者的态度、世界观、价值观。第二，处理与周围的人和工作环境的关系的能力，如怎样适应工作环境，如何与同事协作等，这是与工作有关的能力。第三，求职者的自我管理能力，包括决策能力、对现实的理解能力、对现实资源的利用能力，以及有关自我方面的一些知识、对学校所学课程与工作中具体运用之间的关系的理解能力等。

特殊就业能力是指某个职业所需的特殊技能和环境所需的某种特殊技能，如一个会计必须具备较好的账务处理功底，护士需要某种特殊的护理技能，美术工作者必须具备色调感、浓度感、线条感和形象感等，这些能力是与不同的职业紧密联系的，不同的职业岗位对从业者的能力要求是不同的。

一般就业能力和特殊就业能力在职业活动中都很重要。要成功地从事某种职业，常常需要一般就业能力和特殊就业能力的有机配合。但是，在职业实践中，一般就业能力显得更为重要。这是因为：第一，社会在发展，科学技术的更新在加快，一般就业能力强的人能更好地适应社会，在掌握新知识、更新技术方面更具主动性与积极性。第二，从事某种职业必须具备这种职业所需要的特殊就业能力，因此容易引起个人、学校或单位的足够重视，而一般就业能力由于与工作的关系不是十分明显，因而可能被忽视。事实上，用人单位越来越看重一般就业能力，许多求职者就是因为一般就业能力不强而未被录用。第三，一般就业能力与失业关系密切。许多研究表明，人们失去工作往往不是因为缺乏特殊就业技能，而是缺乏一般的就业能力。在实践中我们发现失业者多数是因为他们缺乏一般就业能力而不是特殊就业能力。我们这里所说的就业能力主要指一般就业能力。

二、就业能力储备的内容

机遇总是垂青于有准备的人。一个人的就业能力不是自然生成的，它需要求职者在走上职业岗位前就有目的、有计划、有步骤地进行储备。高职大学生从进入高职院校学习开始，就应有意识地进行就业能力的储备，保证自己在毕业求职时有充分的准备，有助于高职大学生满怀信心地走向社会，走向职业工作岗位。

职场链接

企业在选择员工时，优先考虑的前五个条件是专业知识与技术、学习能力、工作态度并能配合公司发展规划、敬业精神、团队合作精神。

就业能力储备的内容包括专业理论知识和技能的储备、实际工作能力的储备、综合素质的储备以及就业凭证储备。

(一)专业理论知识和技能的储备

高职教育的定位是培养高技能应用型人才，要求培养出来的学生既要具备一定的专业理论知识，熟知所学专业的知识结构，又要掌握本专业的操作技能，具有较高的技能水平。

1. 专业理论知识的储备

具备一定的专业理论知识是现代社会职业岗位的必要条件，是人才成长的基础。专业理论知识是随社会的发展而不断发展变化的，它是动态的，而不是静态的。在社会的不发达阶段，专业理论知识相对而言较为简单。随着社会的进步，科学技术的日新月异，社会需要的日益增长，专业知识结构也在不断进行调整、充实和提高，现代社会职业岗位对劳动者的知识结构、文化素质以及专业技能的要求越来越高。因此，高职大学生作为高技能人才的后备军，应适应现代社会发展的需要，所学的专业理论知识要适应现代社会职业岗位的要求，不断学习和接受新的专业理论知识，以在市场经济的激烈竞争中求得生存和发展。

不同的职业对求职者的专业知识有不同的要求：

(1)工程类职业对求职者的要求。这类职业主要包括各行业中从事工程技术工作的岗位。它要求从业者要牢固地掌握所学的专业理论知识，具有现代专业理论，熟练并掌握在实际工作中处理具体技术问题的知识。

(2)管理类职业对求职者的要求。这类职业主要包括国民经济管理、金融管理、财政管理、行政管理等社会工作。它要求从业者要具备很好地理解党政方针、政策的能力，掌握基本的法律知识，要懂得相关的管理理论和知识，了解税务、外贸和工商方面的管理知识。

(3)教育类职业对从业者的要求。这类职业主要包括各级各类学校的教师。它要求从业者具有较高的文化素质，掌握马克思主义的基本理论，有较深厚扎实的理论功底和专业理论知识，具有不断了解和掌握本专业最新研究成果及其发展趋势的能力。了解与本专业相近的新兴边缘学科的情况，同时，还要掌握教育科学的相关知识。

(4)科研类职业对从业者的要求。这类职业主要指基础理论研究、学科应用技术研究、信息情报研究等工作。它要求从业者具有丰富、坚实的专业基础知识，掌握大量的本专业研究的前沿信息和严谨的科学研究方法，熟练掌握各种实验方法和调查方法，具有较强的科研能力。

2. 专业技能的储备

走出校门的高职毕业生，有一定的知识积累还不够。因为有了知识积累并不等于有了职业岗位所需要的应用能力。知识不能与能力画等号，所以在完成学习任务的情况下，应争取更多地培养一些适应社会需要的实际应用能力。在某种意义上说，能力比知识更重要。只有将合理的知识结构和适应社会需要的各种能力统一起来，才能在求职中立于不败之地。

专业技能的学习和训练是高职教育的特色。因此，高职大学生除了学习专业理论知识外，更重要的是加强专业操作技能的训练，储备适应职业需要的实践能力。在现代社会中，社会上各类职业岗位，对从事本行业岗位的工作人员，除对其有一定的专业理论知识要求外，还要求具有从事本行业岗位的某些专业能力和一些共同的基本能力。

(1)创造能力。创造能力是指人们在改造自然和改造社会的活动中所具有的发明创造能力。在职业活动中需要具有创造能力的人。我们把那些思维敏捷和有创新精神，能在自然和社会发展中的难题、新问题面前充分发挥自己的创造才能，以新颖的方法去解决问题的人称为创造性人才。怎样才能培养创造能力呢？这要求做到：一要有远大的奋斗目标，有理想、有抱负，有强烈的创造欲望，有胜不骄败不馁的精神。二要有敏锐的创新精神。三要有批判继承和开拓创新精神。任何发明创造都是继承和创新相结合的产物。人们要有效地创新，就要继承和吸取前人的经验和教训。批判继承性和思维独立性的统一，是创造能力必备的思维方法。四要有坚定的意志和顽强的毅力。

（2）操作能力。操作能力是专业工作者必须具备的一种实践能力。在一切社会活动中，尤其是在教学、科研和生产第一线，没有熟练的操作能力，是很难胜任职业岗位的。操作能力一般包括四个方面：一是迅速性。二是准确性。三是协调性。四是灵活性。高职大学生为了提高自己的操作能力，应多看、多练。看得多、接触得多，才能提高自己动手操作的技巧和能力。在高职学院学习，有很多教学实习、实践的时间，因此，高职大学生应充分利用这些有利的学习条件，注重在实习、实践的过程中，把理论知识应用于实践之中，从而提高自己的专业操作技能。

案例

某工科大学毕业生在大学四年的课余时间里，几乎都在拆修电视机、架天线、修电路开关等零敲碎打上，甚至可以一个暑假不出校门地对自己的创意和灵感进行实际运作。校团委、学生会的大型活动，院系的联欢晚会都少不了请他担任音响设备的总控制；缺乏组织才能的他在担任声像协会会长一职之后，把悄无声息的协会搞得红红火火；作为广播站的机务人员，连续三年坚持每晚一丝不苟地检查设备。在毕业生供需见面会上，该同学拿着全国电子设计竞赛一等奖、省电子设计竞赛一等奖、全国数模竞赛二等奖以及各类竞赛发明的证书叩开深圳华为的大门，并且被分到他十分喜爱而通常由博士生或硕士生占据的技术开发部。该同学在回顾大学生活时总结道："在大学四年里最大的收获就是给自己提供了充分锻炼动手能力的机会。"

想一想 这位大学毕业生在就业过程中取得的成功给我们什么启示？

（二）实际工作能力的储备

1. 社交能力

社交能力就是通过语言和非语言符号与他人传递思想感情与信息的能力。在现代社会，培养良好的社交能力是一个人事业成功的必要条件。良好的社交能力和较强的团队协作精神是用人单位对大学毕业生的基本要求，不管我们从事哪一项工作都要有一定的社交能力。许多事业成功者都是借助于良好的人际关系，促使自己的事业获得成功。通过交往，我们可以使自己的设想和创造得到实践的检验和认可。

高职大学生应怎样培养社交能力呢？

首先，要掌握人际交往中应遵循的基本原则。第一，平等尊重原则。在与人交往时要做到平等待人，尊重交往对象，不能因家庭、地位、经历、特长和能力等方面的因素而对人另眼相看。同时，学会将心比心，学会换位思考。这是建立良好人际关系的前提。第二，诚实信用原则。诚信是促进个人与他人和谐的保证。它要求在交往中相互以诚相待，互相理解，互相信任。第三，宽容大度原则。这是建立和谐人际关系必不可少的条件。宽容就是心胸宽广，大度容人，对非原则的问题不斤斤计较。人际交往中往往会产生误解和矛盾，这就要求我们在交往中不要斤斤计较，而要谦让大度、克制忍让，不计较对方的态度和言辞，并勇于承担自己的行为责任。第四，互助互利原则。这是促进人际关系和谐的必然要求。在人际交往中相互关心，相互帮助，主动了解他人的困难，主动帮助他人，努力为他人排忧解难。

其次，要掌握人际交往的技巧。交往技巧分为语言技巧和行为举止技巧。语言技巧就是在社交中语言表达的运用技巧，做到既要将自己内心的思想清楚地表达出来，又要使他人能够清楚和愉快地接受，要注意表达的适时、适量、适度原则。适时就是说在该说时，止在该止处。适量就是声音大小适量。应根据不同的场合调节音量的大小。大庭广众之中说话音量宜大一点，私人拜访交谈音量宜适中。适度就是根据不同对象把握言谈的深浅度，根据不同场合把握言谈的得体度，根据自己的身份把握言谈的分寸度。行为举止技巧是指在与人交往时的体态、姿势和眼神，要求做到举止大方得体，自然不做作，向交往对象传达出尊重、认真、诚意的信息，行为举止恰到好处。

最后，要多参加社会活动，这是提高交际能力的基本途径。社交能力的培养需要在实际的社交活动中进行。只有多参加各种社交活动，多与人交往，才能逐渐培养和提高社交能力和人际沟通能力。

小贴士

社交能力的高低将是决定未来成就的关键。长久以来，你的眼里是否只有工作，拼命追求知识与专业的提升，社交生活却乏善可陈，不习惯参加社交场合，不懂得如何与陌生人交谈？你必须做出改变。每个人都希望成功，但往往只想到努力把工作做好，却没想到努力建立新关系，认识新朋友。不断提升工作能力，社交能力却持续退化。然而，社交能力的重要性只会愈来愈高。德国西门子（Siemens）企业服务部的训练主管乔·山塔那（Joe Santana）指出：面对快速变迁的竞争环境，未来工作者最重要的3大课题是：不断学习新事物、新技能，以及建立新关系。新关系的建立，依靠的是出色的社交能力。要有效培养自己的社交能力，必须掌握两大要点：一是个人的亲近度。二是闲聊（small talk）技巧。

2. 组织管理能力

组织管理能力是指成功地运用管理者的知识和能力影响机构的活动，并达到最佳的工作目标。组织管理水平的高低，已经成为一项工作、一个部门、一个单位工作好坏的重要因素。尽管不是每个大学毕业生走上社会后，一定都从事组织管理工作，但是每个人都将会在工作中不同程度地需要运用组织管理能力。现代科学技术已经综合化、社会化，科研规模日益扩大，协作趋势日益加强，这就需要加强组织协调。同时，现代社会的科学技术高度发展，每一项工作完全依靠一个人去完成，是不可能的。需要每个部门、每个人之间相互协调、相互配合。如果没有一定的组织协调能力，专业技术工作也是不能完成的。

高职大学生应怎样培养自己的组织管理能力呢？首先要积极主动，抓住机遇。大学生活给我们提供了很多锻炼的机会，院系两级学生会、班委干部、小组组长、宿舍室长、学生社团组织以及各种兴趣小组等给我们提供了锻炼的平台。只要我们用心去寻找，总能找到发挥自己特长的地方和机会。在用人单位招聘大学毕业生的时候，我们会发现学生党员和学生干部成为他们首选的对象，其重要原因就是他们看重毕业生的组织管理能力。

其次，要虚心向他人求教。在担任学生干部或服务同学、组织活动的过程中，如遇到一些疑惑和问题时要大胆向他人求教，虚心听取别人的建议，善于取人之长补己之短，在实践中不断培养自己的组织管理能力。

（三）综合素质的储备

综合素质包括思想政治素质、道德素质和身心素质等。

1. 合格的思想政治素质

合格的思想政治素质主要是指具有正确的政治方向、崇高的理想和坚定的信念。高职大学生首先要坚持正确的政治方向，要拥护中国共产党的领导，拥护社会主义制度，拥护党的路线、方针、政策，在大是大非面前要有清醒的头脑和明确的态度，坚决维护改革开放的成果和安定团结的政治局面，并勇于投身社会改革发展的洪流中，将个人人生价值的实现和社会的发展目标统一起来。其次，高职大学生要树立崇高的理想信念，即确立坚定的社会主义和共产主义的理想信念，为自己的健康成才提供无穷的动力。再次，要培养较强的组织纪律观念和民主法制观念，这是高职大学生必备的政治品质。在大学学习期间，我们要自觉培养自律精神，增强组织纪律性，不断学习法律基本知识，提高法律素养，增强民主法制观念，做一个合格的现代公民。最后，要弘扬爱国主义精神。爱国主义是中华民族的优良传统，在当代中国，爱国与爱社会主义是一致的。坚持爱国主义的立场和精神，是每个公民最基本的人格特征。

2. 良好的道德素质

道德素质是指人们通过环境影响和教育训练所形成的、比较稳定的、长期发挥作用的基本道德品质。良好的道德素质是人生实践的内在动力，也是人格升华的重要精神力量。优良的思想道德是从事任何社会职业所必备的素质，在一定程度上决定着职业能力是否具有所需要的发展空间。思想道德素质在职业实践中表现在职业道德、对待劳动的态度、诚实守信和与人合作的意识等方面。

第一，要培养责任感和奉献精神，为形成良好的职业道德打基础。用人单位在招聘时都很看重大学生的"德"，把具有事业心和责任感作为招聘的首要条件。现在许多大学生重功利索取多，强调责任和奉献少。用人单位需要的是有强烈责任感的人，要求毕业生能踏踏实实工作，做到荣辱与共。现在一部分大学生的责任感趋于淡化，而缺乏责任感的人不仅自己的工作完成不好，还会影响别人的工作。

第二，要讲诚信。诚实守信是文明社会不可缺少的道德规范，是如何做人、如何做事，如何与人共处的道德规范，是一个人最起码的道德品质。诚信为人是一个人光明磊落胸怀的表现，良好道德素质的基础。诚实守信就是表里如一，说老实话，办老实事，做老实人，坚守诺言，讲信誉，重信用。诚信是一个社会赖以生存和发展的基石，对于大学生来讲，诚信是我们树立理想信念的基础，是大学生全面发展的前提，是大学生进入社会的"通行证"。我们只有养成诚信的道德品质，才能不断提高道德素质、科学文化素质和健康素质，实现全面发展，才能奠定立足现代社会的基石，成为高素质的人才，才能承担起社会责任。有些学生把眼前利益看得太重，在求职简历里作假，就业违约现象时有发生。用人单位只能从书面材料了解大学生的素质状况，如果毕业生不从提高自身实力出发而是企图走捷径伪装自己，就会导致用人单位招聘成本和学生自身就业成本的增加。

第三，要培养良好的职业道德。职业道德体现在每一个具体职业中。敬业、勤业是职业道德的最基本要求，也是我国传统职业道德的重要内容。其基本含义是热爱本职工作，恪尽职守，讲究职业信誉，钻研本职业务，对技术和专业精益求精。假如没有敬业、勤业的精神，即使你拥有再好的职业也不会有所作为；相反，如果具有崇高的职业道德，刻苦努力，在任何职业上都能作出成绩和贡献。因此，高职大学生只有在日常的学习和生活中，培养和树立良好的职业道德观，才能适应现代社会对人才的需求。

第四，要有先人后己的品德和自觉遵守社会公德的意识。先人后己是指在处理个人利益和他人利益、集体和社会利益时能以他人和社会集体利益为重，凡事先为集体和他人着想，把个人利益摆在第二位。特别是当两者发生矛盾时，能够做到牺牲个人利益，维护集体和他人的利益。社会公德是指在社会交往和公共生活中公民应该遵守的道德准则。它是对人们最基本、最起码的道德要求，是整个社会道德体系的基础层次，在维护社会公共秩序方面发挥着十分重要的作用。高职大学生应当自觉培养公德意识，养成遵守社会公德的良好行为习惯。社会公德的主要内容有文明礼貌、助人为乐、爱护公物、保护环境、遵纪守法。这些都是人们日常生活准则，因此，社会公德意识的培养离不开社会实践活动。高职大学生应当在实践中不断增强社会公德意识，从小事做起，从小节改起，带头践行社会公德规范。我们培养社会公德意识的实践活动有很多具体方式，可以参加宣传普及社会公德的活动，可以参加各种公益活动，也可以结合自己的专业特点服务社会等。大学生参加社会公德活动，可以不断提高自身的社会公德素养。

除了以上几方面外，高职大学生还要培养与人合作的意识。合作是指两个或两个以上的个体为了实现共同目标或共同利益而自愿地结合在一起，通过相互之间的配合和协调（包括言语和行为）而实现共同目标或共同利益，最终个人利益也获得满足的一种社会交往活动。现代社会越来越需要依靠集体的智慧和力量，越来越需要发挥协作精神和团队精神。

具备一定的合作精神是现代社会对人才的要求，高职大学生要想使自己在未来的职业岗位上有更大发展，必须加强合作意识的培养。学校的集体生活为我们提供了培养合作意识的有利条件，在团队中与其他成员交往时，应尊重、真诚地对待其他成员；在共同工作中互相帮助，学会倾听和沟通，不搞小团队分散团队的合力；多看到对方的优点，不断提高个人的修养和素质，增强团队的整体力量。

小故事

　　小颖和小琼同时收到某公司的试用通知书，她们被分配到行政部。第一天上班，部门经理接待了她们，给她们介绍了公司状况，并且分派了任务，告诉她们好好干，因为名额只有一个，到时有一个人要被淘汰。在部门经理的引领下，她们渐渐熟悉了简单的业务运作流程。第一个月，两个人都很卖力，即使是最单调的工作也做得津津有味。新鲜感很快就过去，小琼对手头的工作产生了不满情绪，她变得非常热衷于"串门"，各个部门到处乱窜，拉关系。为了完成分配的任务，小琼使唤上了来部门社会实践的两个实习生，凡是打字、复印的活儿，她就交给他们来做，只有给各部门的经理送交文件，她才亲自出马。试用期即将结束，部门经理叫小颖整理报销表，她发现一张不符合报销标准的私人发票夹在里面，就拣了出来。小琼不满地说："大家交情这么好，你就不能睁一只眼，闭一只眼？"那天下午，她围着部门经理嘀嘀咕咕了好一阵。最后，小颖被留下来了。

　　点评：公司需要的是脚踏实地的人，事无巨细，都要尽力而为。单凭关系，是无法在激烈的竞争中立足的。

3. 身心素质

　　身心素质是身体素质与心理素质的合称。身体素质是指大学生应具备健康的体格，全面发展的身体耐力与适应性，合理的卫生习惯与生活规律等。心理素质是指大学生应具备稳定向上的情感力量，坚强恒久的意志力量，鲜明独特的人格力量。

小贴士

　　哈佛大学招生人员在研究中发现，大学毕业生取得的成就85%靠积极、健康、科学的心态，只有15%与能力和天分有关。无独有偶，对《财富》杂志评出的500家顶尖公司的高级执行官的调查也表明：94%的人认为他们成功的最主要因素是心态。因此，大学生必须以积极心态，充分地准备、努力地学习，积极储备实践经验，才能在毕业时以最少的花费找到理想的归宿。

　　健康的身心素质主要包括以下几方面的内容。

健康的体质。健康的身体素质主要包括健康的体格，良好的生理机能水平，健全的身体素质，较强的对外界环境的适应能力等。高职大学生正处在身体发育的逐渐成熟阶段，应加强体育锻炼，养成良好的生活习惯，形成健康的体魄。

坚强的意志。坚强意志表现为持之以恒、百折不挠、艰苦奋斗等精神状态。坚强的意志是高职大学生克服困难和挫折的保障，如果缺乏这种意志力，我们很难应对在工作和生活中遇到的各种困难，实现奋斗目标。它是一个人成就事业的重要条件。高职大学生要有意识地在学习和生活中培养坚强意志，增强抗挫折、抗干扰的能力。

乐观和豁达的胸怀。乐观和豁达的胸怀是自信和超脱心理的表现，是积极生活态度的体现。保持乐观和豁达，就要淡泊个人名利，保持心理的平衡。人有了这种豁达的胸怀，就能够始终保持朝气蓬勃的精神状态，不断进取，到达胜利的彼岸。

稳定的情绪。情绪是人对客观事物是否满足其需要而产生的主观态度的体验，是心理状态的晴雨表。情绪稳定，是健康心理的重要内容。一个人不可能不存在任何情绪的波动，但情绪激动起来难以控制的人，其心理是不健康的。学会控制自己的情绪，使其起伏有度，有利于建立和谐的人际关系，避免对别人的伤害。能够控制个人的情绪是良好心理素质的表现。

贴士

> 高职大学生就业过程中的心理调适
>
> 1. 对自己充满自信。自信是一切力量的源泉。在就业过程中应对自己充满自信，在面对困难时才能有足够的信心与勇气，才不会轻易就被打败。要相信困难只是前进道路上的绊脚石而已，并没有什么可怕的。
>
> 2. 合理定位，调整就业期望值。就业前应对自己有全面的认识，根据自己的情况合理定位，确立适合自己的就业目标。在就业过程中，根据自己的实际情况和就业形势，调整就业期望值，以达到用人单位和自身均满意的"双赢"局面。
>
> 3. 提高承受挫折的能力。在就业过程中不可避免地会遇到许多挫折，在面对这些挫折时，我们应调整自我心态，提高自己的心理承受能力，用冷静的心态来面对挫折，客观分析失败的原因，进行正确的归因，以达到提高自身的目的。

（四）就业凭证储备

随着社会主义市场经济体制的建立和不断完善，人才评价也逐步社会化、客观化、公平化、国际化。自1991年开始，国家有关部门陆续开始在全国范围内开展专业技术资格考试，作为专业技术人员评聘专业技术职务和执业的条件。随着国家逐渐推行职业资格证书制度，拥有相关专业技术资格，已成为当今求职择业的有利条件之一。职业资格证书是表明劳动者具有从事某一职业所必备的学识和技能的证明，它是劳动者求职、任职、就业的资格凭证，是用人单位招聘、录用劳动者的重要依据。

职场链接

各种各样的证书及反映自己能力的材料被大学生们形象地称为"护照"。在世人眼里一度失宠的种种先进称号却被大学生看重并力争拥有。据某省人才交流中心统计：在有记录的求职大学生当中，有40%拥有两门以上专业证书，有36%拥有社会事务兼职证书，有80%拥有优秀学生干部、先进团员和模范党员等证书，没有表明个人能力材料和证书的为0。

职业资格证书制度可以规范和促进职业教育事业的发展，促进劳动力市场建设，并使职业教育培训同劳动力市场的人才需求结构、技术结构及其发展趋势相沟通，育人和社会相结合，推动职业教育同劳动就业密切联系，为实现供求双方的双向选择提供客观公正的评价尺度，使之成为促进劳动就业的有效途径，是连接培训与就业的重要桥梁和纽带。

除了职业资格证书以外，高职大学生还应尽可能为自己准备其他各种证明自己的学识能力、道德修养、工作态度的证书，为就业做好各种凭证的储备。

小故事

某高职毕业生小徐擅长组织管理，尤其擅长应用写作之道，连续三年当选为校学生会主席，10余次被评为各级优秀学生干部、优秀团员、三好学生，在全国各级各类报纸杂志上发表文章百余篇，逾20万字。毕业前夕，他捧着厚厚一叠证书和作品跑到一家省直机关毛遂自荐，有关领导被那一颗颗鲜红的印戳和一篇篇作品折服了，于是积极设法录用他。

全国统一进行的专业技术资格考试举例。

1. 计算机软件专业技术资格和水平考试

原人事部、国务院电子信息系统推广应用办公室共同发布《中国计算机软件专业技术资格和水平考试暂行规定》，明确规定获得计算机软件专业技术资格需要通过国家统一组织的考试，计算机软件专业技术资格考试级别为：初级程序员（相当于技术员）、程序员（相当于助理工程师）、高级程序员（相当于工程师）。

在进行计算机软件专业技术资格考试的同时，进行水平考试，水平考试紧跟国际水平，其级别为：程序员、高级程序员、系统分析员。程序员、高级程序员水平考试合格同时具有相应级别专业技术资格；系统分析员水平考试合格可以作为评聘高级工程师的条件之一。软件资格与水平考试每年举行一次，考试实行全国统一组织、统一大纲、统一试题、统一评分标准。

2. 会计专业技术资格考试

为了加强会计专业队伍建设，提高会计人员素质，客观、公正地评价和选拔人才，充分发挥会计人员在经济建设中的积极性和创造性，财政部与原人事部共同发布了《会计专业技术资格考试暂行规定》。会计专业技术资格考试分为：会计员、助理会计师、会计师。助理会计师、会计师资格考试分甲、乙两种，甲种考试为相应专业技术资格应具备的专业水平和业务能力考试，参加甲种考试必须具备规定的学历或取得相应的乙种考试合格证书。乙种考试针对不具备规定学历人员而设。

3. 经济专业技术资格考试

为适应我国加快改革开放和经济建设的需要，增强经济系列职称评聘的客观性、公正性，提高专业人员素质，原人事部发布了《经济专业技术资格考试暂行规定》，经济专业技术资格考试实行全国统一考试制度。考试设：经济专业初级资格、经济专业中级资格。经济专业中级资格考试分甲、乙两种，甲种考试为该资格应具备的专业水平和业务能力的考试；乙种考试为经济基础理论和专业知识的考试。

4. 律师资格考试

根据《中华人民共和国律师法》，律师执业，应当取得律师资格和执业证书。国家实行律师资格全国统一考试制度。

5. 注册会计师资格考试

为加强注册会计师在社会经济活动中的鉴证和服务作用，加强注册会计师的管理，国家实行注册会计师全国统一考试制度。

6. 监理工程师资格考试

为加强监理工程师的资格考试和注册管理，保证监理工程师的素质，建设部发布了《监理工程师资格考试和注册试行办法》。原则上每两年进行一次，监理工程师资格属执业资格，经本人申请注册后，从事工程建设监理业务。

7. 其他专业技术资格考试

除上述专业技术资格考试外，审计专业、统计专业等也陆续实行全国统一资格考试。

第二节　就业能力储备的方法

大学生大学期间是储备就业能力的最重要的时期，要求大学生在主观上要做好就业能力储备的准备，并体现于行动，在实践中摸索和总结就业能力储备的方法。

一、就业能力储备的条件

(一)树立明确的职业理想

一些高职大学生在就业时感受到"就业迷茫",不知道自己应该从事什么样的工作,从而导致"就业困难",造成这种局面的原因是同学们在进入大学学习后,没有明确的职业理想,没有做好自己的职业规划。很多学生在初入高职学习时持有"大一大二先轻松轻松,大三再努力也不迟"的心态,对自己的未来发展缺乏明确的目标和科学的规划,因而就不可能进行就业能力的储备,这往往成为他们面对就业压力时感到手足无措的一个重要原因。在调查中我们发现,有近3/4的高职大学生没有对自己未来的发展和职业目标做出规划,由于没有明确的职业发展目标,就更不会自觉地培养和提升自己的就业能力,从而导致就业时的迷茫。

大学是为我们走向社会做准备的阶段,是大学生职业生涯规划的第一站,大学期间的学习和生活状况直接影响着大学生今后的就业和职业活动,因此,高职大学生要走好这一阶段。首先要做的就是树立正确的职业理想。大学生只有确定了自己理想的职业,才会依据职业目标规划自己的学习和实践,进行正确的自我分析和职业分析。通过客观的自我分析和职业分析,明确自己的职业发展方向,做好职业定位,并进行职业能力的培养,为顺利就业甚至获得理想的职业积极准备条件。

从具体实施来讲,高职大学生进入大学学习后,就应确定自己的职业目标,明确自己今后的职业岗位及其对从业者能力的要求,锻炼自己的实际工作能力,在课余时间寻求与自己未来职业或本专业有关的工作进行社会实践,以检验自己的知识和技能,并根据个人兴趣与能力修订和调整职业生涯规划,并随时关注所学专业理论的发展,捕捉本专业发展的最新成果,及时调整专业理论知识,确保自己的专业知识的更新,增强就业竞争能力。

小故事

某师大中文系的学生叶欣,从考上大学的那一天开始,就决定四年后回到自己高中时的母校做语文老师。上大学期间她给自己制订了严格的学习计划,实习期间,她又主动选在家乡实习,通过自己的努力表现,她也基本收获了理想中的工作。叶欣说,她一直都有明确的职业目标。当被问起求职成功的诀窍时,她笑着说,就是把目标定得实际一点,更清楚一点。

(二)优化个性品质

个性品质是个人在行为、作风上所表现的思想、认识、品行等的独特本质,它主要包括情绪、意志、道德、能力等方面的内容。良好的个性品质指具有正确的自我认识，坚强的个人意志力，较强的适应性和合理调控情绪的能力。良好的个性品质既是高职大学生就业能力储备的内容，又是其就业能力储备的重要条件和保障。其中，正确的自我认识和坚强的个人意志力在就业能力储备的过程中显得尤为重要。首先，只有具备正确的自我认识，才能客观、正确地认识自己，既看到自己的长处，又能正视自己的不足和缺点；既不狂妄自大，又不自暴自弃，并根据自己的特点在学习和生活实践中不断培养和提升各方面的能力，为就业做好充分的准备。高职大学生中普遍存在自信心不足，不能正确估计自己的能力的倾向，很多同学不了解自己的优点，不相信自己能行，对自己缺乏信心，怀疑自己，总觉得高职大学生赶不上本科大学生，由于缺乏必要的自信心，本来可以做到的甚至经过努力可以做得好的事却放弃了。在我们对高职大学生的调查中发现，相当一部分同学由于这方面的原因没有有意识地培养自己的就业能力，为就业做好准备。其次，只有具备了坚强的个人意志力，才能克服学习中遇到的困难和挫折，才能以坚韧不拔的毅力培养和提高自己的职业能力。如果没有坚强的个人意志力和坚韧不拔的性格，是不可能在面对困难或逆境时表现出大无畏的精神，克服困难取得成功的。有一些高职同学，在面对困难或逆境时，总是表现出一脸的茫然，有的干脆放弃自己的努力，半途而废，还有的同学甚至一开始想到困难就止步于行动，连去试试的勇气都没有。因此，大学生在求学过程中应注意提高心理素质，尤其是在日常生活中注意锻炼自己坚韧不拔的性格；在进行就业能力的培养和训练时，要冷静应对所遇到的困难，用积极的心态扫除成功路上的障碍，直到到达胜利的彼岸。

（三）践于行动的勇气

不管是学习理论知识还是培养实际能力，都不能只停留于口头或计划。最终的效果怎样，能否实现，是离不开实践的。高职大学生在培养和锻炼自己的就业能力的过程中，不能只是在口头上讲，必须将它落实到自己的行动中去，要有践于行动的勇气。没有哪一种能力的培养是离开行为实践而进行的。首先，文化知识和专业理论的学习，需要在实践中多听、多看、多记、多思，才能不断积累，丰富自己，提高理论水平。其次，专业操作技能的提高，更离不开实践。学习专业技能，必须在实习、实验中去体会，去学习。如果不参加实习操作，是不可能掌握专业技能，练就精湛的技艺的。高职教学中，给学生提供了很多这样的机会，每学期有至少1/3的时间是实习教学时间，让学生进行实际操作训练。没有践于行动的勇气，会使自己失去很多训练操作技能的机会，到就业择业时才后悔莫及。最后，其他综合素质和实际工作能力的培养也同样需要在实践中实现。组织管理能力、人际交往能力以及良好道德素质的培养都要在社会实践中去进行，这些能力和素质本身就是社会适应能力的体现，是适应社会的需要，是社会对当代大学生提出的要求。我们只有勇于参加社会实践，才能不断锻炼自己这些方面的能力，促进自己综合能力的提高。高职大学生中有一部分同学由于缺乏与社会的接触，对复杂的社会现象和社会关系产生畏惧感，不敢参与社会实践，因而组织管理能力、人际交往能力等较差，在就业时往往显得茫然不知所措。

二、就业能力储备的方法

对于高职大学生来讲，怎样进行就业能力储备是每一名同学都关心的问题。当然，不同的就业能力的培养有不同的方法，但基本方法主要有以下几种。

（一）勤奋学习，刻苦钻研

勤奋是高职大学生获取理论知识、掌握职业技能的根本途径。文化知识和专业理论的学习没有任何捷径可走，要想真正学好文化知识、专业理论和技能，不下一番工夫，不经过长期的积累是不可能实现的。唐代文学家韩愈有句名言："业精于勤，荒于嬉。"古今中外有很多天资差或有残疾的人经过勤学苦练而作出了杰出贡献，如著名音乐家贝多芬、中国青年的榜样张海迪等。高职大学生面临着繁重的学习任务，在大学学习期间，既要学习前人创造的科学知识，又要不断适应社会发展的要求，掌握现代的科学技术，努力探索新理论和新技术，这就需要我们在学习中勤奋刻苦，锲而不舍，有毅力、有恒心。在高职大学生中，有一部分同学因进入大学后没有了升学的压力，失去了学习的动力，对于学习没有兴趣，缺乏主动学习的精神，特别是在学习较为复杂的专业理论时退缩，哪一门课程不好学、学不懂就放弃它，从不想通过自己的勤奋刻苦去学懂、学好，更不会去摸索科学的学习方法，提高学习效率。这样的同学是不可能在今后的就业竞争中处于优势地位的。

（二）大胆实践，总结经验

人的知识和技能的获得有两条途径：一是书本和课堂，二是社会实践。一个人学习科学文化知识和专业理论知识，主要从书本上获取，因为精力和时间有限，我们不可能事事都亲自实践，绝大部分知识和能力都从书本上和他人那里学来。但理论与实践毕竟还有一定的距离，并且在就业能力中有很多能力，如专业操作技能和实际工作能力等仅靠课堂学习是远远不够的，还需要学生参加实践来获得，因此，高职大学生在重视书本知识和课堂学习的基础上，还必须重视在实践中获得知识和能力。

高职大学生参加实践的途径很多，既有专业学习过程中的实践教学环节，如到校办实习工厂或校外实训教学基地参加专业技能操作实习，也有学校组织的各种形式的活动，还有利用假期进行社会实践等。有些同学对这些实践活动不太重视，认为影响学习或者太累人、太麻烦，把它看成是无关紧要的活动，其实，这些实践活动是我们学习的又一个课堂，通过更多地参加这些实践，可以帮助我们逐渐培养各方面的能力和素质，在实践中，我们既能将在书本上学到的理论运用于实践，用来指导实践，或在实践中去加深对书本理论的理解和掌握，同时，我们还可以在实践中总结经验，将在实践中取得成功的经验总结出来，作为自己以后行动的指导，在大学求学，如果只是把自己局限于课堂，不重视实践，那就会使自己成为高分低能者，今后很难适应社会发展的需要。在用人单位招聘时我们发现，那些在校间担任过学生干部，或有过实践经历的同学往往成为用人单位争抢的对象，原因就在于这些同学在实践中使自己各方面的能力得到了锻炼和培养。所以，大胆地参加各种实践活动，并用心总结经验，是在为自己储备就业能力，为顺利就业打下坚实的基础。

（三）挖掘潜能，提升职业能力

获得理想职业，需具备潜力因素。人是最大的资源，要有效地利用和开发人的潜力，最大限度地发挥人的潜能，使人在一定意义上保持长久的职业竞争力，永远走在职场的前列，领先于他人，就需要我们时刻挖掘自身的潜力，使自己不断进步。潜力即潜能，是指存在于一个人的身心深处、未被自己或他人觉察，也未得到开发和利用的潜在能力。每个人都蕴藏着潜能，如果不去挖掘，潜能就表现不出来，当然也就发挥不了其功能。对于高职大学生来说，挖掘自身的潜能有利于拓展自己的职业能力，增强就业竞争力。因此，高职大学生在求学期间应有意识地提高和拓宽自己的职业兴趣，增强自信心，大胆尝试一些未曾做过但有益于能力培养的事，以挖掘自身潜能。

小贴士

挖掘潜能的方法

制订目标。目标让你的生活有方向和目的。没有目标你会茫然度日。做一些勇敢的事，定一个目标，让自己不要安于现状。

活到老，学到老。你不一定非得在学校才可以学习新东西。成长起来，每天都试着学习新事物。

会改变。不试图改变就很难发现自己的潜能。活跃一点，积极改变，记住改变是好事。

思考与练习

1. 高职大学生应如何增强自己的就业能力？
2. 分析自身的知识和能力特点，找出不足之处并制订弥补计划。

第 四 章

高职大学生常见的就业心理及调适

随着教育事业的发展，我国的大学生人数越来越多，自然，大学生的就业竞争压力也越来越大，再加上近年金融危机的影响，大量的工厂企业倒闭，工作岗位减少，大学生的就业压力就更大。用人单位对毕业生综合素质的要求也越来越高，对心理素质的要求尤其高。在此情形下，如果大学生没有健康的就业及创业心理，将导致就业更加困难。

第一节　认清就业形势　做好就业心理准备

一、正确认识大学生就业形势

从 2000 年到 2009 年，全国高校毕业生人数持续增长，见表 4-1，当前及今后一段时期大学生的就业形势将相当严峻。一方面，2009 年全国高校毕业生人数已经达到 611 万，2010 年毕业生仍呈增加的态势，还有 100 多万往届毕业生没有就业；另一方面，金融危机导致经济增长放缓，部分企业削减员工，求职人数持续增长，企业自身发展受阻因此减少甚至取消校园招聘计划。即将毕业的大学生们不得不面对以上现状。我们只有认清就业形势，正视就业现状，才能做到心中有数，处变不惊。值得高兴的是 2009 年全球经济正在复苏，中国经济的稳定增长为高校毕业生就业提供了良好的环境。

表 4-1　2000～2009 年全国高校毕业生人数统计表

2000 年	107 万
2001 年	114 万
2002 年	145 万
2003 年	212 万
2004 年	280 万
2005 年	338 万

2006 年	413 万
2007 年	495 万
2008 年	559 万
2009 年	611 万

作为当代的大学生要认清就业形势的"两面性"。

当前，大学生就业的有利因素有：

其一，目前，从世界范围来看，全球经济正处在复苏当中；从国情来讲，我国政治稳定、经济稳步发展，高校毕业生就业前景良好。

其二，干部年轻化趋势明显，为我们提供了更多的成才机会。

其三，高校毕业生就业问题越来越受到社会各界的关心。

同时，大学生就业的不利因素有：

第一，经济危机的"余波"仍在，给大学生就业带来较大影响。

第二，600 多万高校毕业生集中在同一时间内就业，竞争激烈。

第三，高学历毕业生成倍增长，具有博士和硕士学历的人越来越多，给普通专科、本科毕业生就业带来竞争压力。

第四，当前我国正大力进行产业结构调整。一方面，为了整合资源，提高劳动生产率，过去一些就业岗位被淘汰，从事这类工作的人员将失业；另一方面，新增了一些工作岗位，但因没有合格的劳动者而无人就业。这导致人力资源存在结构性失业问题。

二、大学生就业过程中的心理准备

人生是一个持续发展的过程，当你带着实现了梦想的喜悦走进大学，就意味着要为下一个生活目标——就业而努力奋斗。

案例

我叫王××，是一名应届大学毕业生，在校四年，自觉学有所成，然而却在就业上处处碰壁。我看中的单位，人家却看不中我；看中我的单位，我却看不中人家。毕业已经快一个月了，我还未与一家单位签约。时下，我处在焦虑、忧郁、自卑、不满、无法决断的状态，内心十分矛盾、痛苦。我该怎么办？

小王之所以如此苦恼，原因在于应聘受挫、梦想破灭、心理失衡。那么问题究竟出在哪里呢？第一，"我看中的单位，人家却看不中我"，缺乏应聘、面试的技巧；第二，"看中我的单位，我却看不中人家"，职业的自我定位过高。一句话：缺乏良好的就业心理准备，是其求职失败的主要原因。

做好就业心理准备，可以从以下几方面着手。

（一）客观认识自我

影响大学生择业的因素多种多样，首先我们要客观地认识自我。在择业的过程中，择业主体的气质、性格、兴趣、能力等个性心理对职业的选择和确定影响较大。只有从自己的气质、性格、兴趣、能力等多方面出发，了解自己的优缺点，在今后的学习和生活中扬长避短，才能有针对性地发展自己，为未来的职业生涯作好准备。

1. 气质

气质是指个人生来就具有的心理活动的动力特征。心理学家将人的气质分为四类：多血质、胆汁质、黏液质、抑郁质。这是依据气质在人身上的表现划分的，它是在某一类人身上共有的或相似的特征。典型的气质类型比较少见，实际生活中绝大多数人都是以某种气质类型为主兼有其他类型的某些特征的混合型。不同的气质赋予人不同的特点，不同气质类型的人适合不同的工作种类。某种气质特征，往往能为胜任某项工作提供有利条件，而对另一些工作又表现出明显的不适应。研究和实践都表明：气质特征是选择职业的重要依据之一。

多血质的主要特征是活泼，好动，敏感，反应快，善于交际，兴趣与情绪易转换。择业时，积极主动，热情大方，善于推销自己，适应性强，很受用人单位欢迎。通常适合于出头露面、交际方面的职业，如记者、律师、公关人员、秘书、艺术工作者等。

胆汁质的基本特征是直率，热情，精力旺盛，脾气急躁，情绪兴奋性高，易冲动，反应迅速，心境变化剧烈。择业时，主动性强，具有竞争意识，通常倾向选择且适合于竞争激烈、冒险性和风险性强的职业或社会服务型的职业，如运动员、改革者、探险者等，甚至到偏远及开放地区从业。

黏液质的主要特征是安静，稳定，反应迟缓，沉默寡言，情绪不易外露，善于忍耐。择业时，沉着冷静，目标确定后，具有执著追求、坚持不懈的韧性，从而弥补了其他素质的不足。一般适合于医务、图书管理、情报翻译、教员、营业员等工作。

抑郁质的典型特征是情绪体验深刻，孤僻，行动迟缓，感受性强，敏感，细致。择业时，思虑周密，有步骤，有计划，一般较适合从事理论研究工作等。

以上只是从典型气质的角度论及各种气质与职业选择的关联。每一个求职者应从自己的实际气质特征出发，认真考查职业气质要求与自身特征的对应关系，选择那些能使自己气质的积极方面得到发挥的职业与岗位，避开消极的方面。

2. 性格

所谓性格，就是人在选择人事的态度和行为方式上表现出来的心理特点，如理智、沉稳、坚韧、执著、含蓄、坦率等。美国心理学家和职业指导专家霍兰德经过十几年的跨国研究，提出了职业人格理论（参考霍兰德职业倾向测验量表）。他认为人的性格大致可以划分为六种类型，这六种类型分别与六类职业相对应，如果一个人具有某一种性格类型，便易于对这一类职业发生兴趣，从而也适合于从事这种职业。总的来说，这六种性格分别是：

现实型。 现实型的人喜欢有规则的具体劳动和需要基本技能的工作。这类职业一般是指熟练的手工业行业和技术工作，通常要运用手工工具或机器进行劳动。这类人往往缺乏社交能力。现实型的人适于做工匠、农民、技师、工程师、机械师、鱼类和野生动物专家、车工、钳工、电工、报务员、火车司机、机械制图员、电器师、机器修理工、长途公共汽车司机。

研究型。 研究型的人喜欢智力的、抽象的、分析的、推理的、独立的任务。这类职业主要指科学研究和实验方面的工作。这类人往往缺乏领导能力。

艺术型。 艺术型的人喜欢通过艺术作品来达到自我表现，爱想象，感情丰富，不顺从，有创造性，能反省。艺术型的人缺乏办事员的能力，适于做室内装饰专家、摄影家、作家、音乐教师、演员、记者、作曲家、诗人、编剧、雕刻家、漫画家。

社会型。 社会型的人喜欢社会交往，常出席社交场所，关心社会问题，愿为别人服务，对教育活动感兴趣。这类人往往缺乏机械能力。社会型的人适于做导游、福利机构工作者、社会学者、咨询人员、社会工作者、学校教师、精神卫生工作者、公共保健护士。

企业型。 企业型的人性格外向，爱冒险活动，喜欢担任领导角色，具有支配、劝说和言语技能。这类人往往缺乏科学研究能力。企业型的人适于做推销员、商品批发员、进货员、福利机构工作者、旅馆经理、广告宣传员、律师、政治家、零售商等。

传统型。 传统型的人喜欢系统的有条理的工作任务，具有实际、自控、友善、保守的特点。这类人往往缺乏艺术能力。传统型的人适于做记账员、银行出纳、成本估算员、核对员、打字员、办公室职员、统计员、计算机操作员、秘书、法庭速记员等。

我们常说性格决定命运，性格也影响着我们的职业。如工作方式、生活习惯、行为方式等方方面面，其实这也在无形中要求着我们的性格必须与我们的职业相适应。

案例

名人性格与众不同

相比之下，名人似乎总显得与众不同。盖茨之所以会成为当今电脑界的显赫人物，其独特的性格特征也许早已注定了他的非同寻常。盖茨是个典型的工作狂，这种品质从他的中学时期就已表现得淋漓尽致，无论是钻研电脑，还是玩扑克，他都是废寝忘食，不知疲倦。

盖茨也许不是哈佛大学数学成绩最好的学生，但他在计算机方面的才能却无人可以匹敌。他的导师不仅为他的聪明才智感到惊奇，更为他那旺盛而充沛的精力而赞叹。在创业时期，除了谈生意、出差，盖茨就是在公司里通宵达旦地工作，常常至深夜。有时，秘书会发现他竟然在办公室的地板上鼾声大作。一位曾到过盖茨住所的人惊讶地发现，他的房间中不仅没有电视机，甚至连必要的生活家具都没有。

盖茨常在夜晚或凌晨向其下属发送电子邮件，编程人员常可在上班时发现盖茨凌晨发出的电子邮件，内容是关于他们所编写的计算机程序。盖茨经常在夜晚检查编程人员所编写的程序，再提出自己的评价。一般的情况是，他于凌晨开始工作，至午夜后再返回家。他每天至少要花费数小时时间来答复雇员的电子邮件。

盖茨之所以会取得如此骄人的事业和成就，完全是由他非同寻常的性格使然，如他是典型的工作狂，他的兴趣和孜孜不倦的钻研。我们都知道，成就事业是一件很艰难的事情，需要浓厚的兴趣和孜孜不倦的追求，甚至需要付出比常人多出数倍的刻苦努力。相比之下，选择目标也同样是一件令人头痛的事，大概有什么样的选择，就会带来什么样的目标和结果。因此，如果说成功的渴望是发掘自己强项的催化剂，而选择恰当的目标则是开启发掘强项的钥匙。但假如你的一个目标发生了问题，则应当更换一个目标，这样才能重新确定自己的强项。

3. 兴趣

兴趣是人最初的动力，是你力求认识、掌握某种事物，并经常参与该种活动的心理倾向；或者说，兴趣是你积极探究某种事物的认识倾向，它决定一个人对所从事工作的态度是否积极。西方有句谚语：如果你不知道你要到哪儿去，那通常你哪儿也去不了。意思是说，一个人若是不知道自己想要做什么，通常什么也做不好。所以，确立一个具体的职业目标和工作方向，清楚地知道自己未来想做什么是选择专业的前提条件。做到这一点的关键就是正确地认识和衡量自己，找到自己的兴趣所在。浓厚的职业兴趣是一个人事业成功的巨大推动力。曾有人进行过研究：如果你从事自己感兴趣的职业，则能发挥你的全部才能的 $80\% \sim 90\%$，而且长时间保持高效率而不感到疲劳；而对所从事的工作没有兴趣，则只能发挥你全部才能的 $20\% \sim 30\%$。

案例

爱迪生几乎每天都在实验室里辛苦工作十几个小时，在那里吃饭、睡觉，但丝毫不以为苦，"我一生中从未间断过一天工作。"他宣称，"我每天其乐无穷。"难怪他会成功。

英国著名女科学家古道尔从小喜欢生物，并逐渐对黑猩猩产生了强烈兴趣，于是她不畏艰险，只身进入热带森林与黑猩猩一起"生活"了十多年，掌握了极其宝贵的第一手资料，为揭开黑猩猩的秘密作出了贡献；化学家诺贝尔冒着生命危险研制炸药，终于取得了最后的成功……

美国曾对 2000 多位著名的科学家进行调查，发现很少有人是由于谋生的目的而工作，他们大多是出于个人对某一领域问题的强烈兴趣而孜孜以求。

一个人如果能根据自己的兴趣去选择职业，他的主动性将会得到充分发挥。兴趣是成功的一个重要的推动力，它能将你的潜能最大限度地调动起来，使你长期专注于某一方向，做出艰苦的努力，取得可喜的成绩。

4. 能力

我们仅仅凭兴趣去选择毕竟是不全面、不客观的，感兴趣的事情并不代表其有能力去做，某些职业所必备的个性能力特征决定了不是只有兴趣就能做好的。能力是人顺利完成某项活动所必须具备的心理特征。人的能力往往通过具体的活动才能得到认识和评价。

心理学把人的能力分为一般能力和特殊能力两大类。一般能力包括观察力、记忆力、注意力、思考力、想象力等，也就是我们通常说的智力。特殊能力是从事某一特定活动需要的能力，如音乐、绘画、写作、体操等。不同能力优势和未来从事的职业是有所区别的，如空间能力强的人适合于从事机械制造、工程设计、建筑等与之相对应的职业；语言能力强的人适合于学习语言文学、文字编辑等专业和从事相应的职业。

（二）正确认识社会

在明确自己想干、能干的专业领域和事业方向的同时，还应考虑社会的需求和未来发展前景等外在因素，这是职业选择是否成功的基本保证。

就世界范围来看，全球已经进入了知识经济时代，高科技特别是信息技术的飞速发展，推动着世界经济的发展进程，给全球经济和就业带来了一次空前的革命。从我国的国情来看，我国正处于快速发展的黄金期，同时我国也正处于社会发展的转型期。这一时期，我们既要完成传统工业化进程，还要应对当前世界科技新发展带来的挑战。经济社会发展的地区性不平衡是我国发展的一个鲜明特征。东部沿海地区在改革开放大环境下取得了举世瞩目的成绩，对大学生就业有较强的吸引力，人力资源已趋于饱和，而中西部地区、基层和一些条件艰苦的行业亟待人力资源的补充。

由于社会人才需求、劳动力市场变化发展的不确定性，衡量社会需求以及发展前景不是件简单的事情，因而在就业时，应综合权衡、统筹考虑。

小贴士

心理健康的标准

智力正常。有正常的观察力、注意力、记忆力、想象力、思维能力、语言表达能力、实践活动能力等综合能力；能胜任生活、学习和工作中的大多数活动。

情绪协调，心境良好。情绪稳定性高；主导心境良好，愉快、积极、自信；有较好的情绪自我调控能力。

具备一定的意志品质。做事目的明确、合理，自觉性高；善于客观地分析问题，处事果断；坚韧，有毅力，心理承受能力强；自制力强，能够克服困难实现目标。

人际关系和谐。在人群中感到自然、和谐，适应工作中的人际环境；对交往持积极的态度，有主动交往的愿望；与他人友好相处，乐于助人；有自己的交际圈。

能动地适应环境。保持与社会的广泛接触；对现实有清晰、正确的认识，顺应社会的发展趋势；勇于改造现实，达到自我实现与奉献社会的协调和统一。

保持人格完整。能客观地认识自己的优势和不足；有良好的自我体验，接纳自我；个性特点与行为表现协调一致。

心理、行为符合年龄特点。具有与同年龄大多数人相一致的心理行为特点，心理年龄与实际年龄基本相符。

第二节 高职大学生就业的一般心理问题及调适

一、高职大学生就业的一般心理问题

(一)从众心理

从众心理是指个人由于受到来自某个团体的心理压力，而在知觉、判断、行为方面做出与众人趋于一致的行为。从众心理是目前高校大学生中最常见、最普遍的一种就业心理。将多数人的意见当成评价自己的依据是从众心理的一个特征。从众心理在一个寝室、一个班级，甚至一个系表现得比较严重。当一个人的行为动机是"别人都这么做，所以我也得这么做"的时候，他的行为就是从众行为。当一个人在从众心理的驱使下，做出与周围的人相一致的行为时，他就会觉得自己容易被这个群体所接受，也就自然而然地融入了这个群体，因而便获得了一种安全感。

案例

人云亦云反耽误自己

小张毕业于某大学计算机系。毕业时，几位与他关系好的同学根据自己所学专业，决定到商业企业去工作。于是，他们纷纷行动，很快与几家公司签了约。小张深知自己的性格不适于从事商业气息太浓的工作，但几个朋友都去了，他想，自己不去不是显得太懦弱了吗？于是，他也和一家中型商场签了约，同时拒绝了一份自己比较适合的当计算机老师的工作。但是，工作没几个月，他便觉得自己实在无法融入单位的那种商业氛围之中，而且自己的优势不能充分发挥，因而他感到压抑，情绪低落。最后，他还是决定找所学校当老师。

这种从众行为忽略了人与人之间的差异性，如自己的兴趣特长、性格爱好、家庭背景、知识能力等，缺乏积极进取的精神和独立意识，最终导致失败。作为大学毕业生我们首先要培养自己独立思考的能力。其次，在生活中要不断完善自己的个性，增强自信心。再次，要充分认识自己，根据自己的情况寻找适合自己的工作。

（二）焦虑心理

就业的市场机制使大学生求职呈现多元化的趋势，一方面拓宽了大学生的就业面，另一方面也给大学生就业带来了巨大的压力。诸多原因导致大学毕业生求职困难，这本来是一种正常的现象，但面对就业，同学们可能会感到无所适从、期望过高、急于求成等，不少大学生临近毕业时感到焦躁、忧虑、困惑、恐慌等，这是典型的焦虑心理。一般来说，适度的焦虑能使大学生产生压力，这种压力能促使人改变自己的惰性，激发潜能，使自己产生紧迫感，从而更努力地寻找就业机会。但过度的焦虑使有些大学生对就业前景充满恐惧，对用人单位的严格要求胆战心惊，失去信心，这样就会给就业带来不必要的困难，影响就业进程，甚至导致失败。一旦焦虑过度，就应及时给予关注和心理干预，以免"病情"加重，产生过激行为。焦虑最明显的表现就是急躁。他们急躁地等待结果，有了结果，不管自己是否真正了解该单位或不管自己是否适合这份工作，就匆匆地签下合同。

案例

女大学生半年内应聘52次未果三次试图自杀

济南某高校毕业生蓉蓉是个漂亮的女孩，是校学生会副主席、学校广播站的播音员。可谁也没想到，这么一位优秀的女大学生，半年内应聘52次未果，在就业的压力下患上了精神分裂症，三次试图自杀，目前正在济南市精神卫生中心接受治疗。因"求职未果"而试图自杀的现象虽属个例，但大学生"就业焦虑"不容忽视。

（三）自卑心理

高职大学生在即将毕业的时候虽然做好了与人竞争的准备，但真正面临竞争的时候往往又顾虑重重，害怕遭到用人单位的拒绝。一些毕业生自我评价偏低，缺乏客观的自我认识，认为自己学历不够高、专业不够好，过低估计自己的知识、能力等，对自己缺乏信心。在真正求职的过程中不知不觉就产生自卑心理，表现得缩手缩脚、言行拘谨，甚至悲观失望、不思进取，不敢参与市场的激烈竞争，最终导致错失良机。

案例

乐乐，是安徽某大学某专业学生，性格内向，不自信，平时做事怕被别人取笑。毕业时，当全班同学都在为找工作而四处参加招聘会，忙着投简历时，她却连简历都没有制作，父母为她着急，室友也劝她到招聘会去试一试，她却说："我要成绩没成绩，要能力没能力，什么都不突出，有哪个单位会要我呢？"其实，她并不是像她自己所说的那样一无是处，英语四、六级都顺利地一次通过了，计算机也过了国家二级，成绩虽然不算突出但也属于中上等的层次，而做事情也极为仔细认真。她之所以不去找工作，其实是一种自卑的表现，没有看到自己的优点，对自己没有信心，害怕在招聘会上碰壁，怕遭受打击，从而选择了逃避的方式。

（四）自负心理

自负在心理学上是指过高地估计个人的能力，从而失去自知之明。有的大学毕业生在择业的过程中自我评价过高，高估了自己的知识和能力水平，好高骛远，眼高手低，择业条件苛刻，形成自负心理，从而给用人单位留下浮躁、不踏实的印象。产生自负心理的大学毕业生大致有以下几种：一种是名牌大学和高学历的毕业生，他们具有所谓的"品牌优势"，表现得比较骄傲和自负，只看到自己的光环，忽视自己的缺点，自命不凡。这类人常常表现出较强的优越感，以自己学历为傲，在求职中过分挑剔，要求过多，最终导致择业失败。另一种是学生干部和家庭条件优越的学生，他们容易产生自负高傲的心理。具有自负心理的大学毕业生在择业中渴望薪资高、发展前景好、地理环境优越等，结果往往事与愿违。对于这类学生来说，应及时调整自己的期望值，适当降低这些"高标准、严要求"，针对各自的特点与实际，选择更适合自己的单位。

案例

自负而失败

毕业生小李口才不错，在与用人单位代表面谈时自我感觉良好。一番海阔天空的高谈阔论以后，当对方问他的个人爱好是什么时，他竟得意扬扬地宣称是"游山玩水"，结果被用人单位毫不犹豫地拒之门外。

（五）矛盾心理

高职大学毕业生在求职择业的过程中，面临着各种心理冲突，因而产生种种矛盾的心态。既希望自主择业，又不愿意承担风险；既渴望竞争，又缺乏竞争的勇气；胸怀远大理想，却不愿正视眼前现实；重事业、重才智的发展，但又在实际价值取向上重物质、重利益；对自我抱有较充足的信心，但在遇到挫折之后，又容易自卑；既崇尚个人奋斗、自我价值实现，又有较强的依赖感等。许多高职大学生在择业中十分迷惘与困惑，形成心理上的矛盾冲突。

案例

吊在半空只有啃老

张文大学毕业后参加了硕士研究生的考试，专业成绩不错，外语只差 1 分，本来可以降类录取，可是在二选一的时候，一个排在他后面的人，因为多种关系将他挤掉，让他领悟到什么是权力。于是，张文下决心考公务员，但谈何容易？连考三年，第一年、第二年，明明感到成绩不错，可就是没有上线，第三年倒是获得了面试机会，但是，也不过是多当一回分母而已，最终，公务员的梦还是没有实现。可他还是不甘心，不肯脚踏实地去找工作，他认为打工就是地狱，公务员才是天堂。既然与天堂只差一步，那就不能心甘情愿地进入地狱，就这样，将自己吊在半空中，不上不下，天堂不知何年有望，啃老倒是已成现实。

对刚毕业的大学生来说，不应把金钱当做好工作的首要标准，首先要为自己定下目标，该往什么方向发展，怎样才能更快地提升自身素质，总结自己的工作经验，丰富自己的工作经历，为将来的发展打下良好的基础。

(六)嫉妒心理

嫉妒心理是就业竞争中的一种不正当的以极端个人主义为核心的有害心理。择业中的嫉妒心理会使自己与他人关系疏远，人际关系逐渐冷漠，从而处于孤立无援的境地，具有很大的危害性。嫉妒心理产生的原因多种多样，如心胸狭窄，虚荣心太强，名利思想太重等，总的来说，就是自私的表现。

案例

嫉妒让人忧

王波是北京某高校的毕业生，凭借个人努力，他获得了一份待遇优厚、有保障还可以解决户口的工作机会，同学们也都很羡慕他。他也以为胜券在握，于是就回家游玩去了。王波没想到，该公司对应聘人员的性格以及与人打交道的能力比较看重，虽然他通过了笔试和面试，但用人单位出于谨慎，还是打电话到王波的宿舍调查情况。王波当天不在，寝室里的一名同学接了电话。这名同学一直没有找到合适的工作，看到王波找到了这么好的单位，心理有些失衡。在用人单位问及王波平时表现如何的时候，这名同学在电话中说："我们对他不太了解，他不怎么和我们说话和交往。"用人单位由此感觉王波可能在性格上存在一些问题，最终放弃了对他的录用，一直没有再与他联系。王波直到毕业时都不知道被放弃的真实原因。一年后，他通过其他同学得知了真实情况，又气又无奈。

在择业中一定要克服嫉妒心理。其方法主要是加强自我修养，提高道德水平。如果发现自己有嫉妒心理，一定要通过自我意识进行控制、调节，及时把这种不良意识排除在自我人格之外。

（七）依赖心理

在就业的过程中，部分大学生缺乏清醒而正确的认识和足够的自信，不主动地把握就业机会，总想依靠父母或亲戚的社会关系、依赖学校或老师为自己找工作。产生这种现象就是因为部分大学生的依赖心理严重，总觉得自己还没长大，还想继续由父母养着，接受不了自己已经面临就业的现实，心理上不想就业，其典型的代表就是"啃老族"。这些依赖心理严重的大学生遇到困难时往往缺乏解决困难的勇气，不敢正视当代社会的竞争。

在就业的过程中，由于每个人的专业、能力、性格、家庭背景、所遇到的机遇各不相同，因而在职业选择上切忌相互攀比。我们应努力克服择业心理问题，积极主动地择业，为自己找到一个合适的舞台。

二、高职大学生就业心理调适

（一）认清就业形势，保持正确的择业心态

当前大学生特别是高职大学生的就业形势相当严峻，只有正视就业压力，高职大学生才会迫使自己积极行动起来，将这种压力变成动力，增强进取心。当前我国大学生面对的现实是社会生产力还不够发达，就业机制还有待完善。不发达的社会生产力决定了职业与职业之间存在着较大的差异，社会提供的岗位还不能完全满足大学生的需求，加之就业中的不公平竞争等现象仍然存在，因此我们要保持正确的择业心态。客观认识自我是保持正确择业心态的前提。

（二）树立择业的自信心

高职大学生在面对就业压力时首先要树立信心，不要悲观失望，坚信"天生我材必有用"。国家的高等教育毛入学率约为 24%，如果大学生都找不到工作，其他人的就业难度就可想而知了。自信心是一个人格健全的人必须具备的心理素质，自信是对自己的一种积极评价。高职大学生要相信自己具备某项职业所要求的能力，积极参与竞争，不要面对就业患得患失。但自信绝不是盲目的自负，自信要有扎实的基础、良好的综合素质做资本。如果具备了真才实学，就自然会对自己的选择充满信心。

（三）坦然面对就业挫折，提高心理承受力

就业过程中的挫折是每个学生都可能面对的问题。对高职大学生的成长来说，挫折是一种磨炼，更像是一笔财富，关键是看你怎样面对挫折。坦然面对就业挫折，提高心理承受力，是培养健康就业心理的关键环节。

对可能遇到的挫折要有一定的预见性。在高职大学生的就业竞争中，困难和挫折不可避免，就业中遇到挫折是正常的事情，关键是要看你怎样看待和接受挫折，怎样做到越挫越勇。有些同学一遇到挫折就感到心灰意懒，产生自暴自弃的念头，甚至做出过激的行为，这些都是心理承受能力较差的表现。我们应坦然面对在择业过程中遇到的困难和失败，客观地分析自己失败的原因，总结经验教训，从而调整自己的求职策略，以便在下次求职中获得成功。

案例

请直面就业挫折

2009 年 8 月，武汉某大学毕业生吴某，到一家杂志社求职应聘网络编辑一职，在求职未果后，张某采取过激行为，将该杂志社网站"黑掉"，致使外界无法访问，杂志社后来报了警。"专业技术水平可以，但道德素质却没跟上，而且心态也不好，现在的大学生怎么了？"大学生求职未果，竟然把网站给"黑"了，这让该杂志社的员工们感到很不解。对于吴某在求职遭遇挫折后，竟然利用自己的专长"黑"掉求职单位网站，杂志社的梅先生介绍，此前也有一名毕业生想应聘该杂志的发行职位，但由于种种原因，这名毕业生没有被聘上，而他不仅在网上对梅先生进行谩骂，还在找到工作后对梅先生进行嘲笑。梅先生认为，这种大学生在求职未果过程中产生的"怀恨"心理，"多数情况下没有具体的实际行为，只是不满而已，随着社会的磨炼，心态也就平衡了"。

固然报复能解一时之气，但最终也只能给自己带来恶劣的影响，甚至触犯国家法律，对求职而言却无半点好处。

（四）转变就业观念，勇于去西部和基层就业

高职大学生就业应在考虑社会需要的基础上，树立正确的职业价值观。把个人理想与国家需要结合起来，建立新型的就业观，强化择业的自主意识，勇于去西部和基层就业、创业。现在一些大学生往往把目光锁定在东部沿海城市和国有大中型企业、外资企业、政府部门，造成所谓的"结构性失业"。学校应广泛宣传国家制定的有关高校毕业生去西部地区、基层就业的优惠政策，引导学生正确处理社会需要和个人成才的关系，服从国家需要，勇于到西部地区、基层去锻炼成才，实现自己的人生价值。

高职大学毕业生应改变就业的地域性局限，勇于服务西部，服务基层，到农村基层从

事支教、支农、支医和扶贫工作。大学生到基层为农村基层输送了人才，补充了社会主义新农村建设的急需人才，储备了"生力军"。同时促进了青年人才的成长，有利于锻炼干部。促进毕业生面向基层就业，有利于拓宽毕业生就业渠道，也促进了基层人才队伍建设。虽然欠发达地区机会会少一些，但人才密度也低一些，竞争没那么激烈，对高职大学生的发展也许会有更多更好的机会。

案例

信心十足，当好村官，做好基层工作

彭卓，毕业于湖南商学院会计学院财务0403班，2008年被选聘为村官并担任长沙县黄花镇黄龙新村村支书助理。

初到新村的时候，村民们客气的态度和怀疑的目光让这位村官感到一丝淡漠和疏远。他意识到，新上任的大学生村官要赢得村民信任，就必须走进村民的生活、走到村民的心里。于是他从走访党员、村民代表开始，走百户入百门，白天深入到田间地头帮村民干农活，晚上盘坐在农家小院与村民拉家常，从柴米油盐到家长里短、从干群关系到邻里纠纷、从惠民政策到家庭收入，广泛接触村民，深入了解民情，倾听群众呼声。2008年年底在镇总结表彰大会上，他是获得年终工作优秀奖的最年轻的干部。会计学院学生在"三下乡"时采访了这位优秀学长。采访中最为深刻的一句话是："农村是一个大熔炉，只有肯吃苦、多磨炼、多干事、干实事才能赢得信任和支持。"

(五)树立灵活就业、自主创业观念

高职大学生就业应有正确的观念与思路，对自己有一个合理的规划与定位，选择灵活的就业方式。据调查显示，近一成大学毕业生想自己开公司当老板或合伙开公司。大部分有这种观念的大学生都想先打工，进行原始积累，时机成熟再自主创业，开商店、酒吧、公司等。目前国家的宏观政策鼓励毕业生自主创业，高等学校也在逐步重视自主创业，社会也需要自主创业人才。高校大学生自主创业不仅可以解决毕业生自身的就业问题，更重要的是可以创造更多的就业机会，为社会减轻一定的就业压力。因此灵活就业、自主创业是未来就业的一大趋势。

第三节　高职大学生创业心理准备及调试

近几年来，随着就业形势越来越严峻，许多刚走向社会的大学生选择了创业。拥有一份完全属于自己的事业，自己做自己的老板，自由发挥，大展拳脚——创业，是多少人梦寐以求的事情。创业不仅要投入大量资金、拥有专业技能，更重要的是，要对市场有充分的认识，并有自己的思路与构想。否则，创业只能以失败告终。

案例

赵丽影的成功创业路

赵丽影，2008年毕业于海南某大学，大学期间赵丽影一直都在为自己心中的理想奋斗着，从在街头发传单到做销售员、从做家教到去企业打杂等，她尝试了各种工作。如今，她已经寻找到了一条自己的创业路，并且乐在其中。

目前，赵丽影拥有一家自己的家政公司——大学生家政服务中心，30名员工都是海南某大学的在校学生。起初公司也曾受到一些质疑："大学生为什么来做家务？那大学不是白上了吗？""这不等于是当保姆吗？"然而，公司以员工素质高、服务好等特点赢得了雇主们的好评。

采访中，赵丽影告诉记者，在创办大学生家政服务中心之前，她已经去上海、杭州、武汉等国内的一些城市考察过，她并未发现有类似的服务机构。同时，她也发现现在的不少大学生都面临很大的就业压力。她认为，干家政，也不是那么简单，必须做到让雇主满意。"现在越来越多的家庭需要请家政人员，但是目前家政市场并不规范，服务人员的素质也参差不齐，以至于许多家庭的需求得不到满足。"赵丽影说，"虽然现在是起步阶段，但是我们已经得到了很多肯定，员工也通过做家政工作积累了社会经验，同时摒弃了眼高手低的毛病，为将来找到更好的工作打下了良好的心理基础。"

据了解，2009年我国大学生毕业人数达610万，再创新高，但大学毕业生参与自主创业的人数比例一直保持在0.3%～0.4%。在国家大力倡导大学生自主创业的背景下，创业能否成为大学生就业的一种有效的方式呢？正确认识大学生创业的优劣势及创业心理的影响因素，引导高职大学生做好创业心理准备，对于高职大学生创业极为重要。

一、大学生创业的主要优势和弊端

近年来，大学生创业问题越来越受社会的关注，因为大学生属于高级知识人群，并且经过多年的教育以及背负着社会的种种期望，在社会经济繁荣发展的同时，大学生创业成为大学生就业的重要途径。

大学生创业具有以下优势。

第一，初生牛犊不怕虎。大学生往往对未来充满希望，有着蓬勃的朝气。

第二，用智力换资本。大学生在学校里学到了许多理论知识，拥有较高层次的技术，而目前有前途的事业之一是开办高科技企业。大学生创业选择高技术含量的领域是其特色所在。

第三，现代大学生有创新精神，有对传统观念和传统行业挑战的信心和欲望。这种创新精神往往成为大学生创业的动力源泉，是其成功创业的精神基础。

案例

T 恤也疯狂，"最牛专科生"如何卖"光棍 T 恤"

●杨锐的创业清单

投资资金：几千元。

团队：8 人。

业绩：40 多万元。

创业建议：其实市面上以 T 恤做创意文化的现象很多，自己也有过被其他竞争者模仿、抄袭的经历，但希望以后能以更好的创意、质量、品牌来推广产品，树立门槛。此外，由于创业起步资金缺乏，也希望找寻到投资者一起打造品牌。

简单的白 T 恤，胸前四个黑体大字却十分抢眼——"天涯光棍"，在背面，同样印有表示单身含义的英文"single"。单身的你，难道不想尝试一下这件颇有调侃意味的光棍 T 恤？当不少人在情侣们身上做足生意时，有人却在"光棍"身上打起了主意。

杨锐是四川西华大学一名大三的专科生，2009 年年初因为自创单身服饰品牌"单身派"，专门售卖搞怪的光棍 T 恤而成为网络红人，被网友称为"史上最牛专科男生"。5 个月里，他的销售额达到 40 多万元，代理商 400 多个，还曾有广东企业愿出 100 万元购买其商标被拒。下一步，他打算开设自己的公司。

T 恤也疯狂。

"同学，你是单身吗？"

"你愿意穿一件印有'单身'标志文字的 T 恤吗？"

"表达单身身份，你愿意接受张扬、含蓄还是怎样的字眼？"

2009 年 3 月，杨锐正在西华大学校园里拿着厚厚一叠调查问卷向周围同学问着这些奇怪的问题。原谅这个家伙调查的问题可能有点"怪异"，他是为了正在酝酿的创业大计——光棍 T 恤作市场调查呢！

"问卷摸底情况比我想象中的好，几百个人里几乎有一半同学愿意接受这种 T 恤，还有很多女同学。"杨锐说。他在网上还查资料了解到全国的剩男、剩女超过 6000 万人，但市场上还没有一款表现剩男、剩女文化的"光棍"产品。"情侣产品能够流行，为什么单身的不能？我就萌生了创立'单身派'的想法。"由于 T 恤简单、便宜，大家乐于接受，他就将 T 恤作为了首选。

说干就干。杨锐找来几个经常在外做兼职、有些"经济实力"的同学开始在 4 月份就行动起来，投入几千元钱，找到成都附近一家小工厂代工，生产 500 件 T 恤。这些 T 恤一律采用简单的白色，然后在上面添加一些具有"单身"标志的文字即可。最初的设计是杨锐自己包办，设计很简单，胸前是醒目的"天涯光棍"字样，喻义"天涯无际，象征自由"，靠左胸位置上的"dsp"标志就是"单身派"的拼音缩写，均价 25 元一件。

"我们团队有 8 个人，按高校集中位置分了 8 个区域，每人负责一个区域在校园或旅游景点推广。不过，最初还怕卖不动，有一些放在别人的门店寄售。"当首批 T 恤上市后，立刻受到同学们的青睐，大家都觉得很新奇，价格也不贵，好多同学不仅自己穿，还买了送人，最奇怪的是竟然一些情侣们也来凑热闹，买来"光棍 T 恤"张扬自己的特别。

一个星期后，杨锐接到了门店老板的补货短信。两个星期后，500 件 T 恤全部卖光。试水成功给了杨锐很大信心。颇有品牌意识的他找到成都当地工商部门，注册了"单身派"商标。

……

（资料来源：南方都市报．2009 年 11 月）

大学生创业的劣势：

第一，由于大学生社会经验不足，常常盲目乐观，没有充足的心理准备。对于创业中的挫折和失败，许多创业者感到十分痛苦茫然，甚至沮丧消沉。

第二，急于求成，缺乏市场意识及商业管理经验，是影响大学生成功创业的重要因素。学生们虽然掌握了一定的书本知识，但终究缺乏必要的实践能力和经营管理经验。

第三，大学生的市场观念较为淡薄，不少大学生很乐于向投资人大谈自己的技术如何领先与独特，却很少涉及这些技术或产品究竟会有多大的市场空间。

二、大学生创业心理的影响因素

大学生创业心理指大学生开创未来事业所应具备的心理。大学生创业心理有其独特的结构，以理想信念为核心，以意志能力为基础。因此，加强大学生创业教育和培养大学生创业心理，必须着重加强理想信念教育和意志能力的培养。

（一）智能因素

包括智力和能力两方面。这是影响创业实践活动顺利进行的基础，对于创业心理的形成和发展起着至关重要的作用。智能因素的形成中先天因素占主要，但在后天环境中也能够通过有意识的模仿学习和知识的不断积累得到有效的发展，对创业形成良性的影响。

（二）创业品质

主要包括动机、兴趣、情感、意志和性格等个性心理品质。其中创业动机是推动个体或群体从事创业实践活动的内部动因，是使主体处于一种积极的心理状态的内驱力，是创业行为产生的前提。

（三）环境因素

包括社会环境和家庭环境因素。大学生创业将受到某些环境的影响，如学校是否开设有关大学生创业方面的课程或培训，是否有成熟的社会支持体系，如实践基地、大学生创业基金、大学生创业优惠政策等。家庭环境主要指家庭成员有关创业的态度和看法、家庭的经济状况等，这些都将直接对大学生的创业兴趣产生影响。

三、高职大学生创业的心理准备

（一）创业意识

创业意识即人对客观世界的创业活动自觉、能动的反应，包括企业家意识、创新意识、独立意识、风险意识和问题意识等。其特征表现为正确的自我评价、自信、自控、适应力、成就驱动力、建立关系、合作、团队能力。

（二）创业思维

创业思维指创业方向和怎样创业。对于创业思维而言，知识的储备尤其重要。知识既是创业思维的必要前提，又是创业思维的制约因素。高职大学生借助积累的知识，面对无数的创业思维对象时，就能够较好地把握创业方向。选准了项目，就等于创业成功了一半。高职大学生选择创业项目一定要扬长避短，将自己的性格、爱好、特长与创业项目结合起来，从而为创业的成功增加砝码。比尔·盖茨、杨致远他们所进行的创业项目，正是他们的爱好和特长，可以说，是兴趣引领他们开始了创业的脚步。在创业初，他们也绝对没有想到未来是如此的灿烂。在选定创业方向后，就要思考怎样创业的问题，这也需要知识作为基础，当然还有其他的因素。

（三）创业志趣

创业志趣即在创业意识和创业思想活动中，由创业兴趣、创业乐趣升华而来的，是人们从事创业实践活动的重要动力。在日常学习过程中，大学生应当不断激发创业志趣，使自己的思维方式和行为方式在创业方向上形成一种定格。

（四）创业人格

创业人格属于创业心理的价值范畴，是个体从事创业活动所应具备的动机以及由此引申出来的心理活动和特殊品格，是活生生的人的内在和外观的各种稳定的心理特征整合而成的独特的整体。从内涵与外延相结合的角度看，创业人格的基本构成要素主要有八个。包括对事物的好奇心、忍受模糊的准备、成就动机和抱负水平、敢冒风险、自信、精力集中、自我激励与调适、合作意愿，这八个方面相辅相成。

（五）创业精神

创业精神是由现实的创业意识、创业思维、创业志趣和创业人格升华而成的一种精神境界，并高度浓缩成对创业实践的反思、检讨和批判。创业精神应由胆、识、行三个方面构成。"胆"，即胆略勇气，就是不怕危险，不怕困难，敢于奋起的气魄。"识"，即远见卓识，就是对社会需求、社会发展规律的敏锐感受和准确理解。"行"，即积极行动，艰苦奋斗。胆、识、行三者共同依存，缺一不可。

案例

视美乐科技发展有限公司是中国第一个由在校学生创办的公司，公司的核心成员成为中国第一个"敢吃螃蟹的人"。

北京网贝信息技术有限公司创建于 2000 年 4 月，注册资金 200 万元，是清华创业园的入园企业。"网贝"的创业团队曾在第二届清华创业计划大赛中获得冠军，其创始人来自清华大学和北京大学。

武汉华中理工大学李玲玲获创业风险投资。

四川大学王汝聪在校创办成都亚虎网络公司。

清华经济学硕士鲁军创办的易得方舟声名远播。

……

四、高职大学生创业心理调适

（一）正确认识创业

高职大学生首先应全面理解创业的深刻含义。创业既不是头脑发热的"下海"，也不是普通的专业性比赛或科研设计，其实质是要求学生能结合专业特长，根据市场前景和社会需求开发出自己的创新成果，并把研究成果转化为产品，创造出可观的经济效益，由知识的拥有者变成为社会创造价值、作出贡献的创业者。创业是一种精神，一种意识，更是一种素质。

（二）较强的心理承受能力

大量事实表明，许多学生在创业之初，雄心勃勃，往往在实施过程中，因为遇到这样或那样的挫折、这样或那样的困境，而最终放弃。在市场竞争日趋激烈的情况下，大学生创业成功与否，不仅取决于其是否有强烈的创业意识、娴熟的专业技能和卓越的管理才华，而且在更大程度上取决于其面对挫折、摆脱困境和超越困难的能力。创业、就业都难免有挫折和失败，面对各种挑战难免产生思想上的压力，情绪上的波动，心理上的不平衡，这就需要很好地进行自我心理调节，学会升华。当因种种原因无法达到原定的目标，或个人的动机不为社会所接受时，应用一种比较崇高的理念去看待挫折和失败，修订目标和计划，重新奋斗。

案例

阿旺自杀因创业失败

大学生创业者阿旺于一个星期天在大学城的南部商业区摆摊，可能因为活动侵犯了该区某超市的利益，大学城投资经营管理公司和工商所的人来查处了阿旺的摊位。阿旺因为此次活动的失败，背上了十几万元的债务，家境贫困的他，根本还不起这笔钱，他一时想不开选择了自杀。

（资料来源：羊城晚报．2007）

（三）务实心理

高职毕业生大多处于风华正茂、激情洋溢的年龄，很容易追风逐潮，表现自我。面对创业，高职大学生应正确选择与把握，确有强烈创业欲望而且具备基本条件的高职大学生，就应脱颖而出，积极地为创业做好各种准备。否则，可以积极地接触和了解创业，试探自身的情况，丰富自己的见识和能力，迎接创业时机的到来。高职大学生要培养冷静观察的习惯，遇事多思考，多比较，尽量克服盲目攀比的心理。要具备务实的心理，遇到表面诱人的项目要设身处地的分析，分析其可能性，分析自身具备的能力，这样才会得出一些务实的结论，减少或避免一些无谓的损失与失败。

职场链接

传销不是真创业

——华中师大教育科学学院副院长周洪宇谈大学生创业心理

主持人语：少数大学生为什么会相信传销这样"一夜暴富"的神话呢？一名经过十几年寒窗苦读，才考上重点大学的学生，难道不明白成功没有捷径，一步不能登天吗？民进中央委员、全国中青年教育理论工作者委员会副理事长、博士生导师周洪宇教授对教育心理学理论作过深入研究，他分析了大学生参与传销过程中表现出来的心理问题。

抛开学校、传销组织等方面的原因不谈，单纯分析大学生参与传销的心理，周洪宇认为存在以下几方面的问题。

第一，渴望发财，渴望暴富的心理。参与传销的学生多数家庭比较贫困，虽然经过了多年的苦读，走到了大学，但在他们内心里，一直希望能够在短时间内改变自己和整个家庭的贫困状态，回报家人。这种利益驱使和"彩民买彩票"的牟利心态是绝对不同的。甚至从某种程度上来说，大学生为了家庭而逐利的心情，比起一般的投机发财的愿望要强烈、迫切得多，因此也更容易上传销的圈套。

第二，渴望"扳本"的心理。这既是大学生参与传销的第二种心理状态，也是第二个心理阶段。当他们进入传销组织后，发现了这是一个骗局，但是却不愿就此收手，一心只想找一个下线，把本扳回来，以此来转嫁自己的损失。这两种心理可以说是在"利"字层面上的两个方面。

但受过良好教育的大学生怎么会为了利益而失去良知，去欺骗自己的同窗和至亲呢？周洪宇说，这是一个比较复杂的心理问题。这些学生往往过分自信，过分自信实际上是自卑的产物。过分自信使他们固执地认为自己怎么会错，怎么会看不出传销是个骗局。这种盲目的自信会使人处于非理性状态，"杀熟"也就不足为怪了。

所以说，感性和理性不是简单的对立，知识和理性也不能画等号。一个受过高等教育的学生，如果仅仅拥有丰富的文化知识，而不具备成熟的心理，一旦被传销所利用，其后果之恶劣，完全有可能超出我们的预料。这也正暴露了目前我们高等教育发展过程中的一些漏洞。

第三，渴望成功的心理。要明白"有钱不等于成功"。现在的大学生大多希望能够干一番大事业，开辟一个新领域，被社会认可。而传销就被某些大学生看做是一项"事业"，在强烈的建功立业的心理驱使和就业状况不乐观的情况下，他们错误地感觉"教育改变人生，知识改变命运"的立论处处碰壁，而"传销改变命运"的说法，听上去更可行。因此，这种尽快创业的心理需要，就蒙蔽了本来就缺乏社会经验的大学生的眼睛。

第四，渴望经验。年轻人求知欲非常强，学习的需要使这些大学生们渴望获得人生的经验和社会经验。而传销套用了一些现代企业管理方法和经营理念，以真实的实战案例为讲义，让这些年轻人听得热血沸腾。这些在学校里从来学不到的东西，正是大学生们想要的。

周洪宇认为，有"经济邪教"之称的传销活动，其本质是一种有组织的犯罪，它以反理性特征和精神控制手段，冲击了现行高校素质教育中的一些不足。"学生的失足，在某种程度上来说是教育的失误"，对学生多一些关爱，多一些心理健康教育，让每一个大学生成为真正意义上的成年人，也是大学教育工作者的天职。

（资料来源：光明日报．2004 年 11 月）

大学生创业在我国虽然还是一个新鲜事物，但已经表现出其强大的生命力，成为当代最亮丽的一道风景。他们用智慧、激情和勇气脚踏实地地书写从创新走向创业的历史新篇章。

思考与练习

1. 大学生在择业过程中常见的心理问题有哪些？

2. 现阶段自己应为就业做哪些心理准备？

3. 大学生如何做好创业心理准备？

第 五 章　高职大学生就业准备

影响高职大学生顺利就业的因素较多，既取决于毕业生自身就业能力和综合素质的状况，也要受到对信息掌握情况的影响。现代社会是信息大爆炸的社会，收集和整理信息的能力如何将直接决定着一个人能否取得学业和事业的成功，因此，对于求职择业中的高职毕业生，加强对就业信息的收集和整理，认真制作求职材料是顺利就业的重要保障。

第一节　收集与整理就业信息

一、就业信息的收集

面临毕业，你必须做的准备是收集就业信息并进行整合分析。这些信息将使你在应届毕业生中处于优势地位。做到知己知彼，百战不殆。这样你定能游刃有余，自信地接受人才市场的挑战。

（一）在收集就业信息之前应做的准备

第一，要了解当年国家有关部门对毕业生的就业政策，对就业形势有个大致的把握。国家关于毕业生就业的方针政策是根据国家社会和经济发展形势而确定的，与当年的社会经济形势有着密切的关系。不了解就业政策，则无法把握就业的方向。学校和用人单位将按照就业政策来指导和规范毕业生求职择业活动。因此，毕业生在收集就业信息前，应主动向学校及有关部门了解当年国家关于高职毕业生就业工作的具体规定。在此基础上，联系自身实际情况，明确自己的择业范围。就业形势随着社会经济形势的变化而变化，每年都会有不同的特征，毕业生应学会审时度势，恰当地去采集信息，把握好就业的机会。

第二，要了解地方主管部门和学校当年关于毕业生就业的政策和规定。这些政策和规定是在国家政策指导下结合本地、本校实际情况制定出来的。鼓励什么，限制什么，是毕业生必须明白的。这些具体规定，可视为毕业生收集就业信息的"指挥棒"。

第三，要恰当地给自己"定位"。从自己目前的知识、能力、特长、身体及足以影响自己就业的相关因素，去判断自己，清醒客观地认识自己，把握自己。毕业生易犯的毛病往往是能认识到自己的优点、长处，却不能正视自己的弱点和不足。这一点务必引起重视。只有在正确认识自己的基础上，毕业生才能用现实和发展的眼光去分析和判断什么样的信息适合自己，自己适合什么样的职业，在择业的过程中才能抓住机遇。

（二）就业信息的收集途径

对于高职毕业生来讲，收集就业信息主要可从以下五个方面着手。

1. 通过传播媒介获取就业信息

随着人才市场化进程的加快，网络、报纸、杂志、广播、电视等媒体对人才供求情况的报道量加大，同时还有反映国家或地区关于毕业生就业的最新政策、方针、措施。它们的共同特点是信息快、多、广，而且直接、明确、具体，对毕业生确立就业意向有很大帮助。它可以使你了解到某个地区或行业有哪些工作或岗位适合你，这类职业有多少薪水及对人才的要求，如需求方向等。毕业生应关注这类可能带来福音的信息。

在人类进入信息社会的今天，网络与我们的工作和生活密不可分。通过网络收集职业信息具有信息量大、速度快的优点。另外，通过网络很容易了解到用人单位的一些背景情况，故对于择业者来说，网络已成为通向成功之路的重要工具。

2. 通过就业市场或毕业生就业洽谈会获取就业信息

一些省、市、县为了招聘到所急需的毕业生，一般都在学生毕业前后，举办一定规模的毕业生就业洽谈会。它为毕业生求职提供了良好的机会。会上，用人单位一般都直接打出招聘广告，毕业生可直截了当地去择业应聘。

人才市场也是就业信息的主要来源渠道。随着人才交流的日益频繁，各级各类人才市场不断地涌现和发展起来。当前，全国几乎所有的地级市都设有专门的人才市场，甚至许多县(市)也有了自己的人才市场。人才市场提供的就业信息具有量大、直接的特点。另外，各地定期、不定期举办的人才交流会也是重要的就业信息来源。这些交流会一般由政府、人才市场或有影响力的人才中介机构举办，参展单位大多具有较高的可信度。

3. 电话联系和登门拜访

各部委、省或地区企事业单位的主管部门都汇编有企事业单位目录，目录中一般反映单位名称、性质、隶属、地址、邮编、电话。当你获得有关单位的地址或电话后，可向其人事部门打电话或亲自到单位拜访，了解单位是否需要你这样的人才，同时还能获得单位的交通、地理位置、环境条件以及用人单位的发展前景、劳资关系、人员素质等方面的信息。

4. 通过社会关系网络和有关人员介绍获取就业信息

这种方式就是求职者通过家人、亲戚、同学、朋友等寻找单位，或者通过这些人寻求其他人帮助。这一信息来源的可靠性是最高的，提供的信息也很深入。这是因为许多提供信息的亲朋好友自己往往就是目标单位的职员，所以对内部的人才需求信息可以说是知根知底。对于大学毕业生来说，一般可以为你提供就业信息的主要是家长和亲友。家长、亲友提供的就业信息主要来源于其个人的社会关系，相对固定，但也有一定的局限性。一般不反映人才市场的实际供求情况，也可能不太适合那些专业比较特殊、学生本人就业个性比较强或具有某些竞争优势（如学习成绩优秀、共产党员、学生干部、有一技之长等）的毕业生。这是家长、亲友提供的就业信息的特点之一。家长、亲友提供的就业信息的特点之二是，这类信息的传递方式是以家长为中心、向内收缩的。也就是说，家长、亲友的就业信息来源是"一次性"的，除非有了新的社会关系，原来的信息一般不会再派生出更多的就业信息。家长、亲友提供的就业信息的第三个特点是可靠性比较大。大学生的就业事关重大，家长、亲友出于对子女、亲友的责任心，往往要对自己掌握的就业信息进行一番推敲、筛选。因此，传递给毕业生本人的就业信息，一旦被接受，转变为就业岗位的可能性就比较大。这也是目前毕业生重视通过家长、亲友"联系"就业的原因之一。另外，家长、亲友是提供就业信息的非正式渠道。它与家长、亲友的职业、经历、社会关系、社会地位等家庭背景有关。因此，毕业生由家长、亲友提供的就业信息的数量和"质量"有很大的个人差异。求职者托朋友、熟人等寻找单位时，一定要使这些人相信自己的业务能力、专业水平以及作风品质。这种方法是求职成功的一种有效方式，在运用过程中可以采取灵活多样的方法，如请朋友、熟人代找工作，转送材料；也可以请朋友、熟人以书信、名片、信函、电话等手段连锁介绍。

高职院校里的不少老师与校外的研究所、企业、公司合作开发科研项目，求职者可以通过专业教师获得有关企业的用人信息，来不断充实自己的信息库。学校的教师、导师作为非正式的就业信息渠道，提供的就业信息具有来源有限、传递方式收敛和内容可靠等与家长、亲友提供的就业信息相似的特点。教师、导师提供的就业信息往往专业针对性强，比较看重毕业生的学业成绩、在校表现及其资质、能力、特长等。

校友是近似于教师的非正式就业信息提供者。求职者可以尽可能多地找一些自己的"师兄""师姐"，打听去其单位就业的可能性。或许这并不意味着你肯定能找到一份工作，但至少能使你得到一些有关该企业的信息，从而对其有更深的了解。

5. 通过学校毕业生就业主管部门获取就业信息

现阶段，各校都设立有从事毕业生就业工作的专门机构，这种机构专门从事毕业生就业工作，是毕业生获取求职信息的主要渠道。学校的毕业生就业办公室和毕业生就业指导中心，同上级主管部门和有关用人单位保持着长期、广泛而密切的联系，而且经过多年的工作实践及长年合作关系，积累了丰富的工作经验，已形成了稳定的就业网络。因此，通过学校毕业生就业主管部门获取的就业信息准确性高、可靠性强。许多学校毕业生就业工作做得相当出色，不仅提供给学生用人单位的需求情况，还提供用人单位的隶属、性质、规模、粮户关系接转、人才配置状况、经营状况、行业发展前景及其在国家发展规划中所处的地位等情况，供毕业生参考。

在每年毕业生就业阶段，学校毕业生就业指导机构会有针对性并及时地向各个用人单位发布毕业生资源信息函，并以电话联系和参加各种信息交流活动等方式征集大量的需求信息。同时，这些机构一般在每年的 11 月至次年的 3 月专门组织各种形式的毕业生就业招聘会等，在毕业生和用人单位之间架起一座信息沟通桥梁，从而使毕业生获得更多的人才需求信息。这些信息数量大，针对性、准确性、可靠性都较强。此外，学校还会将收集的人才需求信息及时加以整理，定期向毕业生发布。

二、就业信息的整理

当收集到一定的就业信息后，择业者应结合自己的情况，依据国家有关政策、法规以及社会常识对它们进行去伪存真、去粗取精的筛选以及有目的、有针对性地排列、整理和分析。

(一)就业信息的鉴别

对于收集到的就业信息，要依据自己的专业、特长、爱好、志向等情况，进行认真的筛选，有针对性地进行排列、整理和分析。只有这样，才能确保信息具有准确性、全面性和实用性。

> **相关链接**
>
> 一般来说，一则比较好的就业信息应包含以下要素。
>
> 1. 工作单位全称、性质及其上级主管部门。
>
> 2. 工作单位的发展实力及远景规划，在整个行业中的排名或在整个社会经济结构中的地位。
>
> 3. 对从业者政治思想、道德品质、工作态度、学历及学业成绩的要求。
>
> 4. 对从业者职业兴趣、职业能力、职业气质等的要求。
>
> 5. 对从业者职业技能和其他方面才能的特殊要求。
>
> 6. 工作地点、工作环境、工作时间及对个人收入、福利待遇等的明确规定。

值得注意的是，有些用人单位往往只宣传自己的优势，不提劣势，这就需要毕业生事先对它们的情况进行充分的调查和了解，做到心中有数。

(二)就业信息的选择

一旦就业信息被确认为真实有效，接下来就要鉴别信息的适合性。可从专业性、兴趣爱好及性格特征三方面来鉴别就业信息的适合性。

1. 专业适合性

专业是否对口，往往是用人单位与应聘者的共同标准。专业对口可以缩短个人进入职业岗位后的适应期，使个人更容易发挥专业特长，避免自己专业资源的浪费，也可以减少企业在职业培训中的投入。因此，选择专业对口的就业信息加以考虑是适宜的。

2. 兴趣爱好的适合性

兴趣爱好是一个人在职业生涯中取得成功的重要条件。对一项工作有兴趣不仅可以促使你投入大量的精力，而且有益于身心健康。在多数情况下，个人专业特长与兴趣爱好是基本一致的，不过也有两者发生矛盾的情况，此时一定要注意权衡利弊，作出决策。

3. 性格特征的适合性

如前所述，性格特征本身无所谓好坏，但是就具体的工作职位而言，性格特征是有适合与不适合之分的。为此，在考虑专业性和兴趣爱好的同时，也要兼顾到职业信息与自己性格之间的吻合性。

（三）就业信息的处理

1. 正确、有效地选择就业信息

要正确、有效地选择就业信息，首先，要在较短的时间内查阅大量的就业资料，以便从中选出最有用、最重要的信息。其次，要善于应用查询、核实等方法来鉴别、判断、识别就业信息的准确性、有效性与可行性。

2. 善于发掘就业信息

信息是否有价值，往往取决于人们怎样利用。通过认真的分析、综合与推断、假设、验证，发掘就业信息的价值，对于择业来说，也是十分有利的。

职场链接

作为一家外企的业务员，王华的年薪是她同学中最高的。她是如何得到这份工作的呢？原来在学校期间，她就听说女大学生就业难。离毕业还有一年多的时候，她就开始收集就业信息，包括国家经济发展趋势、就业政策、就业形势、招聘信息和企业状况等，并将这些信息分类整理。就业前，她对自己收集的几百条招聘信息进行了筛选，按照三个原则挑选自己就业的目标单位：①瞄准快速成长的行业。②瞄准处于上升期的企业。③瞄准给出最符合自身能力的薪资的企业。这样，每次参加招聘会，她都有备而去，因此，很快就找到了适合自己的工作。

三、就业信息的利用

收集和筛选就业信息的最终目的是要利用就业信息。在经过了认真、全面筛选之后，要准确把握，确定适合自己的去向，尽快与用人单位建立协约关系，切不可坐失良机。

（一）确定目标，选择岗位

择业目标是求职者期望从事的职业及岗位。确定择业目标的主要依据是：①求职者自身的条件，如文化素质、所学专业、兴趣爱好、特长等。②就业信息，主要指就业政策法规、相关行业及用人单位的情况、人才需求情况等。求职者通过对收集到的就业信息进行处理、选择，结合自己的实际情况，确定择业目标，选择工作单位。如目标在实施过程中出现偏差，应及时调整，使之可行。

（二）明确程序，掌握方式

要对就业信息进行细致分析，明确每一条信息的具体要求和应聘程序、时间、地点，做到心中有数。尽量避免择业过程中的冲突，有效利用信息。

（三）把握市场，调整自我

就业信息不仅反映社会岗位的要求，也体现了市场对择业者的期待。通过就业信息，可以了解社会各种职业的特点及现代职业对从业人员素质的具体要求，预测所学的知识、技能与职业的适应程度，及时调整自身的目标。

（四）明辨真伪，警惕陷阱

小贴士

警惕就业信息的虚假陷阱

目前，某些人才市场、劳务市场存在种种虚假信息和非法招聘活动等陷阱。毕业生在求职就业时一定要擦亮眼睛，提高警惕。毕业生求职就业应尽可能到那些管理正规、有国家相关权威部门颁发的人才和劳务中介服务许可证的大型人才服务机构去。各种虚假信息和非法招聘活动主要存在于那些管理不规范，甚至根本就没有营业许可证的小型民营职业中介机构。他们利用毕业生求职迫切的心态，发布虚假信息，设置种种陷阱，非法收取报名费、保证金、培训费等。另外，也有一些企业并不是真正要招人，而是企图利用招聘会亮相，搞企业的形象宣传。部分企业的这种行为表面上并没有伤害谁，但是它们实际上浪费了毕业生宝贵的时间和精力，甚至有可能使毕业生错过应聘那些真正的招聘单位，不少毕业生不明就里，上当受骗者屡见不鲜。

下面是人才市场和劳务市场中常见的虚假信息、求职陷阱，求职者应小心应对。

1. 虚假广告

不少企业频频摆出招聘阵势，用意不在聘用合适人才，而在于显示其拓宽新领域，壮大规模，人才需求强劲的企业形象。某家沿海企业在报纸上登出"重金礼聘"海内外高级职员的广告，而后千挑万选，聘用若干名"老外"，制造新闻"热点"。不久，又以种种理由终止合同，予以辞退，再激起一轮"炒老外鱿鱼"的新闻效应。虽未招聘到合意"人才"，一轮又一轮的新闻轰动效应，却为企业形象"增光"不少。

2. 坐收渔利

招聘不招人，招聘者通过招聘获取大量报名费。这类招聘广告往往以非常优厚的待遇作诱饵，致使一些不在乎 10 元、20 元报名费的人受骗上当。在沿海地区，还有人"技高一筹"，猎取一批又一批的廉价劳动力（试用期内付低薪，期满辞退，再行招聘），既坐收招聘之利，又降低了资金成本，可谓"一箭双雕"。

3. 色情陷阱

一些人发迹之后，饱暖思淫欲，便打起招聘女秘书的幌子。招聘面试时，遇到合意者，当场便作出一些过于亲近或狎昵的动作，如不遭反对，那就正中下怀。

4. 剽窃智力

据悉，有位计算机专业的"博士"与一位小姐打着某电子计算机技术咨询公司的旗号，在报纸上刊登招聘启事，欲招数名计算机专业研究生为雇员，月薪 3 万元。凡登门洽谈者需交所谓"考卷"一张，实为某项科研的一部分。待"考卷"交回，"博士"稍加综合，便完成了一项庞大的数据测算工程，牟取暴利数万美元。

5. 瞒天过海

公司招聘人才意味着八仙过海、各显神通。然而，不少部门却以招聘为名虚晃一枪，实际上私下早有"安排"。某单位领导将意中人放在事先安排好的"竞争"环境中，使其万无一失地"取胜"，其他应聘者只是陪衬。这样，对内可以光明正大地显示其"公平竞争""择优上岗"的用人制度；对外，可以树立公司广纳人才的企业形象。

6. 拐卖人口

与骗取钱财的假招聘相比，拐卖人口的假招聘更加危险。这种招聘通常是不收保证金，更没有培训费，有的只是令人向往的优厚待遇、工作条件。假招聘者正是利用人们求职心切、渴望能得到挣钱机会的心理，在骗取应聘人的信任之后，将他们骗到外地贩卖。这种招聘的受害者，多为年轻女性及未成年人。

虚假广告、招聘启事以及不法职业介绍所的危害是明显的，使众多的应聘求职者人财两空。

面对人才市场和劳务市场的那些虚假信息、陷阱和非法招聘，求职者要提高警惕，充分了解信息的真伪，提高警惕，防止受骗上当。在求职应聘过程中，应注意以下几方面。

第一，优先选择到政府人事部门所属人才交流机构开办的人才市场或大型民营人才中介机构去求职应聘。这类部门以为用人单位、为人才服务为宗旨，运作规范、服务周到、信誉高、功能全。尽量不到那些让人生疑的职介场合去求职应聘。

第二，审看招聘单位的营业执照。一看招聘单位有无法人执照。二看是否办理了合法的招聘手续。在省级人才市场设摊招聘的单位介绍均由市场统一印制、统一装订，招聘者可看所公示的单位名称与实际招聘单位名称是否一致。另外，省级人才市场在入口处贴有摊位总表，招聘单位名称、性质，拟聘岗位均列于表中，应聘者可先浏览摊位总表再进场应聘，做到心中有数。三看招聘工资是否与该岗位社会基本工资相符。四看招聘岗位是否与单位经营范围相符。

第三，仔细询问招聘人员，不可轻信于人。应聘者在人才市场求职应聘时应仔细询问招聘单位的详细情况，包括其上级主管部门、单位性质、经营范围、用工形式、用工时间、工资待遇等，还可以直接向有关的管理部门咨询。

第四，认真听取招聘单位的情况介绍，不放过任何疑点。求职者在应聘时应留心听一听招聘单位向求职者介绍的情况是否和招聘简章一致，多听一听其他求职者的发问和议论，以便掌握较全面的信息。

第五，运用法律武器维护自己的利益。在应聘活动中一旦遇到非法中介机构欺骗、讹诈求职者的，应及时到人事部门、劳动部门咨询、投诉，寻求帮助。

第二节　制作求职材料

一、求职材料及其种类

求职材料是毕业生在求职时向用人单位推荐和介绍自己的书面材料。通过毕业生准备的书面求职材料，用人单位可从中了解到毕业生的身份、能力、综合素质等基本情况，以判断和评价毕业生的学习成绩、工作潜力，从而确定能否给毕业生提供面试的机会。由于用人单位是通过求职材料来判断和评价毕业生学习成绩和工作潜力的，所以，对即将毕业的大学生而言，首先要做的事就是制作一份能全面反映自己知识、能力和素质的个人求职材料。毕业生要想成功地向用人单位推销自己，拟定具有说服力和吸引力的求职书面材料是成功择业的第一步。

求职材料一般应包括就业推荐表、求职信、个人简历和其他相关材料。毕业生的求职材料应多侧面、多角度准确、全面地反映自己的专业水平、组织能力、领导能力和综合素质。

二、求职材料的准备

(一)毕业生就业推荐表

毕业生就业推荐表是学校主管就业工作的部门(毕业生就业办公室)发给毕业生的、用以反映学生情况的书面材料，是学校通过正规途径向用人单位推荐学生的书面材料。它涉及面广，内容丰富。用人单位在接受毕业生书面材料时，一般都把学校统一制作的推荐表作为考查毕业生的主要依据。毕业生在寻找工作时，原则上用推荐表复印件。当用人单位确定要接收毕业生，正式签约时才用正式推荐表。

推荐表的权威性、可靠性以及复印后的重复使用性，要求毕业生在填推荐表时，应本着诚实客观、认真负责的态度填写，既不贬低自己，也不过分夸张；字迹要工整、清晰、整洁，最好用碳素墨水或蓝黑墨水书写，以便于复印。

毕业生就业推荐表是反映毕业生综合情况并附有学校书面意见的推荐表。一般来讲，毕业生推荐表的内容应该包括毕业生基本信息、毕业鉴定等。

1. 毕业生基本信息

包括本人基本情况、学习经历、能力和专长、实践实习经历、联系方式等基本要素。

(1)个人基本情况。包括姓名、性别、年龄(出生年月)、籍贯、民族、学历、学位、政治面貌、健康状况、家庭地址、联系方式、照片等。

(2)学习经历。主要是个人从小学阶段至就业前所获最高学历阶段之间的经历，应前后年月相接。

(3)学习情况。主要列出大学阶段所有学习课程及成绩，但务必要做到实事求是。还未学的课程也要列上，在成绩栏上要标明"在修"字样，重复的课程成绩取其平均值。

(4)实践实习经历。主要列出大学阶段所从事过的社会工作、担任的职务，在各种实践实习机会当中担当的工作。对于参加过工作的大学生，要突出自己在原先岗位上的业绩。

(5)能力、性格评价。这种介绍要恰如其分，尽可能使你的特长、兴趣爱好、个性特征与你所谋求的职业特点、要求相吻合。要重点列出学习期间的获奖情况、外语和计算机能力、专业技能等。

(6)联系方式与备注。与封面所要突出的内容一样，一定要清楚地表明用人单位要怎样与你联系，务必注明电话号码、手(呼)机号码、E-mail 地址。有的毕业生喜欢频繁地变换手(呼)机号码、E-mail 地址，这样，当用人单位需要与你取得联系的关键时候，如果无法迅速联系到你，则可能让你失去适合你的机会。

毕业生就业推荐表(样表)

姓　　名		性别		照片
出生年月		民族		
政治面貌		籍贯		
专　　业		学制		
学　　历		个人爱好		
联系电话		(手机)	邮编	
通信地址			电子信箱	
个人简历				
曾任职务				
获奖情况				

	自 荐 书	
班主任评语		签章 年 月 日
系部意见		盖章 年 月 日
就业指导中心意见		盖章 年 月 日
备注		

2. 毕业鉴定

毕业生完成上述材料后，要请班主任对自己作全面鉴定，然后到学院系部和就业管理部门进行审核盖章。该表的综合评定及推荐意见部分由最了解毕业生全面情况的辅导员填写，并且是以组织负责的形式向用人单位推荐，具有较大的权威性和可靠性，所以大部分用人单位都把该表作为是否接收毕业生的主要依据。毕业生就业推荐表正式表只有一份，仅在签订就业协议时使用。

（二）个人简历

个人简历是大学生求职必备的工具，是最重要的应聘书面材料之一。它向用人单位表明你拥有符合该工作要求的技能、态度和资质，证明你能够满足工作的需求，从而使自己得到面试机会。个人简历的根本功能在于尽可能地吸引招聘单位的注意力，让负责招聘的人为之怦然心动，对求职者产生兴趣和好感，同意求职者参加面试。求职者之间的竞争非常激烈，越是条件优越的单位和职位，求职者越多，高水平的人也就越多。用人单位人事部门一天下来可能同时收到几十份甚至上百份简历，许多简历可能根本就引不起招聘人员的注意，扫一眼就放在一边了。因此，你简历上所写的东西，必须能引起招聘者的注意，使对方对你有个好印象。否则，你就不可能有与对方面谈的机会。

1. 简历撰写技巧

（1）篇幅适中。一般以1200字以内为限，要使招聘者能在几分钟甚至几十秒钟看完，并留下深刻印象。言简意赅，是衡量篇幅是否适中的标准，一方面要"言简"，语言简洁明快，避免冗长啰唆，把无关紧要的事情罗列一大堆；另一方面要"意赅"，要有内容，信息含量大，不能太粗略，对能证明你有任职资格的信息不能丢三落四或含混不清。

（2）布局得当，结构、逻辑、层次清晰，便于阅读、理解。避免把所有信息糅杂在一起，让人理不出头绪。

（3）用词要准确、恰当，要少用虚夸的形容词和副词。既不要夸张、言过其实，也不要消极地评论自己，妄自菲薄。

（4）内容要真实可信。不能为赢得面试机会而凭空捏造事实，随意抬高身价。因为争取面试机会并不是最后目的，最后目的是要取得工作。如果弄虚作假暂时取得了面试机会，但如被对方发觉，那将身败名裂。实事求是，一家不成还可以求另一家，而弄虚作假后却可能招致处处把你拒之门外。不过，我们强调真实，并不是说简历只是求职者自然状况的自然展现，是经历、学历与社会关系的简单描述，你可以适当美化一下自己，就像歌手登台前的化妆，这样可以增加你成功的机会。"真实可信"这四个字，真实是基础，可信是目的。你可以灵活变通，但要显得可信。你所说的求职资格和工作能力要有根据，可以经受检验，使人感觉是客观的评述，有理有据，让人信服。

（5）个人简历中要体现出你明确的求职目标，要针对所申请的空缺职位来写，有的放矢，使招聘人员觉得你的各方面情况与你应聘职位的任职资格相吻合，与招聘条件相一致。

（6）个人简历的开头应该是浓缩的精华，要高度概括，突出你的特点；中间部分描述要显得客观可靠，语气要积极、坚定、有力，让人无可置疑；最后部分一般是列举有关证明人及简要说明有关附加性参考材料。附加性材料一般包括学历、学位证明，获奖证书，专业技术资格证书，专家教授或单位领导推荐信，发表的文章论著等。

2. 撰写个人简历应注意的事项

第一，个人简历最好自己起草，然后再请专业人员或有经验的人提些建议，帮助修改。因为这样既可以体现自身的特色，又可以避免犯一些常规性的错误。

第二，在简历中所提到的证明人一般为3～5个，主要用做对你求职资格、工作能力和个人情况的备询或保证人。因此，一般应选择在校期间或以前工作单位或所参加社团中比较熟悉而又知名的人（尤其是用人单位知名的权威），一般不要选择自己的父母或亲戚，因为别人认为其可信度不高，他们只会为你说好话。在让别人做证明人或推荐人时，一般事先应征得其本人同意，除非你特别熟悉且联系密切，否则可能会有误，一是联系地址有变，用人单位按你所提供的地址找不到人时，即会对你有失信之感。二是对方可能不愿做你的证明人，这也会给用人单位造成误会，影响对你的印象。在证明人栏目中要详细说明证明人的姓名、职务、工作单位与联系地址或电话，以打消招聘人可能产生的疑虑。

第三，个人简历一般应打印，打印要字迹清晰，美观大方。如果你能写一手好字，最好用手写，但应避免用草书或行草。

第四，个人简历要寄给指定的主管负责人，要确认他就是你所要找的人。弄清他的姓名、职衔，事先打电话给其秘书或其他人员证实一下，胡乱称呼主管会引起反感，也表明你对他缺乏尊重和了解。个人简历的写作和运用是为争取面试机会服务的，这是根本的原则。

以上的建议只是一般规则，你可以根据情况灵活应变。"阵而后战，兵法之常。运用之妙，存乎一心。"自己应发挥主动性和创造性，不要受条条框框的束缚。

（三）求职信

求职信同个人简历的写作目的一样，都是要引起招聘者的注意，以获得好感和认同，争取面试机会。两者在许多方面有共通之处，因此，前面关于个人简历的建议大多可供参考写作求职信，在此不再重述。但是，求职信与简历又有所不同，否则就没有必要去写求职信了。求职信是针对特定的个人而写的，而简历则是针对特定的工作岗位来写的；简历主要是叙述求职者的客观情况，而求职信主要是表述求职者的主观愿望与特长。相对简历来说，求职信更要集中地突出个人的特征与求职意向，打动招聘者的心，是对简历的简洁概述与补充。求职信带有一定私人信件的性质，应有一定的感情色彩，行文要简明流畅，晓之以理，动之以情，既有说服力，又有感染力，使人相信你的资格、能力和人品。

求职信的结构一般由三部分组成，即开头、主体与结尾。

1. 开头

开头部分包括称呼与引言。

称呼一般是姓加职衔或官衔。大部分人既有职衔又有官衔，一般以其高者、尊者称呼。如当招聘者既是博士、副教授又是人事处处长时，那么此时称博士也许效果好些。因为人事处处长中是博士的比较少，且一般人称处长多，而你称其为博士既有新鲜感又表明你对他的了解。无意之中，他对你的印象就可能更深些。

引言的作用有二：①吸引招聘者看完你的材料。②引导对方自然而然地进入你所突出的正题而不感到突然。因此，应下工夫把开头写好。开头的形式多种多样，下面列举几种以供参考。

相关链接

开头的方式

概述性开头。用一两句话概括你具备的最重要的求职资格和工作能力，并简要说明这些资格和能力如何能最好地满足目标工作的需要。

赞扬式开头。赞扬目标单位近期取得的显著成就或发生的重要变化，然后表明你渴望为其效力。

个性化开头。从你与求职目标有关的兴趣、看法与体会或从你目前的状况说起，谈自己为什么想到该用人单位工作。

独创性开头。如果你申请的目标工作需要创造性的想象力，可以用一个新奇的、能表现这方面才华的句子开头。

志愿性开头。表明你的理想和抱负，把目标单位称做你的用武之地，决心为之奋斗，为之奉献。

提问式开头。针对目标单位的困难、需要和目标提出自己的认识和建议，然后表明你真诚地希望能帮助他们克服困难、满足需要、实现目标。先设问，再回答，表明你对局势的关注和愿意同舟共济的决心。

汇报性开头。把对方视为尊敬的领导或专家，以谦虚求教的态度向其汇报自己的情况和求职动机，请求指点和当面赐教。

---

2. 主体

主体部分是求职信的重点，要简洁而有针对性地概述自己简历的内容。要突出自己的长处和优势，使对方觉得你的各方面情况与招聘条件相一致，与有关职位要求、特点相吻合。写作的具体技巧，有关专家将其概括为如下 5 个方面。

相关链接

主体部分的写作技巧

第一，简述你的主要求职资格、工作经验、参加过的有关社会活动、个人的兴趣和爱好。

第二，要以成熟而务实的语气叙述。切勿夸大其词、自吹自擂；提供你在学业上和工作中取得的重要成就，来证明你所声言的资格和能力；谈论一下目标单位的有关情况，表明你对其已有了解，并愿意为之效劳。

第三，描述你具备的教育资历、工作经验和个人素质。谈谈你为这项目标工作作了哪些教育准备，即你所受的哪些教育及专业与目标工作的任职资格有关；谈谈你过去所受的专业训练和工作经验及其与目标工作的相关性；以事实证明你具有目标工作要求的个人素质；举例说明你具有做好目标工作的其他有利条件。

第四，重申你的求职动机，简要说明你对未来的设想。

第五，提示说明你在求职信后的有关附录或附件。

3. 结束语

结束语要令人回味而记忆深刻。要把你想得到工作的迫切心情表达出来，请用人单位能尽快答复你，以恰当恳切的方式请求安排面谈。内容要具体简明，语气要热情、诚恳、有礼貌，别忘了向对方表示感谢。

贴士

求职信写好以后，寄出去之前，要注意对下列项目逐一检查核实。

第一，信封是否标准，地址与落款是否清楚。

第二，收信人的姓名、职位和称呼是否正确。

第三，是否写明了可以见面的时间和联系方法。

第四，是否说明附有简历或其他材料。

第五，是否留有副本以供面试时参考。

第六，是否记下了发信日期，以便及时询问。

求职信应该体现出自己的特色，在遵循上述一般原则的前提下，要开动脑筋，以自己的方式来赢得招聘者的青睐。

小贴士

写好求职信的四个要诀

求职信从某种程度来说比面试更重要，因为它可能决定你的面试机会。求职信是你与用人单位沟通的第一道桥梁，如果第一印象都不太好的话，那么你名落孙山的机会也会特别高，因此，一封求职信的好与坏直接影响着你的求职结果。写求职信时要想从求职者中脱颖而出，你必须注意以下四个要点。

第一，内在美。这是最重要的一项，其意思是要使求职信有内涵，"投其所好"。投其所好即是指你要针对每一份工作写求职信，不要千篇一律。用一篇全世界通用的求职信去应征，会让人觉得你对这份工作毫无诚意。你应该：清楚表明你的目的并表现出对申请工作的兴趣；重点介绍和申请工作有关的长处和优点；切忌用浮夸的字眼去形容你的专长和优点，用词应谦逊有礼。

第二，外在美。其意思是指要使对方在收到你的求职信时有舒服整齐的感觉，最好长短适宜。用纸方面，应选用纸质好的纯白A4纸便可，这可给人以整齐舒服的感觉。另外，求职信内的签名最好是亲笔签名，以示庄重和诚意。一封充满诚意的求职信更有可能给你带来面试的机会。

第三，精而简要。就是说，求职信的内容要尽量精简，不要累赘，用词也要精确恰当，应以简洁易明为原则，不要标新立异，用一些异常晦涩难懂的词语，那样只会适得其反。

第四，反复校正。为了确保你的求职信没有错漏，在你写好求职信后要反复阅读，对于一些不太明白的用词要特别小心，避免用错词语使你原有的意思被误解，影响求职进程。

职场链接

求职信范例

尊敬的××经理：

您好！

我从×报看到贵公司要招聘一名会计的信息，很愿意试一试，并希望得到贵公司的这一职位。

我所学的专业是商业会计，今年7月将从××职业学院毕业，接受过计算机操作技能的培养和严格训练，这使我有能力在贵公司——专业化和现代化水平较高的公司熟练地运用计算机处理各种会计业务；在商业写作、人际关系和心理方面的训练，将有利于我与公司客户建立密切的业务联系。去年暑假和这一学期毕业实习期间我曾在两个公司做过会计助理工作，由于工作认真和业务较熟练而得到实习单位的好评，从而也积累了一定的工作经验。

我在校学习期间，曾任学院学生会副主席和活动中心部长等职务，学习成绩优良，多次被评为三好学生和优秀学生干部，外语和计算机操作能力较强（成绩和获奖证书附后）。

当然，可能我的学识水平和能力与贵公司的要求还有差距，但我觉得自己有较强的学习能力，且谦虚好学，能吃苦耐劳，乐于助人，有良好的适应能力和人际交往能力，以及团队合作精神，这些也将有利于我做好会计工作。我希望到贵公司工作，以自己的努力促进公司的发展。

如果需要，我愿意接受笔试和面试。

我自信能对贵公司作出贡献。

切盼回复

我的电话：（略）

求职人：×××

2008 年 11 月 18 日

三、求职材料的准备应遵循的原则

（一）真实性原则

求职材料是对自己大学生活的全面总结和反映，在内容上必须真实，切忌为赢得用人单位的好感而弄虚作假。

小故事

小张是农民的儿子，平时生活俭朴，作风踏实。而用人单位就想选择一位这样的毕业生。但是当用人单位看到小张求职材料中父母一栏中未填写时，问小张是不是父母去世了。小张未写的原因是他认为写父母是农民害怕别人歧视他。本来小张是农民的儿子对于到该单位求职是优势，但他却理解为劣势。小张因为材料中的栏目未如实填写而失去机会。

（二）规范性原则

这一原则的确立，是对毕业生所有文字材料的基本要求。求职择业材料，可以说是对自己大学生活的一个全面总结，在材料中既要全面反映自身的基本情况，如姓名、性别、出生日期、政治面貌、生源地、学习成绩等，又要反映自身优势、特长、爱好；不仅要突出自己的优点、成绩，也要说明自身存在的缺点；不仅要说明自己对用人单位职位感兴趣的原因，还要表达自己努力工作的决心。求职材料应格式规范，填写术语标准。如在健康状况一栏，一般应填写"健康"，而不能填写优秀、良好、一般、健壮等。

（三）富有个性原则

这一原则主要是要求求职者的材料要体现求职者的个性，不能"千人一面"，更不能"张冠李戴"。而且，由于不同的用人单位对求职者的要求不尽相同，求职材料的准备也应根据不同的单位有所差异。

（四）突出重点原则

求职材料必须讲求简明，突出重点。要让想了解你的人能很快地、明确地看到你的基本情况。有些同学的求职材料做工精巧，设计美观，但就是没有突出重点，前面很多内容全是一些无关紧要的东西，如学校简介、院系简介、人生格言等。有些用人单位如果投递材料的人比较多，这样的求职材料一般不会被重视。这会影响你的求职成功率。

（五）全面展示原则

一份好的求职材料是在突出重点的情况下全面展示自己。一份全面的求职材料至少应包括以下几方面：封面（写有姓名和联系电话）、照片、个人简历、求职信、推荐表、成绩单、外语等级证书复印件、技能证书复印件（计算机、驾照等）、获奖证书复印件等。

（六）设计美观原则

准备求职材料的目的之一是吸引用人单位对求职者的注意，让用人单位对求职者感兴趣。因此，求职择业材料的设计就显得尤其重要。一般来讲，求职择业材料，无论是文字的，还是表格的，都应采用A4复印纸打印或复印，复印件不要放大或缩小，并进行必要的版面设计。学习理工类专业的毕业生，求职材料的版面要讲究自然、朴实、理性、洁净的风格；学习文学、艺术、管理、软件设计等专业的毕业生，求职材料要富有创意。

（七）杜绝错误原则

所有的材料要杜绝一切错误，无论是语法、文字、用词、标点符号还是打印错误都应杜绝。

思考与练习

1. 怎样进行就业信息的整理?

2. 根据自身情况写一份求职信。

3. 结合自身实际情况制作一份个人简历。

第 六 章

高职大学生就业的程序与途径

对于求职择业的高职大学生来讲，了解就业程序和途径，对于顺利实现就业有着很重要的作用。本章着重介绍高职大学生就业及择业的程序与途径。

第一节　高职大学生就业的程序

随着国家对大学生就业制度和就业政策的改革，大学生的就业方式也从被动就业变成主动就业。在如何选择自己未来职业的问题上，大学毕业生有了更多的自主权。对高职大学生来说，要想对众多的职业岗位做出合理的选择，就需要了解有关就业和择业程序。就业和择业程序包括就业管理部门的一般工作程序和毕业生自身的择业程序。

一、就业管理部门的一般工作程序

高职毕业生的就业管理机构一般分为三个层次：①主管全国高校毕业生就业工作的教育部的相关机构。②各省、自治区、直辖市和中央各部委有关部门分管本地区、本部门高职毕业生就业工作的相关机构。③各院校和用人单位分别负责本校高职毕业生就业的具体事宜和接受安置高职毕业生事宜。他们的一般工作程序如下。

（一）制定政策

教育部对本年度国民经济发展和国家重点建设情况开展调研，制定相应的就业方针政策。各省、自治区、直辖市、中央各部委按文件精神制定本地区、本部门所属高职学校毕业生就业工作的具体意见。各学校根据国家就业方针政策以及学校主管部门的要求，结合本校高职毕业生实际情况制定本校的就业工作细则。

（二）资源统计和资格审查

1. 资源统计

高职毕业生资源统计工作约在每年的 10 月份开始进行。其内容包括高职毕业生的专业、姓名、性别、政治面貌、家庭所在地、培养类别等。资源统计是一项十分重要和严肃的工作，既不能有丝毫差错又不能弄虚作假。凡是属于国家正式派遣的高职毕业生都必须是招生时列入国家任务计划内招收的学生。学校负责本校高职毕业生的资格审查工作，及时向主管部门和地方调配部门报送高职毕业生资源情况。各省、自治区、直辖市主管部门负责本地区毕业生的资源统计工作，并按时报送教育部。教育部在每年的 11 月份左右向各地区、各部门提供下一年度的毕业生资源情况，包括毕业生所在的学校、所学专业以及毕业生来源地区等。各地区、各用人单位要向教育部提供毕业生需求信息。教育部负责向社会及时通报毕业生资源情况和需求情况，并及时组织毕业生供需信息交流。

2. 资格审查

高职毕业生资格审查一般在每年的 6 月下旬进行，12 月左右完成。主要从德育、智育、体育三方面审查高职毕业生是否符合毕业条件，对于不符合学校学籍管理有关毕业条款的，给予结业处理。结业生必须以结业生身份联系落实就业单位，已经以高职毕业生身份联系落实就业单位的，即使已列入就业建议计划，也必须重新签订结业生就业协议书。

（三）就业指导

各学校对应届高职毕业生进行政策形势分析，包括思想教育、政策指导、形势分析、信息指导、心理辅导、技术指导等，目的是为帮助毕业生根据自身特点和社会人才需求，选择最能发挥自己才能的职业，全面、迅速、有效地与工作岗位结合，顺利地走上工作岗位，实现自己的人生价值和社会价值。

现在许多学校都进行形式多样的就业指导，如开设选修课、讲座、编《就业通讯》、个别指导等。

（四）供需见面和双向选择

供需见面和双向选择活动是毕业生落实就业单位的重要方式。各地区、各部门和各高校的就业管理机构在每年的 11 月中下旬至次年的 5 月份，采取多种形式召开由学校和用人单位参加的"供需见面""双向选择"大会和开办高职毕业生就业市场，为高职毕业生求职择业创造条件，提供服务。高职毕业生在学校的指导下可直接参加这类活动。凡在供需见面和双向选择大会上或高职毕业生就业市场上签订的就业协议书，均系有效合同，双方必须履行。如果有一方反悔，不按合同规定执行的，将视为违约，要承担违约责任。

（五）《就业协议书》的审查和《报到证》的签发

每年 5~6 月，高校应做出毕业生鉴定和安排毕业生体检，审查《就业协议书》是否合法有效，手续是否齐全。毕业生就业主管部门凭学校、毕业生和用人单位三方签订的《就业协议书》签发《全国普通高等学校本专科毕业生就业报到证》（以下简称《报到证》）。外省生源毕业时未落实就业单位的，由毕业生就业主管部门签发回生源所在省（自治区、直辖市)的就业主管部门报到的《报到证》,同时,以就业计划的形式函告知对方就业主管部门,这部分学生在择业期内落实就业单位后,由该省(自治区、直辖市)的就业主管部门转签《报到证》。

(六)派遣

学校派遣毕业生的时间一般在每年的 6 月底 7 月初。地方主管高职毕业生调配部门和学校按照国家下达的就业计划派遣高职毕业生。派遣毕业生统一使用《全国普通高等学校本专科毕业生就业报到证》,公安部门凭《报到证》办理户口迁移手续。

(七)报到接收工作

高职毕业生持《报到证》或《通知书》到工作单位报到,用人单位凭《报到证》予以办理接收手续和户口关系。毕业生报到后,用人单位应根据工作需要和毕业生所学专业及时安排工作岗位和岗前培训等。

(八)改派

改派是指集中签发就业报到证后,毕业生在正式到用人单位或人事部门报到前进行单位或地区调整,改签就业报到证和其他相关手续的过程。改派的期限为毕业后两年内,改派的程序是先改签就业报到证,再凭改签后的就业报到证去改户口迁移证,最后办理档案转移。改派一般按下列原则办理:①在本省(自治区、直辖市)辖区内用人单位之间调整的,由地方主管毕业生调配部门审批并办理改派手续。②跨部委、跨省(自治区、直辖市)调整的,由学校审核同意后,统一报家教育部审批并下达调整计划,学校所在地方主管毕业生调配部门按照调整计划办理调整手续。

改签就业报到证需提供的材料有:①毕业生原报到证。②毕业生与原就业单位解除关系的证明或有关材料(回原籍报到的除外)。③毕业生被用人单位接收或录用、聘用的证明或有关材料(回原籍报到的除外)。④毕业生毕业的学校向上级毕业生就业管理部门出具的改签证明或函件。⑤学校重新填写好的毕业生就业报到证。

二、高职大学生的择业程序

对高职大学生来说,不仅需要了解就业工作运行的客观流程,同时自身也要遵循一定的择业程序,以便达到顺利就业的目的。一个完整的择业过程,至少包括了解有关就业信息、收集处理信息、自我分析、确立目标、准备材料、参加招聘会(投递材料)、参加笔试、参加面议、签订协议、走上岗位等环节。

（一）了解有关就业信息

了解国家有关就业政策是高职大学生求职择业的关键一步，面临求职择业的高职毕业生如果不熟悉国家关于大学毕业生的就业政策，不首先去了解这些政策而盲目地选择职业，就很有可能会事与愿违，影响顺利就业。

（二）收集就业信息

就业信息是毕业生求职择业的基础和必要条件，谁能及时获取信息，谁就获得了求职的主动权。因此，高职大学生在择业过程中，应当及时地通过各种渠道收集就业信息，并对这些信息进行分析和整理，最终做出正确的处理。

（三）自我分析

在收集就业信息的基础上，大学生要联系自身实际，理智地进行自我分析。自我分析包括以下四点。

第一，自身综合素质、能力的自我测评。如学习成绩在全专业中的名次，自己的兴趣、特长、爱好是什么，有何出众的能力（包括潜能）等。

第二，分析自己的性格、气质。一个人的性格和气质对所从事的工作有一定的影响，如果能从事与自己的性格、气质相符合的工作，就容易出成绩。

第三，自己在择业过程中，具有哪些优势，哪些劣势，应如何扬长避短。

第四，问问自己究竟想做什么。即自己想在哪一方面有所发展，想成为什么样的人。换句话说，即自己的"满足感"是什么，价值标准是什么。

相关链接

性格与职业定位

职业心理学的研究表明，性格深深地影响着一个人对职业的适应性。根据性格选择自己的职业，对一个人一生有着至关重要的影响。不同性格类型的人适合不同的职业。

性格与职业定位1：能力型的人在激烈竞争的环境中，在瞬息万变的情况下，能够施展自己的才华。从一定意义上讲，能力型的人对所有职业都具有适应性。重大局、不贪小便宜、感情用事，这都是能力型人在性格方面的长处，他们具有突出的外向性格，适合于社交性强的工作，如政治家、外交家、商人、律师等。

性格与职业定位2：活跃型的人最大的性格特征是外向性、行动性和直觉性。他们比其他性格的人更需要自由。这种类型的人一旦就职，热度消退后，往往会对本职工作有不专注的感觉，他们常常频繁地更换工作、更换单位或更换岗位职业，成为自由职业者。自由自在地工作，是他们的向往。因此，活跃型的人最理想的工作是销售和宣传。

性格与职业定位 3：完善型的人最大的特点是内向、深思熟虑、追求完美。这类人，内心很孤独，不擅长与人打交道，因此，对于以人际交往为主的职业，完善型的人没有适应性和兴趣，他们适合只需要一个人刻苦奋斗的学术、教育、研究、技术开发和医学等要求慎重、细致、周密思考的职业领域。这类人在学者、教育家、研究人员、技术人员、医师等比较内向的职业领域有较强的适应性。

性格与职业定位 4：平稳型的人在正确把握自己的适应性选择职业方面成功率极高，这类人的出色之处是他们中大多数人都能利用协调性、积极性、社会性及感情稳定性表现自己的才能，发挥出卓越的能力。他们对工作岗位的适应性很强，适合他们的工作岗位是行政管理和一般事务，因此，他们适合从事学术、教育、医师、研究、技术等内向型职业。

（四）确定目标

自我分析是为了确立自己的择业目标。从大的范围来说，大学生需要确定的择业目标包括以下三方面的内容。

第一，择业的地域。首先确定是在沿海城市就业，还是在内地就业；是留在本地，还是去外地就业。此时，既要考虑是否符合政策规定，还要考虑生活习惯以及今后的发展等因素。

第二，择业的行业范围。必须确定是在本专业范围内就业，还是跨出本专业到其他行业就业；是从事本专业范围内的技术工作、管理工作、服务工作，还是从事教学工作、科研工作等。此时应多考虑自己的综合素质、能力以及兴趣、特长等。

第三，择业的单位。必须确定是到大企业，还是去小公司或报考公务员；是选择国有企业，还是选择外资企业或民营企业。在这些单位中，有哪些单位前来招聘，自己是否符合条件，自己最希望到哪一家单位工作。对于愿意从事教育工作的大学生，是选择高校，还是选择中等职业学校或者其他学校，等等。

择业过程中会遇到许多不可预测的变化，但是，事前给自己的择业确定一个比较明确的目标，可以使整个择业活动有的放矢，有条不紊。不然，就会出现乱打乱撞的盲目被动局面。

（五）准备自荐材料

在确立择业目标之后，大学生接下来即可准备自荐材料。自荐材料包括毕业生就业推荐表、个人简历、自荐信以及有关的辅助证明材料。这几种材料虽然都能单独使用，但各自的侧重点不同。缺了任何一个方面，自荐材料都不够完整。

（六）参加招聘会（投寄材料）

在大学生就业活动中，招聘会或就业市场在用人单位与大学生之间架起了见面沟通的桥梁。在招聘会或就业市场上，用人单位与大学生之间只能进行初次结识，即用人单位向毕业生宣传单位发展情况，同时收集众多毕业生的自荐材料（有的单位可能向应聘学生发放登记表）；毕业生则在了解用人单位的大致情况后，将自荐材料和登记表交给招聘单位。从某种意义上说，大学生参加招聘会，大多数只完成了材料递交工作。当然，也有些毕业生与用人单位"一见钟情"，当场签约。为了提高效率，毕业生应有选择地去招聘会或就业市场，没有必要去"赶场子"，今天去一个招聘会，明天进一次人才市场，这样既浪费时间和精力，效果也不会太好。另外，毕业生还可以将自己的自荐材料通过邮寄等方式寄给用人单位，用人单位可以据此材料进行分析，决定是否通知你参加笔试或面试。

（七）签订就业协议

通过双向选择，高职毕业生确定了用人单位，对方也明确表示同意录用之后，高职毕业生就可以与用人单位及学校签订由教育部统一制定的协议书。该协议书明确规定了学校、用人单位及高职毕业生本人三方的责任、权利与义务。协议书一经签订，便视为有效合同，不能随意更改。签约的各方都要遵守协议，不能做与协议书内容相违背的事情。需要指出的是，有的高职毕业生在与用人单位签约后，又去联系其他单位，"脚踏两只船"。这种做法是很不明智的，结果也不会好，往往会几头落空。要记住，不讲信誉的人在社会上是不受欢迎的。

相关链接

签订就业协议书的注意事项

毕业生在签订就业协议时一般应着重注意以下事项。

第一，查明用人单位的主体资格是否合法。协议双方的主体资格的合法性是协议书具有法律效力的前提。就毕业生就业协议而言，不管用人单位是国家机关、事业单位还是企业，都应有用人自主权，如果不具有用人自主权，则就业协议必须经其具有用人自主权的上级主管部门批准同意。因此，毕业生签约前，必须先审查用人单位的主体资格。

第二，签订就业协议的程序是否完备。毕业生与用人单位经协商一致，签约时要注意完整地履行手续。首先，毕业生要签名并写清签字时间。其次，用人单位及其上级主管部门必须加盖公章并注明时间，不能用个人签字代替单位公章。再次，毕业生和用人单位签字后需及时将协议书交给学校毕业生就业主管部门一份，以便学校履行相关手续，从而保证毕业生能够顺利被派遣。

第三，违约责任的界定是否明确。违约责任是指协议当事人因过错而不履行或不完全履行协议规定的义务而应承担的相应法律责任。追究违约责任是保证协议履行的有效手段，因此，协议内容中应详细表述双方当事人的违约情形以及违约后应负的责任，同时还应写明当事人违约后通过何种方式、途径来承担责任。这样才有利于当事人双方履行协议，也才有利于防止纠纷的发生以及纠纷的解决。

（八）上报就业方案，办理报到证

学校以已经签订盖章的就业协议书为根据统一汇总纳入学校的就业方案，上报有关的上级主管部门审核，办理报到证。就业方案下达后，就业计划不再调整，学校将依据就业方案做好高职毕业生的派遣报到工作。

（九）毕业离校，报到就业

正式就业方案下达后，高职毕业生将进行毕业鉴定，办理离校手续，领取就业报到证。专升本的高职毕业生无报到证。文明离校是对新一代大学生精神风貌的基本要求。大学生应把良好的学风留下，给在校生做出榜样。高职毕业生离校后按照《就业报到证》上规定的时间去用人单位报到上班。工龄自报到之日算起。报到一个月后，应到单位人事部门查询个人档案接收情况。

相关链接

报到礼仪

报到对于高职大学生来说是开始新生活的第一步。第一步走得如何直接关系到今后能否顺利开展工作。因此，大学生在到工作单位报到时要注意以下礼仪。

报到时间要适宜。报到时间一般应选择在上班半小时后至下班半小时前，并且要在规定的报到期限报到。如果不能在规定的时间内报到，应及时通知单位，避免打乱单位的工作计划。

言谈举止要庄重、有礼貌。报到时不要贸然闯入办公室，应先敲门或打招呼，得到允许后方能进入。在报到过程中，要注意讲文明，言谈举止彬彬有礼。如用如下语言作自我介绍："您好，老师，打扰了。我叫××，是××大学××专业的毕业生，已与单位签约，现到单位报到上班。"此时，单位会有专门的人接待你，这时你可以进一步了解接待你的人的情况："请问老师贵姓？"在得知对方姓名以后，你要起立向老师行礼，热情地称呼："×老师您好！很高兴认识您，今后请您多关照。"

在报到过程中，不要在不了解情况的条件下，对工作单位说三道四，更不能不服从工作安排。

报到结束时，应及时道谢，礼貌告辞，并说"谢谢"。如果接待人员出门相送，应礼貌地劝回，如"请留步，再见"等。

第二节　高职大学生就业的主要途径

当前高职大学生的就业途径主要有以下几个方面。

一、面向国有企事业单位就业

（一）国有企业单位

国有企业是指所有制形式属国家所有或国家控股的企业。按附属关系可分为中央部门直属企业和处所所属企业。按企业门类可分为机械电子企业、石油化工企业、轻工纺织企业、地质矿产企业、内外贸易企业、邮电信息企业、原材料类企业、航天航海航空企业、铁路交通企业、银行保险企业和工程建筑企业等。

1. 国有企业的地位和作用

国有企业是我国经济发展的命脉，是我国国民经济收入的重要来源，是公有制的基石。我国已具备了从轻工到重工一系列关系国计民生的完整的国有工业体系，并组建了一批国有企业，这些企业在社会主义现代化建设中起着主导、支撑和带头作用。

国有企业对国家的支撑作用除了表现在产值、利税等方面之外，还表现在对经济生活、社会稳定等方面的支撑。没有国有企业的支撑，我国的经济建设是难以想象的。

国有企业大多是国民经济的支柱企业或骨干企业，在资金、人员、技巧、管理等方面，都有比较雄厚的基础，程度较高。因此，在科学技术、经济管理、人才造就等方面起着示范和带头作用。在国家经济生活中，国有大中型企业始终处于"龙头"地位。

2. 国有企业发展的状况

随着社会主义市场经济的发展，面临竞争的压力，增强国有企业的竞争能力已成为国家面临的一项重要任务。近年来，一部分国有企业因种种原因处境艰巨，经济效益下滑，职工住房、养老、公费医疗负担较重。因此，国家采取了一系列国有大中型企业改革的政策和措施。

毕业生应以一种强烈的责任感和使命感，积极投身到改革中的国有企业，为建立现代企业制度、重振国有企业雄风贡献自己的聪明才智和青春年华。

(二)国有事业单位及其主要任务

事业单位是不同于国家机关、党派、社会团体，也不同于企业单位的社会组织。是为党政机关和国民经济、社会生活各个领域服务的，为国家创造或改良生产，增进社会福利，满足国民文化、教导、科学、卫生等方面的需要，不以为国家积累资金为直接目标的单位。在我国，按原国家标准局和国家统计局制定的《国民经济行业分类标准》，事业单位包含以下领域：

A. 教育事业单位。

B. 科研事业单位。

C. 文化艺术事业单位。

D. 广播电视新闻事业单位。

E. 综合技术服务事业单位。

F. 卫生事业单位。

G. 体育事业单位。

H. 社会福利事业单位。

I. 农业、林业和水利事业单位。

(三)国有企事业单位对应聘者的特别素质需求

国有企事业单位一般要求毕业生要有强烈的敬业精力、良好的品德修养、扎实的专业功底、擅长管理的才干和团结他人的协作精神。同时，不同类型的职位对应聘者的素质要求也有所不同。

1. 科研类职位

科研工作的性质决定了其更为重视扎实、全面的基础知识、专业技能，提出问题、分析问题和解决问题的能力以及追求真理的科学精神。

2. 教育类职位

教育工作的特点决定了应聘者在具有较高的综合素质的基础上，还应具备甘为人梯、为人师表的良好品德、广博的知识，良好的语言文字表达能力和较强的教学组织与管理能力。

3. 医疗卫生类职位

应聘医疗卫生单位的基础条件是：接受过医科院校的专门培训，并取得合格的成绩和相应的资格证书，具有良好的医疗作风、正确分析和诊断病情的逻辑思维能力、准确过硬的动手能力和遇事不慌坚定果断的心理素质。

4. 文化信息类职位

应聘者要有较高的政治觉悟，熟悉语法、修辞、逻辑等基础知识，能讲标准的普通话等。

5. 工程技术类职位

工程技术类职位要求应聘者在相关的专业知识基础上具备谋划、论证、设计、组织实施以及解决各种工程技巧实际问题的能力，要求工作认真细致、一丝不苟，理论联系实际，积极深入生产第一线。

6. 管理类职位

管理类职位要求应聘者具有相关的专业知识，通晓有关的专业政策，并具有相应的工作协调能力、社交能力和群众工作能力，认真负责，依法办事，坚持原则，严于律己，讲究实效。

二、面向非国有企事业单位就业

随着我国改革开放的深入发展，各类非国有企事业单位为毕业生供给了日益广阔的新的就业空间。

(一)各类非国有企事业单位及其特点

1. 集体企业和乡镇企业

集体所有制企业是指在所有制关系上属于劳动集体所有，共同劳动，以按劳分配为主体的社会经济组织。集体所有制企业一般遵守自筹资金、独立核算、自主经营、自负盈亏的原则，集体积累资金，自主安排，并按照按劳取酬、入股分配的原则进行分配。集体所有制企业与国有企业相比，其重要特点是机动、点多、面广。

乡镇企业是指农村集体经济组织或者农民投资为主，在乡镇(包含所辖村)举办承担支援农业任务的各类企业。它是改革开放的产物。乡镇企业是我国工业的重要组成部分，是市场供给商品、补充国家财政收入的重要来源之一。

2. 外商投资企业

外商投资企业是建立在我国国土上，根据我国有关法律规定，由一个或一个以上的国外投资方独立经营或与我国投资方共同经营，履行独立核算、自负盈亏的经济实体。

外商投资企业的三种形式是：中外合资经营企业、中外合作经营企业、外商独资经营企业，即"三资"企业。

中外合资经营企业是由外商按照中国有关法律，经中国政府批准，在中国境内与中国的企业共同投资组建的、以赢利为目标的股权式联合企业。出资者是中外双方，因而共同的投资就决定了共同经营、共负盈亏的特点，并履行有限责任。

中外合作经营企业是由外商供给资金，按平等互利的原则，在中国境内同中国企业签订合同，利用中方合作者现有条件，以一方为主经营管理，按合同规定比例分配收益的合作企业。其特点是：合作各方为合伙关系，投资和分配方法机动；以一方(通常是中方)管理为主；合作期满，资产净值无偿归中方所有。

外商独资经营企业是指外商按照中国有关法律，经中国政府批准，以独立的法人身份在中国境内举办的全部外资成分的经济实体。它的特点是：由外商独立投资、独家经营、自负盈亏、自担风险。作为独立法人，受中国法律保护，同时按中国法律办事，照章纳税等。

3. 民办企事业单位

近年来，我国民办企事业单位有了长足发展。民办企事业单位是指在所有制关系上属于劳动者个体所有或联合经办的企事业单位。主要有各类民办工商业、民办学校、民办社会中介组织的公益事业单位等。

(二)各类非国有制企事业单位的人事管理

1. 集体企业和乡镇企业的人事管理规定

集体企业的人事管理制度与国有企业基本相同。专业技术职务的评聘也与国有企业大体相当。

乡镇企业在人事管理方面有如下几种模式：①人事关系全部在区县级企业管理机构人才服务中心，然后派到乡镇企业。②档案放在区县级企业管理机构，其他关系全部放在企业，享受企业待遇。③区县人事部门、乡镇企业管理部门、企业分工负责，共同管理。④区县人事部门、乡镇企业管理部门针对所辖乡镇企业的状态对科技人员重点安排、集中使用。

集体、乡镇企业的工资待遇。集体企业和乡镇企业的资金来源、经营方法及国家的优惠政策决定了其工资待遇与工作业绩、企业经济效益的挂钩体现得比较充分，一般是按劳取酬，大多实行以岗位工资与技术工资为主体的多种工资分配制度。另外，实行根据企业效益和本人贡献决定奖金制度。此外，一般还有养老保险、失业保险、医疗保险等。

2. 外商投资企业的人事管理规定

在人事管理方面，外商投资企业一般按照国际惯例进行管理。由于外资企业有较多的自主权，所以大多根据双向选择的原则，实行聘任合同制、择优任用制。

外商投资企业中，中方职员的任用主要采用3种方法，即委任(由中方根据法律和合同规定，直接委任中方人员到外企任职)、聘请(外商投资企业根据需要，按一定程序，采用签订聘用合同的措施，任用专业技术人员和管理人员)、选任(外企职工内部选举担负一定职务的人员)。

外商投资企业中方人员引进的主要方法是招聘。这种招聘既包括到社会上招聘有工作经验的人员，也包括招聘大学毕业生。

3. 民办企事业单位的用人制度

民办企事业单位的用人制度基本上与外资企业相同，并具有更大的机动性。需要指出的是，随着我国企事业单位的发展，不少民办企事业单位已开始从大学毕业生中招聘工作人员，一些地区参照外资企业人事管理措施，为大学毕业生到民办企事业单位求职就业创造了较为宽松的政策环境。这为毕业生提供了新的就业空间和途径。

（三）非国有企事业单位对应聘者的特别要求

1. 要有肯吃苦的思想准备

这些单位一般劳动强度较大，工作效率高，管理制度严，对工作人员的要求较高。

2. 要有较强的风险意识

风险主要来自两个方面：一是企业面临激烈的竞争。这些企业在市场经济的海洋中并非个个坚如磐石，倒闭、破产者屡见不鲜，若你进入的单位因经营不善而倒闭了，你应坦然面对现实。二是企业内部的竞争也是激烈的，对每一个人来说都面临适者生存、不适者被淘汰的选择，一旦被解聘，切不可无所适从，垂头丧气，而应振奋精神，寻找新的生活天地。

3. 要有从事各种工作的能力

由于这些单位讲究效益，人员精减，因而要求应聘者具备多种能力，仅仅只能从事某一种工作的应聘者是不受欢迎的。其中，外资企业对应聘者的外语水平、公关意识有较高的要求。

4. 要客观看待工资待遇

这些单位的工资待遇可能比其他单位高，但也应看到，在医疗保健、住房制度方面，外资企业和民办企事业单位尚不如国有企事业单位健全。所以，客观看待这些单位的待遇是非常重要的。

三、参加国家公务员录用考试

公务员考试录用制度是我国干部人事制度改革的一项重大内容。1994年6月，原人事部颁布实施了《国家公务员录用暂行规定》，由此使公务员考试录用工作有法可依，步入了法制化、规范化轨道，并逐步确立了国家行政机关"凡进必考"的用人机制。由于国家公务员的社会地位、工资待遇较高，并具有良好的晋级条件，这使得许多人都希望进入国家公职机关。公务员已成为大学生首选的阳光职业，近年来出现了持续不断的招考热。国家公务员考试是高职毕业生就业的一条新途径，国家公务员录用考试向应届大学毕业生开放，无疑拓宽了大学毕业生的就业途径，有助于解决大学生就业难的问题。

（一）报考国家公务员的基本条件

根据《国家公务员暂行条例》和《国家公务员录用暂行规定》的规定，报考公务员的有关人员必须具备下列基本条件。

第一，具有中华人民共和国国籍，享有公民的政治权利。

第二，拥护中国共产党的领导，热爱社会主义。

第三，遵纪守法，品行端正，具有为人民服务的精神。

第四，报考省级以上政府工作部门的应具有大专以上文化程度，报考市（地）级以下政府工作部门的文化程度由省级录用主管机关规定。

第五，报考省级以上政府工作部门的须具有两年以上基层工作经历，国家有特殊规定的除外。

第六，身体健康，年龄为 35 岁以下。

第七，具有录用主管机关批准的其他条件。

在具体工作中，还有一些否定性条件。凡具有这些否定性条件的人不能报考公务员。它们主要包括：

第一，曾受过刑事处罚、劳动教养或行政开除处分的。

第二，曾因贪污盗窃、行贿受贿、泄露国家机密等原因受到党纪、政纪处分的。

第三，正在接受审查或受过处分未解除的。

第四，参加与"四项基本原则"相悖的组织或活动，存在严重问题的。

除了要符合以上这些政治条件之外，报考者还要达到招考部门规定的体检要求。

（二）国家公务员录用考试的程序

公务员录用考试的程序，包括录用考试的准备、笔试面试的操作、笔试面试的评判等。

第一，公务员录用考试的准备工作是公务员录用考试得以进行的前提，包括编制录用计划、发布空缺公告、考试公告、审查报考者资格等。

第二，公务员录用考试。我国国家公务员的录用考试主要有两轮，第一轮是笔试，第一轮合格者参加面试。笔试和面试都有各自的程序，笔试一般由政府人事部门统一举行，面试则由各用人单位具体实施。

第三，公务员录用考试的评判。公务员录用考试的笔试试卷在考完后由主考人员密封送至主考机关，主考机关在一定时间内组织人员进行评判；面试的测评虽然当场进行，但面试成绩要在面试结束后由测评小组共同判定。

第四，公务员录用程序。公务员的录用程序主要有四步，即考核、体检、录取和试用。考核工作有两个重点，一是政治素质，一是拟录用职位的要求。对笔试、面试、考核都合格的应试者要组织体检，体检不合格者，不能录用。录取阶段主要有确定推荐比例，公布录用候选人名单，编制和管理录用候选人名册，推荐，办理录用手续五项工作。新录用人员有一年试用期。按规定录用的没有基层工作经历的人员，要在基层工作 1～2 年。试用期内用人部门要组织培训，期满要进行考核。

四、自主创业

近年来，随着教育事业的发展和高校扩招，大学毕业生数量以每年约 50 万的速度递增。据统计，2009 年高校毕业生将突破 600 万，加上各类技校、中专毕业生，中国 2009 年的就业人口预计会超过 2300 万。而就目前统计数据来看，就业岗位不会超过 1200 万个。在全球遭遇金融危机而导致经济下滑的大背景下，解决数百万大学毕业生的就业问题难度将会比以往任何时候都大。在就业数量庞大，就业空间收紧的形势下，越来越多的大学毕业生正在把创业看做是就业的一条重要途径。这条途径是符合经济社会发展要求的，对于国家和大学生本人都十分有益。人力资源和社会保障部、教育部等相关部门相继出台了一系列指导大学生灵活就业、自主创业政策，给大学生创业以极大的鼓励。与此同时，各级政府也出台了许多优惠政策，为大学生自主创业开辟了更加便捷的道路。

🔧 资料卡

国家出台鼓励大学生自主创业的政策

国办发［2002］19 号文件中明确规定："鼓励和支持高校毕业生自主创业，工商和税收部门要简化审批手续，积极给予支持。"

2003 年 5 月，国办发［2003］49 号文件中再次强调："鼓励高校毕业生自主创业和灵活就业。凡高校毕业生从事个体经营的，除国家限制的行业外，自工商部门批准其经营之日起 1 年内免交登记类的各项行政事业性收费。有条件的地区由地方政府确定，在现有渠道中为高校毕业生提供创业小额贷款和担保。"

2003 年 9 月，国家发展和改革委员会下发《以鼓励中小企业聘用高校毕业生搞好就业工作的通知》，鼓励高校毕业生自主创业。明确规定高校毕业生从事个体经营和创办企业的，任何部门不得在法律、行政法规之外设置其他登记类的前置性审批条件。高校毕业生在各级中小企业管理部门组织的创业基地内设立企业的，除国家限制的行业外，自工商部门批准其经营之日起 1 年内免交创业基地收取的各项行政事业性收费。列入全国中小企业信用担保体系试点范围的担保机构，应当优先为高校毕业生创业活动提供小额贷款担保。

2005 年 6 月，中央办公厅、国务院办公厅颁发了《关于引导和鼓励毕业生面向基层就业的意见》，再次鼓励大学生自主创业。

高职大学生自主创业是缓解就业压力的有效措施，也是实现自我价值的重要途径。作为创业教育载体，高校应积极开展创业教育，培养学生的创业技能和主动精神；作为创业实践的主体，大学生应合理进行职业生涯规划，提升自身的创业能力，主动走向社会，开辟新领域、创造新岗位。

小故事

2005 年，赵小纯从襄樊职业技术学院医学院临床医学专业毕业后，在多方求职无果的情况下，她决定自主创业——开药店。万事开头难，资金成了创业路上的"拦路虎"。为此，她积极向父母、亲戚和同学筹措，最终落实了创业资金，开办了"辅仁药店"。最初，药店生意冷清，几乎使她产生了放弃的念头，但赵小纯没有低头。她仔细分析原因，实施了三点改进措施：一是开展宣传，扩大药店影响力。二是调整角色，不仅把自己定位成营业员，还充分利用自己的医学知识，对顾客进行免费诊疗指导。三是开设夜间免费送药上门服务。通过经营方式的调整，药店的生意越来越好，影响越来越大。

从赵小纯的例子可以看出，创业的过程是复杂的，充满艰辛的，仅凭一腔热血是不够的，需要具备多方面的能力和素质：一是要有创新的勇气。创新是一个破旧立新、推陈出新的过程，肯定会有阻力和风险，也可能遭遇挫折与失败，要敢为人先，探索新途径，开创新局面。二是要有创新能力。要注重加强学习，既要善于向书本学习，还要注重向实践学习，向先进的经验和做法学习，不断提升创业水平。三是要有创新意识。要善于思考、分析、总结，从而不断拓宽创业视野，在创业路上越走越宽。

五、灵活就业

灵活就业是指在正规形式就业之外的其他就业形式。主要是指在劳动时间、收入报酬、工作场地、保险福利、劳动关系等方面不同于建立在工业化和现代工厂制度基础上的、传统的主流就业方式的各种就业形式的总称。灵活就业可分为三个类别。

第一类，主要是指小型企业、微型企业和家庭作坊式的就业者，以及虽为大中型企业雇用，但在劳动条件、工资和保险福利待遇以及就业稳定性方面有别于正式职工的各类灵活多样就业形式人员，包括临时工、季节工、承包工、小时工、派遣工等。

第二类，是由科技和新兴产业的发展，以及现代企业组织管理和经营方式的进一步变革引起的就业方式的变革而产生的灵活多样就业形式，如目前发达国家广泛流行的非全日制就业、阶段性就业、远程就业、兼职就业、产品直销员、保险推销员等。

第三类，是独立于单位就业之外的就业形式。包括：①自雇型就业，个体经营和合伙经营两种类型。②自主就业，即自由职业者，如律师、作家、自由撰稿人、翻译工作者、中介服务工作者等。③临时就业，如家庭小时工、街头小贩和其他类型的打零工者。

思考与练习

1. 高职大学生就业的程序有哪些？

2. 高职大学生就业有哪些途径？

3. 你有自主创业的打算吗？你打算怎样做好自主创业的准备？

第 七 章　高职大学生自荐与面试

面对严峻的就业形势，在学历文凭上不占优势的高职大学生如何在用人单位招聘人员时普遍追求高学历的大环境下脱颖而出，找到一份能够充分发挥自己才能的工作？这既要求高职大学生从自身的特点出发，突出展示不同于本科大学生的专业知识和技能，又要求他们在就业竞争中掌握正确的求职技巧和方法。

第一节　自荐的方法与技巧

一、自荐的方法

自荐就是自己推荐自己。自荐有直接自荐和间接自荐两种方式。直接自荐是指由本人向用人单位作自我介绍、自我推销。间接自荐是指借助中介人推荐自己，需将自己的想法和条件告诉第三者，或形成材料就能达到推荐自己的目的。常见的自荐方法有电话自荐、口头自荐、书面自荐、广告自荐、学校推荐、他人推荐、网络自荐。

（一）电话自荐

电话自荐是一种新型的自荐方式。电话自荐时要注意以下问题。

1. 做好打电话前的准备

首先是准备好通话时要讲的内容。要尽量收集用人单位的有关信息，包括单位全称、性质、隶属关系、主要业务范围、用人计划、人才需求方向、企业文化等；要客观、公正地认识自己，包括自己的专业特长、性格爱好等；还要根据用人单位的需求情况，结合自己的特点，对自己的谈话内容进行全面的考虑。在打电话之前最好列出一份简单的提纲，然后按照提纲全面、有条理、重点突出地介绍自己，力争给收话人留下深刻的印象。其次，要做好心理准备。需要克服紧张、不安、焦躁的情绪。要推销自己，就要努力控制不良情绪，保持良好的心态，让收话者能在与你交谈的过程中感受到你的朝气与锐气以及积极向上、有礼有节的良好品质。

2. 选择恰当的通话时间

选择恰当的通话时间直接影响求职者给对方留下的印象，不要在早上 8 点以前，晚上 10 点以后打电话，一般选在上午 9~10 点较为合适，不要一上班就打电话，要给对方一个安排工作、处理事务的时间。一般情况下，不要在下午 4 点以后打电话。

3. 通话时的音量、语速控制

一般来说，音量要比平时略高，吐字清楚，以保证对方能够听清楚。另外，语速可稍快于平时，但应保持平稳。通话应尽可能使用普通话，如果方言太浓，在认为收话人可能无法听懂的情况下，请不要电话自荐。

4. 控制好通话时间

要注意控制双方通话的时间，尤其是要控制自我介绍的时间，力争在两分钟以内把自己的情况介绍清楚，并且能够引起对方的注意。

5. 注意使用尊称和礼貌用语

尊称和礼貌用语的使用要贯穿于整个通话过程。短短几分钟通话足以体现个人修养和人际交往水平。一个彬彬有礼的人，最容易获得别人的好感。

职场链接

电话接通后：

求职者：请问，这是某某单位人力资源部吗？

收话者：是。

（因电话交流条件的限制，而且受话人可能正忙于公务，无暇多谈，因此求职者一定要言简意赅，并着力表现自身特长与所求职位的关系）

求职者：老师您好！

（老师被当做一个广泛的称谓，此称呼适用于初次打电话，不了解收话人身份的情况下，表示对对方的尊重。但当得知对方的职务、身份、姓氏后，则应称对方的职务，如章部长）

求职者：我是××学校××专业××届毕业生。听说咱们单位（拉近双方距离）需要一个××专业的毕业生，刚好我今年毕业，专业对口，成绩也不错，我又特别爱好研究工作（兴趣是最好的老师，对方的所需正是你的兴趣所在，这是最佳选择，一定能够引起对方注意），希望您能考虑我的情况。

（到这里，求职者仅用十几秒的时间就把自己的意图表达清楚，而且初步推荐了自己，可谓言简意赅。介绍完自己的情况以后，对方可能有几种反应：接受、拒绝、模棱两可。）

（如果收话人对你的介绍情况感兴趣，愿意与你进一步接触，就说明你的介绍已经初见成效。通常情况下，收话人会通过电话简单询问你的其他情况，如基本情况，年龄、籍贯、政治面貌、专业等；专业能力，个人特长、大学成绩、获奖情况、科研成果等；社会工作，是否当过学生干部，组织或参加过哪些活动）

（在收话者询问过程中，求职者注意力一定要高度集中，捕捉收话人感兴趣的话题，然后积极思考，运用恰当的方式表达清楚。尽量突出自己的优势和长处，同时也要诚恳说出自己的弱势和短处，但尽量运用言语技巧弱化它们带来的一些不利影响）

收话者：你大学成绩怎么样？

求职者：刚上大学时，由于学习方法不得当（或社会工作太多）的原因，一年级成绩不太理想。但是我很快找到原因，及时调整，随后的学习成绩有了很大提高，还获得过××奖学金。同时我注意综合能力的培养，经常参加社会活动，做过家教、促销、撰稿等工作。总之大学3年很充实，收获也较多。

（在表述中不要一味吹嘘自己，否则对方会认为你夸夸其谈，难以信任；也不要一味谦虚，让对方感觉你信心不足，保守内向。要通过自我介绍，给对方留下一个诚实守信、踏实认真、积极向上的印象）

（当收话人对你有了一个大致了解后，询问告一段落，接下来是双方约定面谈的时间和地点。电话自荐仅仅是求职的第一步，用人单位须与求职者进行直接的、面对面的交流以后，才会决定是否录用。对方可能直接告诉你面谈的时间和地点，你应该在电话里确认一遍。确认无误后，要有礼貌地向对方表示感谢。有时对方可能会征求你的意见，这时，作为求职者，你应根据用人单位的统一要求参加面试，应该客气地说："主要看您的时间，我们现在做毕业设计，时间相对宽松"）

对方也有可能以专业不对口、指标已用完等理由拒绝。一般来说，用人单位对于急需的人才不会拒绝，尤其希望从众多的应聘者中选拔最合适的人选。一旦拒绝，那就意味着这次求职过程已结束，你应另作选择。但在告别之前，要向收话人表示感谢，期待"柳暗花明又一村"。

（二）口头自荐

口头自荐即毕业生主动去用人单位或招聘现场，直接面对用人单位，介绍自己、"推销"自己，把自己的情况介绍清楚，引起对方的注意，给其留下深刻的第一印象。如果毕业生表现出色，便有可能获得进一步接触甚至现场录用的机会和结果。

这种方法的优点：直接面对用人单位，便于展示自己的素质与才华，易于给用人单位留下较深刻的印象，有利于双向选择。它对于风度潇洒、谈吐自如、反应敏捷的毕业生是较为有利的。

但这种形式由于受地域因素影响，机会较为有限。因为毕业生不可能参加每一场现场招聘会，对路途遥远的企业也不太实际。

口头自荐必须注意以下几个要诀。

1. 要有自信心

自信是成功的第一要诀。所谓自信，就是自己相信自己，自己相信自己的能力，自己相信自己的水平，自己相信自己能适应未来的工作。自信是敢于推销自己的心理基础。自信是一个人格健全的人必备的素质，它是前进的动力、成功的保证。凡是事业上有所成就的人，尽管每个人的出身、学历、经历、思想、性格、处境等不同，但他们都对自己的才能、事业和追求充满信心。但自信是以真才实学为基础的，只有具有真才实学的人，才能敢于推销自己。

2. 要了解对方

要了解对方，就要认真调查研究，从各方面了解招聘单位及所竞聘岗位的情况，做到心中有数，即所谓的"知己知彼"。了解对方，可以向在该单位供职的朋友和熟人了解，也可以通过电视、广播、报刊或该单位的出版物等传媒进行间接了解。要对对方企业的宗旨、规模、管理水平、经济效益、社会效益等有基本的认识，然后再与其人事部门或有关领导面谈。在谈话中可引用你所了解的情况表述你之所以应聘的原因，由此而获取用人者的赏识和信赖。推销自己不能以自己为导向，应该以对方为导向，即以用人者为导向。在推销自己的时候，注重的应该是用人者的需要和感受。只有针对他们的需要和感受才能取信于对方，被用人者所接受。

案例

某毕业生，她对想去的公司作了极为细致的调查。当她在面试中回答"该公司在社会上的知名度如何"这一问题时，脱口说出了公司主要人员的姓名、业务情况、典型服务项目及有关资料，此答令人事主管部门振奋、赏识，因此，这家人寿保险公司果断地录用了她。

3. 要注意仪表

目前大学生求职应聘，大多已重视自我"包装"。在通常情况下男生应注意：修剪头发，剃好胡须；穿好西装，颜色以素净为主，衬衫以白色为好，不能穿得太花哨；打好领带，领带颜色以明亮为佳，但不应太鲜艳；别上领带夹，以免领带不平整给人一种衣冠不整的感觉；擦亮皮鞋，扣好西服和衬衣扣子；戴眼镜的同学，镜框最好能使人感觉稳重、协调。女生应有上班族的气息。裙装、套装是最适宜的装扮，裙装长度应及膝盖左右；面试时应穿高跟鞋，最好不穿平底鞋，除非你特别高；服装颜色以淡雅或同色系的搭配为宜；头发梳理整齐，不要染烫头发；应略施脂粉，但勿浓妆艳抹；不宜穿戴金银首饰，显得一身"金气"。爱美之心，人皆有之，"人靠衣装马靠鞍"，一个不修边幅的人，是不会受人欢迎的。但学会"包装"，功在平时。广大毕业生只有将"内功"与"外功"结合起来，才能有更强的择业竞争能力。

案例

张忠同学性情沉稳，遇事很有主见，为人宽厚，办事情让老师同学都放心。高职即将毕业时，一天，校方通知某汽车厂准备选拔几名优秀学生去厂工作。在双方洽谈之前，厂方邀请该校的毕业生到该厂参观。许多同学都去了，张忠同学也去了。厂方非常热情，由厂长直接给同学介绍情况。在生产车间，同学们看到了现代化的汽车装配生产线，许多同学指指点点，评头论足。而张忠则默默地观察着、思考着。参观后，同学们兴奋地走出车间。在车间门口，碰上有一批钢材运到，挡住了同学们的去路。未等厂长说话，许多同学已经从钢材上跳了过去，而且吵吵嚷嚷，而张忠则带着一些同学绕路而行。接着，厂长叫同学们到会议室休息，张忠同学主动将座位让给了一名看上去很累的女同学。厂长宣布了用人计划，并具体介绍了工资及待遇问题。张忠站立一旁，仔细听着。

当参观完毕，同学们离去前，厂长询问了张忠的姓名。同学们回到学校，都认为这家工厂不错，纷纷报名。当厂长看到学校报来的名单时，告诉学校，张忠这个小伙子我要了。学校的老师非常惊诧，问厂长："您认识张忠？报名的同学还没经过您的面试呢？"厂长说："我以前不认识他，就是同学们来厂参观时发现了张忠同学的许多优点，他有礼貌，举止大方；有头脑，热心助人，爱护公物。这样的同学不用面试，我们要了。"

4. 要尊重对方

尊重对方体现了一个人的文明素养和礼貌，也是最实际、最有效的自我推销。在自我推销中，见到用人单位的领导主动打招呼，作自我介绍，并说明来意。如果约对方面谈，应说"对不起，打扰您了"，以表示歉意；如果是对方约你面谈，则说："谢谢您给了我这样一个机会。"递材料时，应轻轻端起，微微欠身，双手递上；回答对方提问时，口齿要清楚，声音不要太大或太小，答话要简练、完整，但也不能简单地说"是"或"不"。说话时不要东张西望，左顾右盼，显得漫不经心，眼睛要适时地注视对方，目光不能过高或过低，不能不停地晃动身子或用眼睛瞟主人桌上的材料；不要打断对方的讲话，如果用人单位代表谈话冗长或多次重复，也不要表现出不耐烦，而应耐心倾听，从而体现出对用人单位的尊重。对于对方问的问题，要逐一回答；如不能回答某一问题，应如实告诉对方，"对不起，这件事我不知道""请原谅，这个问题我没有考虑过""不好意思，这一专业名词不在我的专业理论范围之内，我不熟悉"，绝不能不懂装懂、含糊其辞或胡讲乱侃；对对方谈话要认真聆听并用点头等形式作出适度反应，对幽默的话可用适度的笑声增添气氛，对方讲到严肃处，应全神贯注，强化气氛。当用人单位表态可以接收时，要向对方表示感谢，并表示今后好好工作，为单位的发展尽心尽力；如用人单位没有当场表态接收，可能还有问题未搞清或要进一步考查和研究，就不要让对方马上表态；如果对方表示不能接收，这也是正常现象，要泰然处之，不要失态，更不要当场说气话，相反，要表示理解对方，以显示自己的修养。当然，还有一种情况，通过与用人单位接触，用人单位比较满意，表示愿意接收，但由于某种主观或客观原因，求职者却不想去，那也要实事求是地向对方说明，用真诚去换取用人单位的谅解。

（三）书面自荐

书面自荐即毕业生通过递送自荐材料(简历或自荐信)的形式向用人单位宣传、展示和推销自己。自荐材料可以直接或间接的方式递送给用人单位。

这种方法的优点是覆盖面宽，距离远近均可，可以扩大自荐范围，不受时空限制。毕业生可主动地选择某一类或某一地区的单位自荐。这对于学习成绩优秀、文字功底好的毕业生是比较适合的，是目前使用比较广泛的自荐方式。

一般来说，书面自荐要求求职者首先认真设计一段精彩的自荐词，自荐词要突出个人的风格。独特的风格会使你出类拔萃，是你经验和感受的结晶，也是引起别人注意和重视的快捷方式。

案例

在某人才市场上，招聘人员收到一份用计算机打印的自荐信，其开场白："我是一双眼睛，正把你们深情注视；我是一只耳朵，正聆听你们求才若渴的心声；我是一匹千里驹，正寻觅着伯乐！"招聘人员读完信后相视一笑，很明显，这是一份自我推荐广告！大家都佩服这位学生有胆量、有头脑，纷纷查阅她的档案，其中还有好几位当即与她面谈。这位学生确实有"鬼点子"，方式独特，以情动人，言词简练，既使自己为人注目，又不使别人反感，为此一单位当即录用了她。

某装饰装潢专业的学生，在他自荐书的扉页上写着："将技术与艺术相融是我的工作，现代装饰技艺是我的爱好，望有志于同行的朋友携手探索。"这段自荐词给用人单位留下了很深刻的印象。

（四）广告自荐

广告自荐就是贴广告推销自己。这是借助于人才杂志和报纸等传播媒介进行自我推销的一种自荐形式。这种形式适合于一些非通用专业和特殊专长的毕业生。但是，这种求职方式多数只能引起一些中小型企业的关注，在实践中要根据自身特点和就业方向来运用。

（五）学校推荐

这是高职毕业生求职择业的一种主要方式，求职成功率较高。虽然现在学校不再包毕业生的分配，但学校可以通过招生就业部门专门负责毕业生的就业推荐，这实际上是一种间接的自荐方法。学校成为毕业生和用人单位沟通的桥梁。学校通过与一些用人单位建立长期的联系和交流，可以为毕业生提供可靠的用工信息，同时又可为用人单位提供毕业生的基本情况，使用人单位能客观地了解求职者的能力和素质，确保用人单位和毕业生在双向选择过程中相互了解，具有较大的成功可能性。

（六）他人推荐

这种方法是指先通过亲朋好友、老师或其他熟人推荐而后再自我推荐的一种自荐方式。由于作为联系毕业生和用人单位的中介是对双方都比较了解的亲朋好友、老师或其他熟人，因此，对于双方来讲都有一种可靠感，而且这种推荐是建立在毕业生的专业、能力和素质与用人单位比较接近的基础上的，成功的几率较大。

（七）网络自荐

这是一种新型的方式。这种自荐方法是指通过互联网向用人单位推荐自己。它有三大优势：第一，信息社会网络可以提供庞大的就业信息。第二，快捷方便，求职者不用去招聘现场，不出家门轻松求职。第三，经济实惠，用人单位成本小，求职者也省钱。对于求职者来说可以省去交通费和制作简历的费用，节约很大的成本。

采用网络自荐要注意的事项有：

首先，求职者需要根据个人的专长、爱好、特长有目标地向用人单位求职，不要盲目地乱投简历，尤其不要应聘同一单位的不同岗位，这容易给用人主管留下随意、不专业、缺乏诚信的不良印象。

其次，要在第一时间投递简历，因此，求职者要留心信息发布的第一时间和有效期。

最后，由于网上招聘存在一些局限性，求职者并不能全面了解用人单位的情况，因此，为防止上当受骗，应参加正规的网上招聘活动。

二、自荐的技巧

高职毕业生在求职自荐时除了要了解自荐的方法外，还要掌握一定的自荐技巧。

（一）从自己的实际情况出发，选择恰当的自荐方式

通过前面的介绍我们知道自荐有不同的方式方法，但并不是每一种方法都适合你，具体到每一个求职者，还需要根据自己的特点采用不同的自荐方法，如口头自荐比较适合谈

吐自如、反应敏捷的毕业生，如果你在这方面不存在优势就最好不要采用这种自荐方法，以免弄巧成拙，适得其反。对于不善言词但学习成绩优秀、文字功底好的毕业生选择书面自荐的方法可以扬长避短，突出优点。

(二)准备充足的自荐材料

自荐材料可以反映自己的学识才能和各方面的素质，是用人单位认识和了解求职者的载体，在求职中发挥着十分重要的作用，它直接决定求职成功与否。因此，高职毕业生应高度重视自荐材料的准备，特别是求职信要全面而客观地介绍自己，特别注意突出自己的特长和优势。同时，也要准备一些能证明自己能力和成绩的支撑材料，如获奖证书、学业证书、身份证明、推荐表、求职信等，增强说服力，给用人单位留下深刻的印象。

(三)采取适当的寄送方式

自荐材料采用什么样的寄送方式应根据具体情况而定。如果在招聘会上，求职人员很多，难以与用人单位的招聘人员直接交谈，则可先把自荐材料呈递给用人单位，从而为自己争取到面试的机会。如果无法亲自呈递，就采取邮寄的方式，这样做既可大面积进行，也比较隐蔽，但邮寄不易引起用人单位的注意和重视。为了避免这种做法的局限，可将自荐材料直接寄给主管人，使他感觉你很在乎该单位，从而留下一个深刻的印象。

(四)掌握自我介绍的技巧

灵活掌握自我介绍的一些基本技巧，有助于顺利敲开求职的大门。自我介绍时，应注意以下几个方面。

1. 积极主动

自荐是求职者的主动行为，任何消极等待都是不可取的。自荐、个人简历等自荐材料的呈交、寄送尽量及时进行。在了解到需求信息时，更不能迟疑，否则就可能坐失良机。为了使用人单位更全面地了解自己的情况，事先应做好各种自荐材料的准备，不等对方索要，主动呈交；不等对方提问，主动向对方介绍；不消极等待回音，主动询问。这样，往往给人留下态度积极、求职心切、胸有成竹的印象。

2. 重点突出

在介绍自己时，应重点突出自己的能力和知识，本人基本情况和家庭情况简单介绍即可。对于自己的专长、经验、能力、兴趣等，应当详细介绍。为了取得对方的信任，有时还要举例说明。比如，大学期间发表过的论文，获得的奖励，承担的社会工作或某些工作经验、社会阅历等。要突出自己的优势和闪光点，因为与众不同的东西，可能就是你的魅力所在。平铺直叙，过分谦虚，有碍用人单位对自己的全面了解和客观评价，而易将自己埋没在求职大军之中。

3. 诚实全面

闪光点要突出，但介绍自己各方面的情况时一定要实事求是，优势不羞谈，缺点不掩饰，是一说一，是二说二，客观全面，不吹嘘或夸大，尤其是在介绍自己以往学习、工作上取得的成果时，一定要恰如其分。否则，将适得其反。同时，自我介绍材料要全面、完整，切忌丢三落四，个人基本情况、社会关系、工作简历、学习成绩、业务特长及爱好，不能缺少其中任何一项，否则会有不全面的感觉。求职自荐信、推荐表、个人简历、证明材料一应俱全，才能给用人单位以系统全面的整体印象。

4. 谦虚谨慎

向用人单位推荐自己时，切忌过高评价自己，我字当头，自视清高，处处炫耀自己，对用人单位评头论足，那样会招致招聘者反感。一个善于尊重别人的人，才会受到别人的尊重。一个对别人有好感的人，才会得到别人的好感。即使自己有过人之处，也应以谦恭的态度向对方展示。即使自己有好的建议，也应以委婉的言词提出。前来招聘的人一般来说是单位的骨干，他们对相关专业比较了解，初出茅庐的求职者倘若在他们面前妄自尊大，班门弄斧，显然不会得到对方的好感。

5. 自信大方

极端的羞涩、懦弱，过于谦卑的做法亦不足取，谦虚不等于虚伪。试想一个用人单位会录用一个自己都感到信心不足的求职者吗？具体来说，自荐时洪亮的声音、洒脱的字体、从容的举止，都能表现自己的自信心。

6. 文明礼貌

礼多人不怪，礼仪是道德的一种外在表现形式，它在人际关系的调节中具有不可忽视的作用。以礼待人是赢得好感的基本技巧之一，而礼貌的言谈举止则是其基本的表现形式。自荐过程中，首先应礼貌地称呼对方，或按照社会习惯称其职务，或沿用学校的习惯称其老师。交谈结束时，应使用辞行的礼貌用语。

7. 认真细致

无论哪个用人单位都会喜欢一个办事认真细致的职员。自荐材料书写工整，无涂改痕迹，文法用词恰当，无错字别字，标点符号准确无误，都会给人以办事认真细致的印象。

8. 有的放矢

即针对用人单位的具体要求，强调自己的社会经验和专业所长，这样才能使招聘者相信你就是最理想的应聘者。如用人单位招聘文秘人员，你介绍自己如何具有公关能力，就不如介绍自己文史哲知识及写作才能；用人单位招聘科研人员，你展示自己的语言才能，就不如学业成绩和科研成果来得实在；用人单位招聘管理人员，你的学生干部经验及组织管理才能可能会更受重视。强调针对性的同时，也不能抹杀相关知识才能的作用。专业特长加上广泛的知识面和兴趣爱好往往会更受用人单位青睐。

总之，自我介绍既要积极主动，重点突出，又要有的放矢，诚实全面。只顾诚实全面，就会成为流水账，缺乏吸引力。只图闪光点，难免会有哗众取宠之嫌。只有把以上各点综合运用，才能有助于实现自己的就业志愿。

第二节　面试的方法与技巧

面试是一种在特定场景下，经过精心设计，通过主考官与应聘者双方面对面地观察、交谈等双向沟通方式，了解应聘者素质特征、能力状况及求职动机等的人员测试方式。面试不仅可以考查应聘者的知识水平，而且可以面对面地观察求职者的仪表气质、身材体态，还可以直接了解应聘者的口头表达能力、应变能力和特长。面试已经成为用人单位招聘人才的最普遍的方法。高职毕业生要想在求职竞争中战胜对手，就必须了解面试的方法和技巧。

一、面试的准备

在面试中，你相当于从简历里走出来，站在面试主考官面前，施展你的才华与特长，让他们认识你、了解你、评估你；让他们相信你是最理想的人选。

俗话说有备无患。在参加面试前进行一些必要的准备，对面试的成功来说是必不可少的。

（一）了解用人单位的基本情况

"知己知彼，百战不殆。"主考官提问的出发点，往往与招考单位有关。因此，面试前要尽可能多地去了解用人单位的基本情况，对单位的性质、业务范围、发展情况等做到心中有数。另外，了解招聘单位具体岗位对知识技能的要求也有利于有针对性地展示自己的特长。一家沿海城市的家用电器公司是以质量第一享誉国内外的著名企业，他们在北京招聘应届毕业生时，总要问及一个问题："你对我们公司了解多少?"回答了解不多或不了解的人很快就被"淘汰出局"，那些对公司有深入了解的毕业生备受青睐。一个对招聘单位一无所知的求职者，面试时是难以取得成功的。能够"如数家珍"般地讲述对用人单位的详细了解，极大地缩短了考官与应聘者之间的心理距离，给人以"未进厂门，便是厂里人"的亲切感觉，这样的毕业生能不受欢迎吗? 当然做到这一点并不容易，需要事先大量的调查研究和精心准备。用人单位的详细资料信息可以向父母、亲戚、老师、朋友、同学或校友打听，也可以向了解该用人单位的熟人咨询，还可以通过电话、新闻报道、网络、广告、杂志、企业名录及其他书籍进行了解。

（二）深思熟虑，充分准备

对应试者来说，流利自如、文雅幽默的谈吐是面试成功的必备条件。著名电影演员李雪健因扮演《焦裕禄》而获得最佳男演员奖。在授奖仪式上，李雪健抱着奖杯激动地说："苦和累都让好人焦裕禄受了，名和利都让傻小子李雪健得了!"然后鞠躬下台，顿时掌声四起。他摒弃了惯用的感谢导演、感谢剧组、感谢观众、感谢生活等"陈词滥调"，虽然也感谢生活，感谢原型，说的话却令人耳目一新，既符合场景的客观要求，也体现了中华民族谦逊的传统美德，理所当然地受到欢迎和赞扬。李雪健的这两句精彩演讲绝不是应景即席之言，而是充分准备、深思熟虑的结晶。大学生在平时就要有意识地加强语言表达能力的训练，逐渐养成与陌生人自如交谈的习惯。多参与集体活动，课堂讨论大胆发言，也有助于讲话能力的提升。在面试之前，准备一份简短的自我介绍腹稿是必要的。同时，还应为一些典型提问准备好答案，如"你为什么选择我们单位"，"你有哪些优缺点"，"你怎样看待你的弱点"，"你受过什么样的训练或什么样的经历对你最有帮助"，"你喜欢或讨厌什么样的上级，为什么"，"你不工作的时候通常做什么事"，"你的兴趣、爱好是什么"，"未来两年、五年或十年内，你的发展方向是什么"之类的问题，被问到的概率都是比较大的，毕业生事先应作好相关设计，便能遇问不慌。如果学校组织模拟面试，我们要积极参加，以积累经验，锻炼自己。

（三）衣着仪表的修饰

穿着、仪表是一个人内在素养的外在表现，得体的打扮不仅体现求职者朝气蓬勃的精神面貌，表示求职者的诚意，还有意无意反映着一个人的修养。仪表往往左右着招聘者的第一印象。因此，面试前应注意自己的着装打扮。衣着不整、蓬头垢面，会被认为是邋遢窝囊；过于超前的服饰，会被认为不可信赖。大学毕业生在求职面试过程中应给人以整洁、大方、朝气蓬勃的感觉。应该说，大多数用人单位都喜欢朴素端庄的毕业生。

小故事

汉语言文学专业的毕业生小池在学校里是小有名气的，文笔出众，自我感觉良好。但该生平时就不修边幅，穿着随意，有时还喜欢奇装异服。在求职过程中，小池接到好几家单位的面试通知，可结果都是"落花有意，流水无情。"最后，他扪心自问，终于找出问题之所在。

面试时的仪表

面试时仪表的总体要求是朴实、大方、端庄。具体来讲，主要有以下几点：

第一，衣着应裁剪合身，款式以朴素、简练、精干、不碍眼为出发点，不宜穿紧身衣服或牛仔裤。

第二，头发应整齐、干净、有光泽。

第三，鞋子要干净无灰尘。

第四，带上一个文件夹，切忌面试时向面试官借纸张和笔。

（四）做到精神饱满，沉着自信

面试就好比是一场考试，在测试每个人的能力，也在测试每个人的心理素质和临场发挥。因此，毕业生面试前要调整好情绪，克服怯场心理，使自己具有饱满的精神状态，要充满自信，沉着冷静。从进入面试现场起，在等待面试的时间里，要举止从容、得体。面试前过于紧张、缺乏自信、言行失检往往是毕业生面试失败的一大原因。

适度的紧张可以帮助集中注意力，但过分紧张则会引起情绪失控。深呼吸是缓解紧张的有效措施，但应在进入招聘者办公室前（不应在面试中），有意做这样的调适。如果在回答问题过程中出现紧张以致无法控制时，应坦率告诉主试者，请求暂停一下，自己迅速调整情绪，例如，"对不起，我有些紧张，请见谅……"一定要冷静，切勿耿耿于怀，以免影响情绪再出差错，引起主试人的误解。

二、面试的类型

面试有很多种形式，依据面试的内容与要求，大致可以分为以下几种。

（一）模式化面试

主考官根据预先准备好的面试题目和相关的细节性问题，向应试者逐一发问，其目的是为了获得有关求职者全面、真实的材料，观察应试者的仪表、谈吐和行为举止，以及主考官与应试者相互沟通意见等。

（二）问题式面试

主考官对求职者提出一个问题或一项计划，请应试者在规定的时间内予以解决。其目的是为了观察应试者面对特殊情况时的表现，以判断其心理素质和思考问题、反应能力等。

（三）压力式面试

由主考官有意识地对求职者施加压力，就某一问题或某一事件作一连串的发问，详细具体且追根问底，直至无以对答，甚至有意刺激应试者，以观察应试者在突如其来的压力下能否做出恰当的反应，观察其心理承受程度和思维的敏捷、机智程度以及应变能力。

（四）自由式面试

即主考官与求职者海阔天空、漫无边际地进行交谈，气氛轻松活跃，无拘无束，让应试者自由地、无拘无束地发表议论。此举的目的是在闲聊中观察应试者在比较轻松的情况下表现出来的谈吐、举止、知识、能力、气质和风度。

（五）综合式面试

主考官通过多种方式考查求职者的综合能力和素质。如用外语与其交谈，要求即时作文，或即席演讲，或要求写一段文字，甚至操作一下计算机等，以考查其外语水平、文字能力以及书法、口才表达、计算机应用等各方面的能力。

（六）情景式面试

由主考官事先设定一个情景，在这个情景中预设几个问题，让求职者进入角色模拟完成。通过完成的效果来考查应聘者在分析问题、解决问题以及应变等方面的综合能力。这项面试不仅要求应聘者有丰富的专业知识，而且要具备良好的综合素质。

（七）隐蔽式面试

这是一种特殊形式的面试，主考官主要通过从暗中观察求职者的言行举止来评价应试者。这种方式因其隐蔽性可以使观察者获得应试者在自然状态下的真实表现，故受到一些用人单位的欢迎。而毕业生则常常因为其隐蔽性而放松警惕，有的甚至在这种面试中失败了也懵然不知。

三、面试的方式

面试的方式主要有以下四种。

（一）集体面试

集体面试是很多求职者在一起进行的面试。就招聘者来讲，这种面试方式可以在专业、地域和其他各方面有较大的选择余地。

（二）个体面试

个体面试是指用人单位对求职者单独进行面试。

（三）随机面试

随机面试是指采用非正式的、随意性的面试方式，这样可以考核出求职者的真实情况。

（四）视频面试

视频面试是近几年来兴起的一种利用网络进行面试的方式。用人单位和求职者通过网络视频进行交流和考核，对用人单位而言，可以跨越时空直观的考查毕业生的综合素质，毕业生也可以方便快捷地展示自己的才华。

在实际面试过程中，不同用人单位的主考官会根据实际情况采取不同的面试种类和方式，但面试的形式无论怎样变化，目的只有一个：考查应聘者的背景、智商、情商、仪表、气质、口才、应变等综合能力。可以说，面试就是对一名毕业生综合素质的测试，需要毕业生在大学期间不断积累。

四、面试的技巧

（一）倾听的技巧

听是一种重要的交流信息的技巧。面试的实质就是主试者与应试者进行信息交流从而获得全面评价的过程，形式上充分体现在"说"和"听"上。面试时，应试者要注意听，这不仅显示对主试者的尊重，而且能帮助应试者通过专心致志地听，抓住问题的实质从而较好地回答主试者的问题，否则，就可能不得要领，答非所问。因此，在面试中应注意以下几点。

一是目光要专注，要有礼貌地注视主试者，并且要不时地与主试者进行眼神交流，视线范围大致在鼻以下胸口以上，千万不要东张西望。

二是尽量微笑，适时爽朗的笑声可令气氛活跃，但绝不可开怀大笑。

三是用点头对主试者的谈话做出反应，并适时说些简短而肯定对方的话语。如对、可以、是的、不错等。

四是身体要稍稍向前倾斜，手脚不要有太多的动作。如果漫不经心，表情木然则必然伤害主试者的自尊心。

在面试中，应试者除了注意倾听主试者的提问，同时要注意察言观色，从而做到知己知彼，有针对性地应付。察言观色首先要求细心、敏锐，能捕捉到有价值的信息。其次，能解读和"破译"体态语的真实含义。应密切注意主试者的面部表情。如对方听了你的介绍，双眉上扬，双目上张，则是惊奇、惊讶的表现。可能表明，你就是他们理想的人选，有相识恨晚的感觉。这时你可能成功了一半，一定要锲而不舍。如果对方听了你的介绍后，皱眉，则表示不高兴或遇到麻烦无能为力等；也可能表明你不是他们的意中人，你则可以采取其他途径进一步努力。要密切注意观察主试者的目光。对方听你自我介绍时，目视前方，旁若无人，则他的眼睛无声地告诉你：他是一个高傲的人，"了不起"的人，那么你讲话时就要力争满足他的自尊心理。如果对方的眼睛眨个不停，则他的眼睛告诉你：他在表示怀疑，那么你就力争把问题解释清楚。如果对方眯着眼看你，则表示他比较高兴，那么你的介绍可能打动对方，继续下去，就可能成功。如果对方白了你一眼，则表示他对你或你的某句话反感，这时你就要特别注意。总之，只要你认真观察，就会通过心灵的窗户——眼睛，把握对方的内心世界，争取主动权。

（二）语言表达技巧

准确、灵活、恰当的口语表达，是面试的关键。如果你各方面的条件都不错，但由于你表达能力差，不能将所要表达的内容充分表达出来，主试者会因难以了解而不录用你。在同等条件下，谁的表达能力强，善于宣传推销自己，谁就能在竞争中获胜。语言表达有两个基本要求，一是要做到清楚准确，通俗易懂。二是要做到动听，富有美感和吸引力。下面介绍几种语言表达的技巧。

1. 简明扼要

面试中的交谈，受时间和内容的限制，不同于平时闲聊，绝不可漫无边际地"侃"。说话简明扼要，不是说话越少越好，不能用说话的时间长短来判断。它包含了数量和质量的关系，就是用最少量的话语传递尽可能多的信息。通常要注意三个问题：一要紧扣提问回答。二要克服啰唆重复的语病。三要戒掉口头禅。

2. 通俗朴实

通俗朴实是对应试者的语言风格的要求，即指应试者的语言要通俗易懂，朴实无华。如果应试者的言语不通俗朴实，主试者就可能听不懂，就无法理解你谈话的内容，进而影响对你的了解和评价。因此，应试者说话一定要注意突出口语的特点，努力做到上口入耳。在语言表达时，首先要通俗化、口语化，多用通俗词语，避免使用文绉绉的、过于书面化的语言，既不亲切，又很难懂，往往事与愿违。其次要质朴无华。如果片面追求语言的新奇华丽，过分雕琢，就会给人以炫耀之嫌，会让人产生反感。所以语言贵在自然朴实、生动、表达真情实意。

3. 要善于运用形象和幽默风趣的语言

用形象和幽默风趣的语言有助于增强语言的吸引力，融洽和活跃谈话气氛。在面试交谈中，应试者要注意避免使用枯燥、干瘪呆板的语言，尽量使自己的语言生动、形象、富有情趣，给主试者以感染力，增强对你的好感和信任。用幽默风趣的语言来回答、解释对方的提问，可以活跃谈话气氛，消除尴尬，缩短双方之间的距离。当在面试过程中出现双方难堪局面的时候，你可用一句幽默的话岔开。说一句能引起对方发笑的话，就可以把双方不愉快的感情冲淡，使谈话能友好地继续下去。

4. 注意谈话的语速

面试时谈话的节奏快慢，会影响语言表达的质量和效果，这就是应试者不可忽视的语速问题。在面试中，语速最好是不快不慢。一般来说，面试中的问答是平铺直叙的，如介绍自己的一些基本情况，谈谈对公司前景的看法等。所以，没必要慷慨激昂，振臂挥舞。在语速上不必像朗诵诗歌般抑扬顿挫。按照你平时回答教师提问时的语速说话即可，要注意口齿清楚，说话时注意句与句之间的间隔，使人感到你思路清晰，沉着冷静。另外，在面谈时还应注意语气要平和，语调要恰当，音量要适中。语气是指说话的口气。语调则是指一句话的腔调，也就是语音的高低轻重配合。打招呼、问候时宜用上升语调，加重语气并带拖音，以引起对方注意，声音过小难以听清。音量的大小要根据面试现场情况而定。两人面谈且距离较近时声音不宜过大，集体面试而且场地开阔时声音不宜过小，以每个招聘者都能听清你的讲话为原则。

(三)问答技巧

问答技巧包括应答技巧和提问技巧两个方面。面试中应试者主要是以回答主试者的提问来接受测评的，同时也应主动提出一些问题，来显示应试者的整体素质。

1. 应答技巧

先说论点后说论据。应试者在回答问题时，要考虑自己所说内容的结构，用尽可能短的时间组织好说话的顺序。一般来说，回答一个问题，首先提出你对问题的基本观点，然后再逐一用资料等论证、解释。这样做，既有利于应试者自己组织材料，又可以给主试者一个思路清晰的好印象。这种方法，可以使听者先知道问题的结论，然后再听理由。否则，你滔滔不绝地讲了半天，对方还没有明白你的论点，就会认为你思路不清。

扬长避短，显示潜力。常言道：寸有所长，尺有所短。每个人都有自己的优势与不足，如何在有限的时间内使你的优势充分体现，扬长避短，显示潜力，是一种艺术。扬长避短，既不是瞒天过海，更不是弄虚作假，而是一种灵活性与掩饰性技巧的体现。如性格内向的人就容易给人留下深沉有余、积极开放不足的印象。因而，性格内向的人在面试时衣着宜穿得明快些，发言时主动、大胆、热情，以弥补自己性格的不足。对于高职毕业生来讲，学习成绩是面试者非常重视的一个因素。在一般情况下，学习成绩不太好，会影响你的面试结果。但是，如果你换一个角度谈这个问题，可能使主试者认为你有个性。例如，如果主试者问你："你在学校是怎么学习的，为什么学习成绩这么差？"你不妨这样回答："我对目前照本宣科的教学方法实在不能接受，没有办法专心学习，我喜欢计算机，目前已经拿到了二级证书，因此在这方面下的工夫较大，因而影响了学习成绩，实在不好意思。"或者说："我在学校时，是学生会干部，社会工作很多，我又非常热心于这些工作，所以学业被耽误了。"如此回答，不仅有可能得到主试者的同情，甚至有可能使主试者认为，你有特长，有较强的组织能力和一定的工作经验，又热心社会工作，反而增加了你被录取的可能性。由此可见，在面谈时要充分发挥自己的长处，回避自己的短处。

遇到不便回答的问题可以拒绝回答。如果主试者在面试时提出有关应聘者隐私或其他不便回答的问题，对于这些棘手的问题，有过类似经历的应聘者都不愿回答，即使回答，往往也是支支吾吾，含糊其辞，给主试者留下不良印象。与其这样，应试者不如直截了当地说："对不起，我不愿回答这个问题。"此时你没有必要特别用心来缓和谈话的气氛，只要你对以后的问题，用明朗的态度表明就行了。主试者知道你能坚持自己的意见，一般就不会再问了，坦然处之，会给他留下良好的印象。

2. 提问技巧

（1）提出的问题要视主试者的身份而定。面试前你最好弄清主试者的职务，要知道主试者是一般工作人员，还是负责人，是哪一级的负责人。要视主试者的职务来提问题，不要不管主试者是什么人，什么问题都问，使得主试者无法回答，引起主试者对你反感。如你想了解求职单位共有多少人、职称结构、主要业务方面的问题，就不要向一般工作人员提问，而要向单位负责人提问。

（2）应试者通常可提的问题。一般情况下，应试者可向主试者提出以下几方面的问题：一是单位性质、上级部门、组织结构、人员结构、成立时间、产品和经营状况等。二是单位在同行业中的地位、发展前景、所需人员的专业及文化层次和素质要求。三是单位的用工方式、内部分配制度、管理状况、经济效益和社会效益等。

（3）要注意提问的时间。要把不同的问题安排在谈话进程的不同阶段提出。有的问题可以在谈话一开始提出，有的可以在谈话进程中提出，有的则要放在快结束时再提。不要毫无目的地乱提，更不可颠三倒四反反复复提那么几个问题。因此，在谈话之前，要将所要提的问题——列出，按照谈话进程编出序号，反复看几遍，以便在谈话时头脑清醒，知道提问的顺序。

（4）要注意提问的方式、语气。有些问题，可以直截了当地提出来，如单位人员结构、单位岗位设置等。有些问题，则不可直截了当地提出，而要婉转、含蓄一点。如了解求职单位职工收入情况和自己去了以后每月有多少收入等问题，不可直接问，而应该婉转地问："贵单位有什么奖惩条例、规定？""贵单位实行什么样的分配制度？"等等。因为这些问题清楚了，自己对照一下可能就会知道有多少收入。另外，在询问时一定要注意语气，要给人一种诚挚、谦逊的感觉。千万不可用质问的语气向对方提问，这样会引起反感。

（5）不提模棱两可，似是而非的问题。特别是提与职业、专业有关的问题，一定要确切，不要不懂装懂，提出幼稚可笑的问题。因为从提问中可以看出提问者的知识水平、思维方式、个人价值观等。

由于谈话的对象、时间、地点、目的不同，提问题应注意的事项不可能一一列举。总之，应试者要重视提问技巧的学习和运用，这对选择职业影响极大，千万不可马虎。

（四）摆脱面试困境的技巧

应试者在面试时，往往由于过度紧张，长时间的沉默或一时讲错话使自己陷入困境。遇到这种情况，若不能镇静应付，会影响自己整个面试的表现，因此，面试时应掌握如下几方面技巧。

1. 克服紧张的技巧

紧张是面试中最常见的情况。由于面试对求职者非常关键，同时面试往往又是在陌生的地方，与陌生人对话，因此，求职者产生紧张情绪是正常的。适度紧张可以帮助求职者集中注意力，但若过分紧张，不仅会给主试者留下不良印象，还会使你无法正常地回答问题，使面试陷入困境。面试时要克服紧张，应遵循如下原则：第一，以平静的心态参加面试，否则压力越大越紧张。第二，面试前进行充分准备，不把一次面试的得失看得过重。第三，深呼吸是减少紧张的有效办法。第四，不要急于回答提问者的问题，且回答问题时注意讲话的速度。第五，如果的确非常紧张，最好的办法是坦白告诉主试者，"对不起，刚才有点紧张，让我冷静一下，再回答您的问题。"通常主试者会同情你，而你也因为讲了出来，觉得舒服多了，紧张程度也会大为减轻。

2. 打破沉默的技巧

有时主试者长时间保持沉默，故意来考验应聘者的反应。遇到这种情况，许多应聘者因没有思想准备，会不知所措，陷入困境。应付这种局面最好的办法是预先准备一些合适的话题或问题，趁机提出来。或是顺着先前谈话的内容，继续谈下去，来打破僵局，走出困境。

3. 讲错话的应对技巧

人在紧张的场合最容易说错话。如在称呼时，把别人的职务甚至姓名张冠李戴。经验不足的应聘者碰到这种情形，往往会懊悔万分，心慌意乱，越发紧张。最好的应付办法是保持冷静。若说错的话无关紧要，也没有得罪人，可以若无其事，专心继续面试交谈，切勿懊悔不已。若说错的话比较严重，为防止误会，在合适的时间更正道歉。如"对不起，刚才我紧张了点，好像讲错了，我的意思是……请原谅。"出错之后，坦诚地纠正自己的错误说不定会因此博得主试者的好感，还有希望被录用。面试时，大家都渴望成功，害怕失败。往往因过于在意细节，或过分紧张，而不能发挥正常水平。所以，最好的办法是抱着锻炼自己的心态，去参加面试。即使错了，也不必掩盖，坦然承认，相信你会成功的。

4. 遇到不会回答的问题的应对技巧

在面试中，往往会出现紧张或是预料不到的情况，如有些问题不会回答等，这时请不要掩盖，应当坦诚地说："这个问题我不会回答。"千万不要支支吾吾，不懂装懂。不会就是不会，坦然地回答，反而能给人留下诚实、坦率的好印象，进而反败为胜。当遇到一时不易回答的问题，可设法延缓时间，边想边回答。或者直截了当地提出："我想想，再回答您。"然后，在几分钟内，很快地考虑怎么说，说什么。说不定会获得构思敏捷，思路清晰，能抓住要害的好评。

（五）应对主试者的技巧

面试是一项专业性很强的工作，主试者同样受这种职业的限制，他必须评价应聘者，而且要做到含而不露。主试者在面试内容上大同小异，目的性也十分明确，但由于每个主试者的性格各异，兴趣不同，处世方式大相径庭，对问题的看法也不尽一致，就会使我们面对的问题格外复杂。因此，在面试时要根据不同类型的主试者采用相应的策略。

1. 文明礼貌，不卑不亢

大学毕业生在面试时，应懂得起码的社交礼仪。无论面对何种类型的主试者，都应注意礼貌，但也不能过分殷勤。有些应试者为了达到被录用的目的，对主试人员大献殷勤，对招聘单位极尽吹捧之能事。这样的应试者，成功的机会很小。任何单位都是挑选一些有作为、能为单位发展作出贡献的人，谁也不愿接收溜须拍马、卑躬屈膝、阿谀奉承的人。也有一些应试者应聘时本身并不想表现出谄媚的态度，但在言谈举止上却流露出不正常的行为。例如，一进考场，先向每一个主试人员90°大鞠躬，在面试过程中，过于夸大单位长处等。有些毕业生尽管成绩优秀，自身条件优越，笔试成绩良好，但在面试中却屡遭失败，究其主要原因是自恃条件优越，趾高气扬，盛气凌人；或者是自命清高，表情冷漠，缺乏热情。这一切都会引起用人单位的反感。当自己被考官发现了短处，自知找不到理由来解释，却强词夺理，牵强附会，拼命狡辩，这样会给人一种不虚心、不诚实之感。

2. 因人而异，区别对待

主试者的身份不同，他的用人观念和价值标准也不同。因此面对不同的主试者，要采用不同的方法。如果主试者是技术干部，他就可能注重专业知识和技能；如果主试者是人事干部，他就会注重应试者的社会知识和处世能力；如果主试者是领导干部，则注重应试者的合作精神、办事能力和应变能力。为取得面试成功，求职者可事先了解主试者的身份，再采取相应措施。若在面试前未能了解到他们的情况，可向面试完的同学咨询。

应试者尤其要注意主试者的性格。一个"谦虚"的主试者，一见面就会与你握手，请你入座。这类主试者，表面看来谦虚可亲，容易交往，但他们内心严谨，洞察敏锐，即使你想掩盖内心的不安，伪装平静地谈话，也会被他们识破。面对这种类型的主试者，应聘者必须保持警觉，诚心诚意地谈出自己的想法。绝不要一味地去迎合主试者，不要妄自尊大。妄自尊大最令谦虚的主试者反感。所以面对这样的主试者，求职者采取的策略是，他谦虚，你比他更谦虚。面对一个冷冰冰的主试者，再高明的社交能手都会感到难以接近，一般的新手就更不知如何是好。这类主试者一般性格内向，比较固执，但他们坚持原则，对人的考查方式一板一眼，对人的评价以书本中的条条框框为准。所以面对这样的主试者，你只需按部就班地发挥，便可取胜。面对一个慢吞吞的主试者，求职者最需要的是耐心和韧劲。慢吞吞的人一般做事迟缓，工作效率较低，为人不够爽快，对他人总是不放心。但慢吞吞的主试者通常都是有耐心的人，他们总是把一切弄得仔仔细细、明明白白。求职者对这种主试者一定要耐住性子，说话保持温和谦虚的口气，耐心、仔细、周全地回答问题，最好不要发问，少些辩驳。在语气上、表达方式上尽量配合他，千万不要走神或有倦意的神态。只要这样，求职者就能打动这类主试者的心。如果求职者在面试时遇到一位喋喋不休、说个没完的主试者，这种说话多的人可能会放松对他人的观察与把握。但求职者一定不能懈怠，或流露出不耐烦的神情。此时，你需要聆听，不插话，除非他向你提问，自己不要另起话头。让主试者充分说话，尽情表达，兴趣盎然。这样，会增加你被录用的可能性。所以，此时此刻对求职者来说，最重要的是对他所讲的内容报以浓厚兴趣，并不断利用表情，促使他把话说下去。不要担心拉长时间，或表现出焦虑不安的神态，这可能会影响面试的效果。

五、面试礼仪

（一）初次见面时的礼仪

1. 准时赴约

准时赶到面试地点参加面试，这是最基本的。这关系到用人单位对你的第一印象。对于这一点，求职者切不可掉以轻心。一定要重承诺，守信誉，不能违约，如果临时发生了不可抗拒的意外情况不能按时赴约或不能参加，则要及时告诉用人单位并表示歉意，这样可以得到用人单位的谅解，或许能得到补试的机会。

2. 礼貌通报

到达面试地点后，不可慌慌张张贸然进入，先在门外冷静一会儿，松弛一下紧张的情绪。进门前，一定要有礼貌地通报负责面试的人员，如果门关着，有门铃按一下短声，无门铃则轻叩门两三下，如果你久按门铃不放或使劲地敲门，会在初次见面时给对方留下缺乏修养的印象。当你听到允许进入的回答后，再轻轻地推门进入，进门不要紧张，先将门轻轻关闭，动作要得体，表现要自然。

3. 正确称呼

进入办公室后，首先面临的是如何与面试人员打招呼的问题，也可以说真正的面试就从这时开始了，从现在起你应当立即进入角色。打招呼离不开对对方的称呼，在面试这种重要的场合，称呼必须正确而得体。如果主试人员有职务，一定要采用姓加职务称呼的形式，如"刘经理"、"李处长"等；如果职务较低，可不采用职务称呼，以"老师"相称为好，如果对方职务是副职，从目前社会上流行的称呼习惯和社会心理来看，最好略去"副"字，就高不就低以正职相称。

4. 热情握手

握手是一种礼貌，同时也是一种常见的社交礼仪，求职面试必然少不了握手。握手看似简单，却有讲究：首先，握手的姿态要正确。握手要伸右手，伸出的手要使掌心向着一侧。平等而自然的握手姿势是两人的手掌都处于垂直状态，轻握对方的手指，两足立正，距离受礼者约一步，身体略微前倾，面带笑容，目光正视对方，显得亲切、热情大方。其次，要注意伸手的顺序。社交场合的一般规则是，由主人、年长者、职务高者、女性先伸手，客人、年轻者、职务低者、男性要待对方伸出手后再握，切不可先伸手去求握。求职面试时，不论主试者身份、性别如何，应聘者属于客方，不宜先伸手求握，若对方先有握手的表示再伸手相握。在众多人相互握手时，按顺序进行，不要抢先握手。再次，握手力度要适当。以紧而不捏痛为宜，握得太紧，或握不住对方的手，只是几个手指头和对方的手指头接触一下，都是失礼行为。

5. 谈吐文明

面试过程中要注意自身的谈吐形象。说话要和蔼可亲，不要随便打断对方的话，必要时，先说声"对不起"再讲话。语言要彬彬有礼，不要轻易反驳，要不时地点头表示赞同。

6. 适时告辞

面试是有限定的谈话，不可久留。社交中有一条秘诀：长谈一次不如多见面几次。一般认为，面试谈短了不好，长了也不好，所以要先想好话题，察觉会谈的高潮已过，便准备结束。面试中有些话是可说可不说的，有些话是必须说的，必须说的话就是高潮话题。应聘者必须察觉高潮话题的结束，把该说的话说完，站起身来，露出微笑，亲切握手，然后离开，给对方留下好印象。

（二）服饰礼仪

常言道："人靠衣裳，马靠鞍"、"三分容貌，七分打扮"。在求职面试活动中恰当的服饰会给人留下良好的第一印象。一个人无论以什么身份在社会上活动，在服饰方面都要有起码的要求，即得体、整洁。所谓得体，是指每个人都应当根据自己的身材条件，去选择最合适的服装。服饰要与场合、季节以及自己充当的角色相统一，否则会产生不协调的感觉。着装服饰要有个性，有新意。一身新颖、别致的服装，会增加洒脱、高雅的气质。穿衣整洁卫生、干净利索，能给人以精干、文明的印象。大学生求职面试，是一个严肃、庄重的场合，在服饰方面要注意朴素、大方、整洁，突出职业特点。同时要符合社会大众的审美观，不要穿奇装异服。

(三)姿态礼仪

姿态礼仪是通过体态语言来表现的。所谓体态语，是一种用表情、动作或体态等来传情达意，传递信息的形式。体态语包括表情语、手语和体姿语。体态语在求职面试中非常重要。一方面，主试者可以从应试者的体态语中了解应试者的性格、心情和礼貌修养等；另一方面，在面试中应试者如果懂得体态语的含义，也能通过"察言观色"，了解主试者的内心活动，所思所想，从而积极地采取对策，争取主动。

1. 表情的运用

"眼睛是心灵的窗户"，求职面试时，应试者与主试者的关系往往有两种情况。一是"一对一"的关系，即面对一个主试者；二是"一对多"的关系，即面对多位主试者。这两种情况，应试者的目光运用是不一样的。在"一对一"的情况下，应聘者的目光要注意的是：第一，注视对方。目光要自然、和蔼、亲切、真诚，不要死盯对方的眼睛，也不要在局部内上下翻飞，使得对方感到莫名其妙。不要东张西望，左顾右盼，显得心不在焉；不要高高昂起头，两眼望天，显得傲气凌人。第二，注视对方时要注意眨眼的时间和次数，不宜过长也不宜过多。眨眼时间超过一秒钟就变成闭眼，给对方感觉对他不感兴趣。眨眼次数过多，会让对方怀疑你对他讲话的真实性。第三，在谈话过程中难免会碰到双方目光相遇的情况，这时不要慌忙移开，顺其自然地对视几秒钟，再缓缓移开，这样显得心地坦荡，容易取得对方的信任。否则，一遇到对方目光就慌忙移开，会引起对方的猜疑。

在"一对多"的情况下，求职者的目光不能只注视其中一位主试者，而要兼顾到在场的所有主试者，让每个人都感到你在注视他。具体方法是，以正视主试者为主，并适时地把视线从左至右，又从右至左地移动，达到与所有招聘人同时交流，避免冷落某一位招聘人，但注视的次数不宜过多，这样就能获得他们的一致好评。

2. 微笑的运用

首先，微笑必须真诚、自然。只有真诚、自然的微笑，才能使对方感到友好、亲切和融洽。其次，微笑要适度、得体。适度就是要笑得有分寸、不出声，含而不露，笑而不狂，既不哈哈大笑，也不捧腹大笑。得体就是要恰到好处，当笑则笑，不当笑则不笑。否则，会适得其反，给对方留下不好的印象。

3. 手语的运用

在表达内心活动方面，手语极富表现力。

手语的含义

紧张时，双手相绞；悲痛时，捶打胸脯；愤怒时，紧握拳头；尴尬时，手摸后脑勺；真诚时，摊开双手；十指交叉、叠放在一起，常给人一种漫不经心的感觉；摇手表示反对；拍手表示喜悦；挥手表示告别；竖起大拇指表示赞同；用食指指着别人表示质问，等等。

应试者在面试时运用手语一定要注意以下几点：一要适合。所谓适合，一方面，要与手势所表示的意义相符合；另一方面，手势的多少要适合。二要简练。每做一个手势，都力求简单、精练、清楚、明了。三要自然。手势贵在自然，动作舒展、大方，令人赏心悦目，切忌呆板、僵硬、做作。四要协调。手势要与声音、姿态、表情等密切配合。只有协调的动作才是优美和谐的。

（四）体姿的运用

体姿是指通过身体的姿势、动作来表达情感、传递信息的体态语，主要包括坐姿、站姿和行姿三种。

1. 坐姿

在面试中，坐姿很重要。因为面试大都在房间里进行，有不少时间是坐着的。一个人的坐姿，不仅表现他体态美的程度，也体现了他的行为美。不同的坐姿表达不同的含义。如身体靠在沙发背上，两手置于沙发扶手上，两腿自然落地、分开，表示谈话轻松、自如、自信。身子稍向前倾，两腿并拢，两手放于膝上，侧身倾听，说明很尊重对方。身体坐椅子前端，身子向前，倚靠于桌上，头微微前倾，表示对谈话内容非常感兴趣和重视。坐在椅子上，微微欠身，表示谦虚有礼。身体后仰，甚至转来转去，则是一种轻慢、无礼行为。整个身子侧转一方，表示嫌弃与轻蔑。背对谈话者，是不礼貌的表现。

坐相要给对方一个讲文明、有教养、有主见的感觉。坐时要轻而缓，人要坐端正，起坐时也要轻而缓。具体坐法是：走到位前，背向椅子，使腿靠近椅子，上体正直，轻缓坐下。女性应聘者若着裙装，落座时用手理一下裙边，把裙子后片向前拢一下。坐下后，双腿并齐，挺胸直腰略收腹，手放在膝上或椅子扶手上，掌心向下，双膝并拢略侧向一方。

为了保证坐姿的正确和优美，应注意以下禁忌。一是落座后，两腿不要分得太开。二是当并腿而坐时，脚尖要向下，切忌脚尖向上，并上下抖动。三是谈话时勿将上身向前倾，并以手撑下巴。四是落座后不要左右晃动，扭来扭去，给人一种不安分的感觉。五是入座要轻和缓，直坐要端正稳重，不可猛起猛坐，弄得椅子乱响，造成紧张。六是背部要挺直，不要像驼背一样，弯胸曲背。

2. 站姿和行姿

站姿和行姿是体姿语的重要组成部分，在求职面试中同样能反映求职者的外在形象和礼貌修养。

站姿的要求是正直。方法是挺胸、收腹、略微收臀、平肩、直颈、两眼平视，精神饱满、面带微笑，这样给人一种自信的感觉。站立时，两手自然地分开于身体两侧，不要两手掐腰，也不能双手插入口袋或把双手握在背后，这样会给对方一种轻谩之感。要注意站向，谈时站立的方向应是正面对着对方，以表示尊重。

行姿的要求是轻而稳，胸要挺，头抬起，两眼平视，步频和步幅要适度，符合标准。如果是与主试者或工作人员同行，要注意，不能超前，只能平行或略为靠后。

思考与练习

1. 常见的自荐方法有哪些？
2. 怎样准备自荐材料？
3. 面试时要注意些什么？

第 八 章

高职大学生就业权益保护

我国是一个劳动力资源丰富的国家，就业形势供大于求的矛盾比较突出，劳动者在就业择业过程中常处于弱势地位，高职毕业生在求职时也常常会遇到自身权益受到侵犯的情况，因此，高职大学生学习相关法律知识，增强法律素养，有助于提高自身依法维护合法权益的能力。

第一节　高职大学生就业的权利与义务

随着毕业生就业制度改革的深化，毕业生就业实行国家宏观调控，学校和各级政府推荐，学生和用人单位双向选择的就业模式。在这种就业模式下，如何充分行使好自己所拥有的权利，选择一个有利于事业成功的职业，履行好自己的义务，顺利走上职业岗位，就成为高职大学生择业应关注的现实问题。

一、高职大学生就业的权利

权利是指国家法律、法规和政策对某种行为的许可和保障。高职大学生是国家培养的高素质劳动者。《中华人民共和国劳动法》(简称《劳动法》)规定："劳动者享有平等就业和选择职业的权利、取得劳动报酬的权利、休息休假的权利、获得劳动安全卫生保护的权利、接受职业技能培训的权利、享受社会保险和福利的权利、提请劳动争议处理的权利以及法律规定的其他劳动权利。"根据我国的法律、法规和目前就业政策的有关规定，高职毕业生主要享有以下几方面的权益。

(一)自主择业权

自主择业是毕业生的基本权利。毕业生只要符合国家的就业方针、政策，可以自主地选择用人单位，学校、其他单位和个人均不得干涉。任何将个人意志强加给毕业生，强令毕业生到某单位或不到某单位的行为都是侵犯毕业生自主择业权的行为。但是"自主择业"不等于"自由择业"。由于我国地域辽阔，区域性经济发展不平衡，高等教育入学率虽有较大提高，但总的来说还比较低，另外劳动力市场发育尚不完善。因此，毕业生就业还不具备完全"自主择业"的条件，只能在国家就业方针、政策指导下，在一定范围内"自主择业"，而不是"自由择业"。

(二)接受就业指导、就业服务权

《高等教育法》规定，高等学校应当为毕业生提供就业指导和服务。《普通高等学校毕业生就业工作暂行规定》中明确指出，高等学校的一个主要职责就是对毕业生开展毕业教育和就业指导工作。2002年教育部《关于进一步加强普通高等学校毕业生就业指导服务机构及队伍建设的几点意见》中强调，"高校必须建立并健全毕业生就业指导服务机构，在办公条件、人员等方面给予充分保证。"因此，毕业生有权接受学校的就业指导和就业服务。高校应及时向毕业生传达有关就业方针、政策、规定，并对毕业生进行择业观教育和择业技巧的指导等。高职大学生应很好地利用自己的这项权利，从学校专门机构或就业指导老师那里接受就业指导，通过接受就业指导，根据自身特点和社会需要，准确定位，合理择业，提高自己的择业竞争力。

(三)信息知情权

就业信息是毕业生成功择业的前提。学校和有关就业指导部门应该如实地、毫无保留地向毕业生及时提供就业信息。这些信息包括用人单位的需求信息；对所选单位基本情况、工作安排、福利待遇等情况的了解；对国家就业政策、就业形势的了解。

(四)被推荐的权利

高校在就业工作中的一个重要职责就是向用人单位推荐毕业生。凡按照国家普通高等学校招生计划招收的具有学籍、取得毕业资格的毕业生均享有被学校推荐的权利。高职大学生被学校推荐的权利主要包括三个方面：①在学校向用人单位推荐毕业生时，应根据毕业生的实际情况如实向用人单位推荐，不能故意贬低或随意拔高毕业生在校的实际表现。②学校对毕业生进行推荐时应做到公平、公正，给每一位毕业生推荐的机会平等，不能厚此薄彼。③学校在公开、公正的基础上，根据毕业生的在校表现实行择优推荐。

(五)享有公平受录用的权利

高职大学生公平受录用的权利主要包括三方面：①平等录用，即用人单位在录用毕业生时，不得歧视女学生，不得歧视少数民族学生。除国家规定的不适合女学生的工种或岗位外，不得以性别为由拒绝录用女学生或提高对女学生的录用标准，在工资方面应贯彻同工同酬的原则。②公正录用，即用人单位在录用毕业生时，应根据就业岗位的要求，客观、公正地对毕业生进行考核、录用，给毕业生提供一个平等竞争的机会，让毕业生凭自己的实力获得就业岗位。③择优录用，即用人单位录用毕业生时，应在公开、公正、公平的基础上坚持择优录用，任人唯贤，真正体现优生优用，人尽其才。

（六）解除协议权

当履行协议后毕业生的权益或人身自由、人身安全受到用人单位严重侵害时，毕业生可主动提出解除协议。《劳动法》规定，有下列情形之一的，劳动者可以随时通知用人单位解除劳动合同：在试用期内的；用人单位以暴力、威胁或者非法限制人身自由的手段强迫劳动的；用人单位未按照劳动合同约定支付劳动报酬或者提供劳动条件的。

（七）申诉权

《劳动法》规定："用人单位与劳动者发生劳动争议，当事人可以依法申请调解、仲裁、提起诉讼，也可以协商解决。""劳动争议发生后，当事人可以向本单位劳动争议调解委员会申请调解；调解不成，当事人一方要求仲裁的，可以向劳动争议仲裁委员会申请仲裁。当事人一方也可以直接向劳动争议仲裁委员会申请仲裁。对仲裁裁决不服的，可以向人民法院提起诉讼。""劳动争议当事人对仲裁裁决不服的，可以自收到仲裁裁决书之日起 15 日内向人民法院提起诉讼。一方当事人在法定期限内不起诉又不履行仲裁裁决的，另一方当事人可以申请人民法院强制执行。"此外，《合同法》也规定："当事人可以通过和解或者调解解决合同争议。当事人不愿和解、调解或者和解、调解不成的，可以根据仲裁协议向仲裁机构申请仲裁"，"当事人没有订立仲裁协议或者仲裁协议无效的，可以向人民法院起诉。当事人应当履行发生法律效力的判决、仲裁裁决、调解书；拒不履行的，对方可以请求人民法院执行。"

（八）求偿权

即向违约方要求承担违约责任，获得赔偿的权利。《合同法》规定："当事人一方不履行合同义务或者履行合同义务不符合约定的，在履行义务或者采取补救措施后，对方还有其他损失的，应当赔偿损失。""因当事人一方的违约行为，侵害对方人身、财产权益的，受损害方有权选择依照本法要求其承担违约责任或者依照其他法律要求其承担侵权责任。"

二、高职毕业生的择业义务

义务是法律、法规和政策规定的主体所承担的一种责任。高职毕业生的择业义务是指毕业生在择业活动中应对国家、社会、单位所承担的责任。这些义务主要有：

（一）执行国家就业方针、政策和规定的义务

国家计划招收的高职毕业生，应服从国家需要，在国家宏观政策指导下自主择业，为国家社会主义事业和现代化建设服务。对于高职毕业生而言，不仅要履行作为公民来说必须履行的劳动义务，而且作为国家培养的高技能应用型人才，国家、社会以至家庭为其成

才和发展提供了相对其他青年群体所无法比拟的政治、经济和文化方面特殊的优厚条件，毕业生完成学业后应理所当然地依托自己的职业行为，回报于国家、社会和家庭，承担起自己应尽的责任。在择业过程中，当个人意愿与就业政策发生矛盾冲突时，个人的兴趣、爱好、特长与国家的需要发生矛盾时，要从国家的需要出发，自觉服从和服务于国家的需要，到边远地方去，到艰苦的行业去，到祖国最需要的地方去。

(二)向用人单位如实介绍个人情况的义务

诚实的品格是高职大学生思想道德素质的重要方面。高职毕业生在向用人单位进行自我推荐、自我介绍和接受考查时，有义务全面地、实事求是地向用人单位介绍自己的情况，以利于用人单位的遴选，不得夸大其词、弄虚作假，这是基本的择业道德要求，也是毕业生应尽的义务。毕业生在填写推荐表、写自荐信、向用人单位介绍自己时，必须实事求是，全面准确。讲优点不要夸张，对缺点不能回避，有过失不可隐瞒，填成绩不能虚假。人无完人，每个人的才能都有限，每个人都有不足之处，只有如实介绍自己的情况，才能赢得用人单位的信任。

(三)遵守国家就业政策法规及学校相关规定的义务

国家就业政策法规是十分严肃的，它是毕业生就业的重要依据。整个毕业生就业工作必须在国家就业政策法规规定的范围内活动，而不能背离国家就业政策法规自行其是。高职大学生应自觉遵守国家就业政策、法规，发挥主导作用，并按照国家的就业方针、政策，兼顾国家、用人单位和个人的利益，落实毕业去向。根据《普通高等学校毕业生就业工作暂行规定》，高职院校有权根据国家的就业方针、政策和规定，制定本校就业工作的办法、细则。这些办法、细则对毕业生来说更直接，适应性更强，因而毕业生在就业过程中应严格遵守这些具体规定，确保学校就业工作有序、正常进行。

(四)遵守就业协议的义务

《合同法》规定："依法成立的合同，对当事人具有法律约束力。当事人应当按照约定履行自己的义务，不得擅自变更或者解除合同。依法成立的合同，受法律保护。"毕业生与用人单位签订的就业协议也适用于《合同法》的这一规定。就业协议一经毕业生、用人单位、学校签字盖章后就具有法律约束力。在通常情况下，毕业生不得再选择其他单位，用人单位也不能用其他人取代该毕业生，学校也不支持毕业生和用人单位改变承诺。讲信誉是对毕业生就业道德的基本要求之一。高职毕业生不能朝三暮四，这山望着那山高，一经签订协议，就不能随便违约。如果毕业生不能严格遵守协议，随便违约，不仅影响学校正常的就业秩序，也会损害用人单位、学校、其他同学等各方面的利益。因此，毕业生必须增强信用意识，自觉履行遵守协议的义务。如果违约，必须承担违约带来的相应责任。

（五）按时到工作单位报到的义务

高职毕业生顺利完成学业，办理完派遣手续后，应持《报到证》按时到工作单位报到。若遇到特殊情况不能按时报到，如生病、外出遇灾未归等，应采取信件、电话、电报、传真等方式向接收单位说明情况，征得用人单位同意。如果毕业生不顾国家需要，坚持个人无理要求，经多方教育仍拒不改正的，自派遣之日起，无正当理由超过 3 个月不去就业单位报到的，报到后，拒不服从安排或无理要求用人单位退回的以及其他违反毕业生就业规定的，由学校报主管毕业生调配部门批准，不再负责其就业。在其向学校缴纳全部培养费和奖（助）学金后，由学校将其户口和档案转至家庭所在地，按社会待业人员处理。

第二节　高职大学生就业维权的内容与方法

目前，由于激烈的就业竞争，一些高职毕业生在就业择业过程中求职心切，放松了警惕，容易被一些表面现象所蒙蔽，再加上缺乏维权意识，不了解劳动人事法律、法规和有关政策规定，容易上当受骗，导致自身合法权益受到侵害。

高职毕业生在就业时遇到的很多问题实际上都涉及相关法律和制度，如在不知情的情况下被用人单位收取违约金，用人单位不签订正式劳动合同，承诺的工资待遇不兑现，等等。因此，毕业生就业维权意识的增强也就是让学生对相关法律和制度有所了解，使他们懂得一定的法律知识。高职院校要对学生进行有关法律知识和制度规定的宣传和教育，增强毕业生的法制意识和政策水平，帮助他们很好地维护自己正当的、合法的权益。

高职毕业生在就业时涉及最多的是劳动法律制度。下面依据《劳动法》和《劳动合同法》介绍我国劳动法律制度的主要内容。

一、劳动合同制度

（一）劳动合同制度的含义

合同又称契约，是指双方当事人之间为实现一定目的，根据法律规定订立、变更或终止权利和义务关系的协议。我国《劳动法》规定，劳动合同是劳动者与用人单位确立劳动关系，明确双方权利和义务的协议。通过订立劳动合同的形式来建立劳动关系，从根本上改变了计划经济体制下依靠行政分配的劳动用工管理体制，使企业和劳动者可以在真正平等的基础上实现双向选择。劳动合同制度是一种适合我国社会主义市场经济要求的新型劳动制度。它出现于 20 世纪 80 年代，90 年代开始在全国范围内推行。1995 年我国颁布的《劳动法》将劳动合同以法律条文的形式确定并加以规范。到 1996 年年底，我国绝大部分地区已基本实行了劳动合同制度。劳动合同制度适用于各类企业和与之形成劳动关系的各类人员（劳动者），另外，也适用于国家机关、事业单位、社会团体和与之建立劳动合同关系的劳动者。

（二）实行劳动合同制度的重要意义

1. 实行劳动合同制度可以促进劳动力资源合理配置

实行劳动合同制度能够消除旧的用工制度的弊端，使用人单位真正行使劳动用人自主权。它可以根据市场情况与企业发展的需要，选择录用劳动者，并与劳动者签订有限期的劳动合同，灵活地变动职工的数量和结构；同时使劳动者也有了选择职业的自主权，可以根据市场需求情况与自身条件选择职业，从而使劳动力资源得到合理配置。

2. 建立劳动合同制度可以增加劳动者的竞争意识和促进劳动者自身素质的提高

建立劳动合同制度，用人单位与劳动者双方择优录用、择业选优都必须通过竞争机制加以实现，这必然增加劳动者的竞争意识，促进劳动者自身素质的提高。

3. 实行劳动合同制度有利于调动劳动者的积极性和创造性

通过签订劳动合同的方式，将用人单位与劳动者双方的劳动权利、劳动义务、劳动收入紧密结合起来，使用人单位与劳动者之间形成共同利益，使劳动者能以主人翁的责任感去关心企业，更能充分调动劳动者的积极性和创造性。

4. 劳动合同制度是维护劳动者权利与义务，体现劳动者主人翁地位的法律保障

劳动合同是有劳动能力的劳动者实现劳动权利和履行劳动义务的一种重要的法律形式。劳动者与用人单位签订劳动合同后，就意味着劳动者自身应该享有的劳动权利和应该履行的劳动义务都被纳入了国家法律管理和保护的体系中，使得劳动者在尽职尽责履行义务的前提下，各项合法权益均得到切实的保护。

二、劳动合同的订立

我国《劳动合同法》规定，用人单位与劳动者建立劳动关系，应当订立书面劳动合同。双方在订立劳动合同时应遵循一定的原则和程序。

（一）劳动合同订立的原则

劳动合同一般是用人单位与劳动者个人之间签订的，劳动中介机构（职业介绍所）不能与劳动者签订劳动合同。劳动合同订立的原则是指在劳动合同订立过程中双方当事人应当遵循的法律准则。我国《劳动法》规定，劳动合同订立必须遵循以下原则。

1. 平等自愿的原则

平等自愿原则是劳动者择业自由和用人单位择人自由在劳动合同中的体现。平等是指

在订立劳动合同时，双方当事人的法律地位是平等的，不存在一方应该服从另一方的关系。只有双方当事人具有相同的法律地位，才能真正做到自愿和协商一致。自愿是指劳动合同的订与不订、如何订，应由当事人自己决定，任何一方不得将自己的意志强加给对方，任何第三者也不得对他人劳动合同的订立施加压力。

2. 协商一致的原则

协商一致是指劳动合同应该是双方当事人真实意愿表示一致的结果。也就是说，劳动合同的内容必须由当事人双方在法律、法规允许的范围共同协商讨论，取得一致意见后确定。如果当事人就劳动合同的具体条款无法达成一致意见，劳动合同就无法订立，劳动关系也就无从建立。采用欺诈、威胁手段订立劳动合同，是违反协商一致原则的，因而也是无效的。

3. 依法订立的原则

这个原则也称守法原则，是指劳动合同当事人在协商订立劳动合同时，订立合同的目的、主体、程序以及内容都必须符合法律、行政法规的规定。这条原则是劳动合同有效并受国家法律保护的前提条件。否则，所订劳动合同就是无效的。

（二）劳动合同订立的程序

劳动合同的订立程序如下：

第一，被录用者向录用单位提交录用通知等文件。

第二，录用单位向被录用者介绍劳动合同（草案）的内容。

第三，录用单位和被录用者就录用单位拟就的劳动合同（草案）的内容进行协商。

第四，达成一致意见后，签字（盖章）并办理备案手续。

求职者在与用人单位签订劳动合同时应仔细阅读合同文本。用人单位在招聘新员工之前，一般都草拟有合同文本。在合同文本中对双方的权利与义务都进行了界定。在拿到文本后，应该详细阅读，了解文本中双方的权利与义务是否对等、明确、具体。一般而言，合同对受聘时间、劳动时间的长短、劳动保护、工资待遇、劳动保险等的规定都应明确具体，不能含糊其辞，这是完整、有效合同必备的。当拿到合同文本后，切忌在对合同的条款还没弄清之前就草率地签字，因为合同一经签字，就具有法律效力。最好是先将合同文本拿回家，请有经验的长者或律师审阅，没有疑问之后再签字。

三、劳动合同的种类和内容

（一）劳动合同的种类

劳动合同按照合同期限可以分为三种类型。

1. 有固定期限的劳动合同

这类合同明确规定劳动合同的起始与终止时间。这类劳动合同一般是在用人单位和劳动者第一次订立劳动合同时采用。应届高职毕业生在就业时与用人单位订立的多数是有固定期限的劳动合同。

2. 无固定期限的劳动合同

这类劳动合同只规定了合同起始日期，没有注明合同终止日期，但规定了解除合同的条件。这些条件一旦具备，合同即可终止。

我国《劳动合同法》规定，用人单位与劳动者协商一致，可以订立无固定期限劳动合同。有下列情形之一，劳动者提出或者同意续订、订立劳动合同的，除劳动者提出订立固定期限劳动合同外，应当订立无固定期限劳动合同：

(1)劳动者在该用人单位连续工作满十年的。

(2)用人单位初次实行劳动合同制度或者国有企业改制重新订立劳动合同时，劳动者在该用人单位连续工作满十年且距法定退休年龄不足十年的。

(3)连续订立二次固定期限劳动合同，且劳动者没有用人单位可以解除劳动合同的情形，续订劳动合同的。

3. 以完成一定的工作为期限的劳动合同

这类劳动合同是将某项工作或工程开始直到结束的时间作为劳动合同的起始与终止的条件。工作开始之日是合同生效之日，工作完成之日是合同终止之日。

集体劳动合同是由工会代表职工(没有建立工会的，由职工选举代表)与企业就劳动报酬、工作时间、休息休假、劳动安全卫生、保险福利等事项经过协商一致签订的书面协议。集体劳动合同制有利于充分发挥工会的积极性，从整体上维护劳动者的合法权益。

(二)劳动合同的内容

我国《劳动合同法》规定，劳动合同应当具备以下条款：

第一，用人单位的名称、住所和法定代表人或者主要负责人。

第二，劳动者的姓名、住址和居民身份证或者其他有效身份证件号码。

第三，劳动合同期限。劳动合同的期限是指要明确劳动合同的类型，即固定期限劳动合同、无固定期限劳动合同和以完成一定的工作为期限的劳动合同。如果是固定期限劳动合同，则应约定具体的期限时间是多长。

第四，工作内容和工作地点。工作内容是指用人单位安排劳动者从事的具体工作，是劳动者在劳动合同中确定的劳动义务的主要内容。包括劳动者从事劳动的岗位、工作性质、工作范围等。工作地点是指劳动者所在岗位的具体地理位置，实质上就是合同的履行地，它的确定涉及案件的诉讼管辖问题。

第五，工作时间和休息休假。工作时间和休息休假是指劳动者工作的时间长度和休息休假的具体时间。《劳动法》规定了法定工作时间："国家实行劳动者每日工作时间不超过8小时、平均每周工作时间不超过44小时的工作制度。"《劳动法》关于休息时间的规定是"用人单位应当保证劳动者每周至少休息一日。"关于劳动者的休假权，在《劳动法》也作了规定：用人单位应当依法安排劳动者休假，主要指元旦、春节、劳动节、国庆节和法律、法规规定的其他休假节日。该法还规定了带薪年休假制度，即只要劳动者连续在用人单位工作一年以上就可享受带薪年休假。劳动者的工作时间，用人单位根据需要，经与工会和劳动者协商后是可以延长的。《劳动法》中对延长工作时间有强制性规定，一般每日不得超过1小时，特殊情况也要以保障劳动者身体健康为前提且每日不得超过3小时，每月不得超过36小时为限。

第六，劳动报酬。劳动报酬是指用人单位根据劳动者的劳动岗位、技能及工作数量、质量，以货币形式支付给劳动者的工资。包括工资的数额、支付日期、支付地点以及其他社会保障待遇。劳动报酬的内容和标准不得低于国家法律、行政法规的规定。

第七，社会保险。劳动合同中提到的社会保险包括养老保险、失业保险、医疗保险、工伤保险和生育保险等，《劳动合同法》规定，用人单位必须依法为劳动者缴纳社会保险，如果用人单位未依法为劳动者缴纳社会保险，劳动者可以解除劳动合同，用人单位应当向劳动者支付经济补偿。

第八，劳动保护、劳动条件和职业危害防护。劳动保护、劳动条件是指劳动合同中约定的用人单位为劳动者所从事的劳动必须提供的生产、工作条件和劳动安全卫生保护措施。同时，还应将职业危害防护写入劳动合同。

第九，法律、法规规定应当纳入劳动合同的其他事项。以上是劳动合同的必备条款，除了这些必备条款外，用人单位与劳动者可以约定条款的形式将试用期、培训、保守商业秘密、补充保险和福利待遇等其他事项写入劳动合同。

四、劳动合同的变更、解除和终止

（一）劳动合同的变更

劳动合同的变更是指用人单位和劳动者对依法成立、尚未履行的劳动合同条款所作的修改和增减。我国《劳动合同法》规定，"用人单位与劳动者协商一致，可以变更劳动合同"。

1. 变更劳动合同的原则和条件

变更劳动合同应当遵循平等自愿、协商一致的原则，不得违反法律、行政法规的规定。根据《劳动法》和《国有企业实行劳动合同制暂行规定》的有关规定和变更劳动合同的实际情况，允许变更劳动合同的条件如下。

(1)经双方当事人协商同意的。

(2)订立劳动合同所依据的法律、行政法规和规章已经修改。

(3)劳动者因健康状况而不能从事原工作的。

(4)法律、法规允许的其他情形。

2. 变更劳动合同的程序

变更劳动合同的程序，一般分为以下三个步骤。

(1)及时提出变更合同的建议。

(2)按时作出答复。

(3)双方达成书面协议。

(二)劳动合同的解除

劳动合同的解除是指用人单位和劳动者双方终止劳动合同的法律效力，解除双方的权利、义务关系。我国《劳动合同法》规定，"用人单位与劳动者协商一致，可以解除劳动合同"。

1. 解除劳动合同的条件和程序

劳动合同的解除是指劳动合同当事人在劳动合同期限届满之前终止劳动合同关系的法律行为。解除劳动合同，有以下几种情况。

(1)双方协商解除劳动合同。双方协商解除劳动合同的条件：一是双方自愿。二是平等协商。三是不得损害另一方利益。双方协商解除劳动合同，须达成解除劳动合同的书面协议。

(2)用人单位单方解除劳动合同。用人单位单方解除劳动合同有三种情况：一是因劳动者不符合录用条件或者有严重过错或触犯刑律，用人单位可随时通知劳动者解除劳动合同。二是因劳动者不能胜任工作或因客观原因致使劳动合同无法履行的，用人单位应提前30日书面通知劳动者，方可解除劳动合同。三是因经济原因裁减人员，用人单位按照法定程序与被裁减人员解除劳动合同。

(3)劳动者单方解除劳动合同。劳动者单方解除劳动合同，可分为两种情况：一是提前30日书面通知用人单位解除劳动合同。二是随时通知用人单位解除劳动合同。《劳动法》规定，有下列情形之一的，劳动者可随时通知用人单位解除劳动合同：①在试用期内的。②用人单位以暴力、威胁或者非法限制人身自由的手段强制劳动的。③用人单位未按照劳动合同约定支付劳动报酬或者提供劳动条件的。

(4)劳动合同自行解除。劳动者被开除、除名或因违纪被辞退，劳动合同自行解除。

2. 有下列情况之一者，用人单位不得解除劳动合同

(1)患职业病或者因公负伤被确认丧失全部或部分劳动能力的。

(2)患病或者负伤，在规定的医疗期内的。

(3)女职员在孕期、产期、哺乳期内的。

(4)法律、行政法规规定的其他情形。

(三)劳动合同的终止

劳动合同的终止是指劳动合期满或当事人双方约定的劳动合同终止条件出现，劳动合同即行终止。劳动合同订立后，双方当事人不得随意终止劳动合同。只有法律规定或当事人约定的情况出现，劳动合同才能终止，一般有以下几种情形。

第一，合同期限届满。

第二，企业宣布破产或者依法解散、关闭、撤销。

第三，劳动者被开除或因违纪被辞退。

第四，劳动者完全丧失劳动能力或者死亡。

第五，劳动者达到退休年龄。

第六，法律、法规规定的其他情况。

五、违反劳动合同的责任

违反劳动合同的责任是指劳动合同履行过程中，当事人一方故意或过失违反劳动合同，致使劳动合同无法正常履行，给对方造成经济损失时应承担的法律后果。由于当事人一方的过错，造成劳动合同不能履行或者不能完全履行，由过错的一方承担违约责任；给对方造成损失的，必须承担赔偿责任；如果双方过错，由双方各自承担应负的违约责任。

用人单位违反规定或劳动合同约定，对劳动者造成损害的应按下列规定赔偿劳动者损失：

第一，劳动者工资收入损失的，按劳动者本人应得工资支付给劳动者，并加付应得工资收入25％的赔偿费用。

第二，劳动者劳动保护待遇损失的，应按国家规定补足劳动者的劳动保护津贴和用品。

第三，劳动者工伤、医疗待遇损失的，除按国家规定为劳动者提供工伤、医疗待遇外，还应支付相当于劳动者医疗费用25％的赔偿费用。

第四，合同规定的其他赔偿费用。

小贴士

在就业中，就业者要谨防五种"陷阱"合同。

口头合同。一些用人单位与求职者就责、权、利达成口头约定，并不签订书面正式文本。一有"风吹草动"，这些口头许诺就会化为泡影。

格式合同。用人单位按照国家有关法律规定和劳动部门制订的合同示范文本事先打印好的聘用合同从表面上看似乎无可挑剔，但在具体条款的制定上却表述含糊，甚至有多种解释，一旦发生劳动纠纷，用人方就会借此为自己辩护。

单方合同。一些用人单位利用应聘者求职心切的心理，只约定应聘方有哪些义务，违反约定要承担怎样的责任，毁约要缴纳违约金等，而合同上关于应聘者的权利几乎一字不提。

生死合同。一些危险行业用人单位为逃避应承担的责任，常常要求应聘方接受合同中的"生死协议"，即一旦发生意外，企业不承担任何责任。如果签订了这种合同，真的发生意外事故后，用人单位就有理由给自己开脱了。

"两张皮"合同。有的用人单位为了应付有关部门的检查，往往与应聘者签订两份合同，一份合同用来应付劳动部门的检查，另一份合同才是双方真正履行的合同，遇到这种情况，应聘者要认真对比两份合同的异同。

六、高职毕业生维护权益的方法

如果在求职应聘的过程中，高职毕业生的合法权益受到了侵害，应勇敢地保护自己的合法权益。

(一)依靠学校保护自己的合法权益

学校对毕业生权益的保护最为直接。学校可通过制定各项措施来规范毕业生就业指导和就业推荐，对于用人单位在录用毕业生过程中的不公平、不公正行为，学校有权予以抵制，以维护毕业生公平受录用权。对于用人单位与毕业生签订不符合有关规定的就业协议，学校有权不予同意，未经学校同意的就业协议不发生法律效力，不能作为编制就业计划的依据。当毕业生的权益受到侵害时，应及时报告学校，学校应努力维护毕业生的权益。

案例

某高校毕业生小曾、小石分别与北京的同一家用人单位签订了毕业生就业协议。后来该用人单位以"进人编制有限"为由告知校方不打算接收他们。学校毕业生就业指导中心为了维护就业协议的严肃性，出面同用人单位交涉，经学校、学生和用人单位三方协商，用人单位同意了小曾、小石提出的补偿要求。他们因用人单位未能履行签订的就业协议，分别从用人单位得到 5000 元和 3000 元补偿金。

（二）依靠毕业生就业主管部门保护自己的合法权益

毕业生就业主管部门可通过制定相应的规范来确定毕业生的权益，并对侵犯毕业生权益的行为加以抵制或处理。如《上海市高校毕业生就业信息登记制度具体实施办法》规定：对不履行就业信息公开登记手续，侵犯毕业生获取信息权的，市高校毕业生就业办公室不予审批非上海生源高校毕业生进沪就业；不予审批就业计划和打印就业派遣报到证；同时对这种情况给予通报批评，严重者将取消其录用毕业生的资格。当毕业生的权益受到侵害时，毕业生应大胆地向就业主管部门举报，毕业生就业主管部门有责任维护毕业生的合法权益。

（三）依靠行政、权力机关，新闻媒体力量保护自己的合法权益

当毕业生切身利益受到侵害时，毕业生可向有关国家行政、权力机关，新闻媒体投诉。

第一，国家行政机关依法行使各自职责范围内的管理、监督、执法职能。当事人的合法权益受到侵害时，可直接向各级行政主管部门投诉。投诉前，必须清楚受理单位的行政职能，以避免给行政机关造成工作上的不便或因受理单位权限所限而造成的保护不力。一般情况下，求职者可以向这样一些单位投诉：劳动局所属的劳动监察大队，物价局所属的物价监察大队，工商行政管理局等。

第二，向人民政府和人大机关申诉。毕业生的合法权益受到损害经有关部门处理后，其合法权益仍未得到保护的，有权依法向各级人民政府和人大机关申诉。这是《宪法》赋予公民的权利。

第三，毕业生权益受到侵害时，还可以向有关新闻媒体披露真实情况，以获得社会舆论的监督、关注和支持。

（四）申请仲裁

依据《中华人民共和国仲裁法》的规定，各地的仲裁委员会可以受理"平等主体的公民、法人和其他组织之间发生的合同纠纷和其他财产权益纠纷"。当事人申请仲裁应符合如下条件。

第一，有仲裁申请，即要有请求仲裁的意思表示、仲裁事项，选定的仲裁委员会。

第二，有具体的仲裁请求和事实、理由。

第三，属于仲裁委员会的受理范围。仲裁申请书应载明当事人的姓名、年龄、性别、职业、工作单位和住所；法人或其他组织的名称、住所和法人代表或主要负责人的姓名、职务；仲裁请求和所根据的事实、事由；证据和证据来源、证人姓名和住所等。

（五）寻求法律援助

寻求法律援助可分为法律咨询、委托代理律师、获得法律援助几种情况。

1. 法律咨询

当事人向律师或律师事务所咨询有关法律、规章的规定，咨询获得保护的途径、方法，咨询提起诉讼的有关问题。

2. 委托代理

委托律师代理参加调解、仲裁活动；代写诉讼文书；代理案件申诉；担任辩护人、接受担任自诉案自诉人、担任法律顾问或承担其他法律服务。

3. 法律援助

当事人在工伤、刑事诉讼、请求国家赔偿和请求依法发给抚恤金等方面需要获得律师帮助，但无力支付律师费用的，可以按照国家规定获得法律援助。

（六）依靠司法机关的力量保护自己的合法权益

当毕业生切身利益受到侵害时，毕业生可向公安、检察、法院报案或提起诉讼。依据《中华人民共和国民法通则》《民事诉讼法》《刑事诉讼法》《行政诉讼法》《劳动法》《妇女权益法》《治安处罚条例》等法律、法规的规定，被害人对侵犯其人身、财产权利的犯罪事实或者犯罪嫌疑人，有权向公安机关、人民检察院或者人民法院报案或者控告。

相关链接

向人民法院起诉必须符合下列条件：

第一，原告是与本案有直接利害关系的公民、法人或其他组织。

第二，有明确的被告。

第三，有具体的诉讼请求和事实、理由。

第四，属于人民法院受理诉讼的范围和受诉人民法院管辖。

小贴士

就业维权有四招

协议不能代替合同。

高校应届毕业生就业时会与学校和用人单位签订一个三方协议，这是由学校作为见证，毕业生与用人单位签订的一份意向性协议，它具有法律效力，但它不能替代劳动合同。

违约金要约定上限。

三方协议中的违约金必须经由毕业生与用人单位协商之后约定，并且违约金的数额必须符合用人单位所在地的相关规定。现在国内大部分地区都没有明确规定违约金的上限，这种情况下都以双方协商金额为准。毕业生与用人单位可以互相约定违约金，以应对用人单位违约的情况，从而维护自身的权益。

口头承诺应写进备注。

毕业生一定要注意充分利用好就业协议的备注栏，尽量将单位的承诺，如休假、住房补贴、户口迁移、保险等各项承诺明确写入备注栏，切实保障自己的合法权益。

试用期不超过半年。

有些用人单位利用一些大学生对法律的无知，对其进行遥遥无期的试用，而按照《劳动法》的规定，劳动合同约定的试用期最长不超过6个月。

第三节　常见的就业陷阱与防范

由于我国目前劳动力市场存在供大于求的状况，使得劳动者在就业的双向选择中处于弱势地位，再加上高职大学生对自身的认识不足，导致高职毕业生在求职择业时产生急于求成的心理，这就给一些用人单位以可乘之机，钻国家政策和法律的空子，侵害求职者的合法权益。因此，高职毕业生在求职择业时应警惕求职陷阱，维护自身的合法权益。

一、常见的就业陷阱

大学生就业陷阱是指招聘单位、其他机构或个人，利用大学生的弱势地位（如社会经验不足、自我保护意识差、就业竞争激烈等），以提供就业机会为诱因，采用违法悖德等手段，与大学生达成权利与义务不对等的各类就业意向（协议），以期侵害大学生合法权益的现象。当前大学生就业陷阱虽然五花八门，但归纳起来大致可以分为以下几个方面。

（一）按照就业陷阱的主体分

主要包括招聘会陷阱、职业中介陷阱和"皮包公司"陷阱等。

第一，招聘会陷阱是指招聘会主办单位利用虚假宣传骗取求职者的门票或报名费、资料费等。

第二，职业中介陷阱是指职业中介机构以介绍工作为由来收取高额中介费。这类中介往往设施简陋，无正规的人员、机构，是不够资质的"黑中介"。当求职者缴纳数目不菲的中介费后，中介方就会列出种种理由来推辞甚至一走了之。

第三，"皮包公司"陷阱。其实质是非法用工单位用工，通常以低学历高报酬来吸引求职者。

小贴士

毕业生小李收到一家房地产公司的电子邮件，被通知去面试。由于小李并未向该公司投送过简历，他怕遭遇"皮包公司"，为安全起见，决定上网先查一下。让小李惊讶的是，当他用 Google 搜索后发现，该公司居然用同一个电话、地址注册了 4 家公司，涉及医药、保险、建材等不同领域。该公司提出的给求职毕业生的待遇异常优厚，而招聘信息中对于学历的要求竟然是中专以上即可。该公司以低学历招聘求职毕业生，却提出付相当高的工资，值得怀疑。经其向工商部门了解，该公司已不存在。该公司是以低标准将毕业生招进来为公司干活，而其承诺的高工资是不会兑现的。

对此，求职毕业生应得到一些启示，如果接到一些自己并不熟知或者并未投放简历的公司的面试通知，应该事先向有关部门查询，核实该公司的真实情况，并上网搜索该公司的网站，确定其规模与用人需求，然后再去面试。

(二)按照就业陷阱的使用手段分

包括高职陷阱、合同陷阱、地点陷阱以及保证金或押金陷阱等。

第一，高职陷阱。此类陷阱一般是利用大学生社会阅历浅、好高骛远的心理，打着"高职"的幌子诱惑求职大学生，实际上却是让这些人做推销员，甚至从事传销的非法行为。

小故事

一天，某高职学院毕业生小薛接到××人寿保险公司的电话，被告知她已被该公司录取为"储备经理人"。小薛在兴奋之余不免纳闷，自己从未向该公司投送过简历呀？他们怎么会知道自己的电话？但小薛还是兴冲冲地来到该公司，可去了方知，原来是该公司从某招聘网站上的公开资料里"选"中了自己，而所谓的预先被录取的职位"储备经理人"则被换成了"理财专员"。经过一番培训后，小薛才知道，原来该公司把自己招来就是做保险业务员。小薛所学的专业与保险业没有任何关系，且不善言谈的小薛竟然被业务经理夸成了"他见过的最适合做保险的毕业生，不做保险将终身遗憾"，真是令人哭笑不得。

据了解，目前很多公司招聘业务员都是到各招聘网站收集应届毕业生的资料，以高职加以诱惑。对于如此"挂羊头卖狗肉"的招聘伎俩，毕业生一定要警惕，清楚自身实力，从基础做起，逐渐展现自己的才华，不要轻信高职诱惑。

第二，合同陷阱。有的单位在招聘时提出的待遇很好，以"先干几天"、"试一下再说"等种种借口和理由，迟迟不与应聘者签订合同；有的单位在招聘员工时做出了种种承诺，可合同书里却不见只言片语；还有一些单位在合同书里设置一些模棱两可或带有迷惑性的字眼欺骗求职者。不签订劳动合同或合同内容不清楚，一旦发生纠纷和出现问题时，没有合同或合同内容没有明确规定用人单位的义务和责任，会给劳动者维权带来巨大的困难，有的只好吃"哑巴亏"。我国《劳动法》明确规定"建立劳动关系应当订立劳动合同"。也就是说，必须坚持"要干活，先签合同"。

第三，保证金或押金陷阱。按照国家有关法律规定，严禁招聘单位在大学生就业中收取费用，包括资料费、培训费、保证金、押金等。可在招聘中，大学生还是经常碰到索要巧立名目的费用。大学生一方面求职心切，另一方面缺乏相应的法律知识和保护意识，所以经常陷入此类陷阱。

小故事

谢力在网上发布了自己的求职简历后，很快他就接到一名张姓男子的电话。这名男子自称是广东一家公司人力资源部的人事经理，从网上看到了他的简历，对其很感兴趣。在询问了谢力对有关待遇、保险等看法后，该人事经理就表示谢力已通过了他们的电话"面试"。不过最后他却表示，来上班之前需要先将800元的押金和服装费汇到公司的账号上。"这么快就通过'面试'，还要交钱才能上班？"谢力有些疑惑。

随后，谢力根据对方的号码通过114进行查询，得到的答复却是该号码并不属于这样一家公司，而是私人电话。

（三）按照就业陷阱的目的分

包括收费陷阱和赚取廉价劳动力陷阱等。

第一，收费陷阱。现在很多公司，巧立名目收取很多费用：如以诱人的岗位诱惑你，然后要求你参加培训，缴纳培训费；在录用以后要求购买公司产品等。

小贴士

值得毕业生注意的是，一般正规公司会向求职毕业生说明试用期，即使求职毕业生在试用期没有通过，也会得到相应报酬。至于培训费，一般由公司担负。

第二，赚取廉价劳动力陷阱，又称为试用或实习期陷阱，其实质就是借试用期骗取廉价劳动力。利用试用期骗取廉价劳力主要有两种形式，一种是试用期内不给或给很低的工资，试用期结束后以各种理由告诉求职者是不合格的，然后将他们解聘，这样，不少人步入了他们"试而不用"的陷阱。另一种就是无故延长试用期。有些单位往往以"试用"为由，有意延长劳动者的试用期，这是违反《劳动合同法》的。根据《劳动合同法》的规定，劳动者在签订正式劳动合同之后，用人单位和劳动者才可以约定试用期，而不是在试用期满后再签订劳动合同。

🌸 **相关链接**

《劳动合同法》第十九条规定："劳动合同期限三个月以上不满一年的，试用期不得超过一个月；劳动合同期限一年以上不满三年的，试用期不得超过二个月；三年以上固定期限和无固定期限的劳动合同，试用期不得超过六个月。同一用人单位与同一劳动者只能约定一次试用期。试用期包含在劳动合同期限内。"

《劳动合同法》第二十条规定："劳动者在试用期的工资不得低于本单位相同岗位最低档工资或者劳动合同约定工资的80％，并不得低于用人单位所在地的最低工资标准。"

二、高职大学生对就业陷阱的防范

尽管在求职的路上存在很多陷阱，但并不是"防不胜防"。初出校门的毕业生应擦亮眼睛，做好"一信二签三查四核五防"等几个方面的工作，确保不上当受骗。

（一）信

信就是要尽可能参加信誉度较高的招聘会，如本校和兄弟院校举办的专场招聘会和校外的售票招聘会。这些招聘会上的单位的合法资格基本上都经过了严格的审查，相对比较真实可靠。特别是学校组织的招聘会，经过学校层层把关，招聘会组织缜密、安全、规范、高效，值得毕业生信任。

（二）签

签就是双方达成协议后一定要与公司签订规范的就业协议书。就业协议书是毕业生和用人单位在签订劳动合同前，双方确定就业方向和学校在毕业生就业工作中权利和义务的书面表现形式。它应当遵循如下两个原则。一是主体合法原则。二是平等协商原则。在此，特别提醒毕业生，在签就业协议书时，一定要认真谨慎，因为就业协议书具有法律约束力，而且是签订劳动合同的依据，所以一定要仔细斟酌后再签，切不可草率。

当毕业生与用人单位确定劳动关系后，就要签订规范的劳动合同，用法律的形式保障自己的合法权利。毕业生要把握合同的基础条款，明确双方的各项约定，看清劳动合同的附加条款，当面签字盖章，把劳动合同做得滴水不漏。

（三）查

查就是毕业生应聘之前，要事先通过上网收集单位的资料查看应聘单位是否在工商部门登记注册、注册时间是否有效，或致电招聘单位人事部门打听其招聘计划，要注意单位的相关信息是否详尽、可靠，特别是通信地址、联系电话是否为虚设，据此来判断这场招聘以及该单位是否有"诈"。

（四）核

核就是在应聘过后，毕业生可以结合面试中的情况通过网络查询，询问师长、亲友等方式进行核实。也可带着自己面试中的疑惑去咨询学校就业指导中心的老师，确定招聘单位以及其招聘信息的真实性和可靠性。

（五）防

防就是指要提高警惕，增强防范意识，小心提防招聘陷阱。尽量不要只身一人去异地参加面试，特别是女生，可以约同学一起前往。临走前，务必把自己的去向告诉老师和同学，以防万一。不要随意透露身份证号、银行账号等重要的个人信息，以免危及人身安全和财产安全。如是电话面试，对方如果询问你的身份证号码，则要提高警惕，一定不能告诉对方，对方可能会骗取你的身份证号码去干一些违法的事。也不要轻信对方对单位的描述，你可以通过网络查询，向老师、同学、朋友咨询等多种方式核实单位的真实性和可靠性。另外，要了解一些传销知识，提高警惕。如果对方在电话里让你顺便带几名同学一起去某单位参加工作，就更要注意了，很可能就是传销。

求职择业对高职毕业生来讲是人生很重要的一个环节，但如何在找工作中确保自己的人身安全和财产安全，更应引起毕业生的重视。不管工作如何难找，毕业生也不能放松警惕，要学会用法律维护自身的权益。

思考与练习

1. 高职毕业生在就业过程中享有哪些权利？
2. 与用人单位订立的劳动合同必须具备哪些条款？
3. 当你在求职时遭遇陷阱时应怎么办？

第九章

高职大学生的就业适应

　　高职大学生完成学业，选择了理想或较理想的职业，开始步入社会。这对他们来说，无疑是人生的一大转折。如何尽快适应新的职场环境，顺利完成从大学生到劳动者的社会角色转换，是摆在每一个高职毕业生面前的现实问题。本章主要针对这一特定转折时期的具体情况，提出一些应遵循的原则与可采取的方法，引导刚刚离开校门的高职毕业生尽早适应社会，迈好职场人生第一步。

第一节　职场环境与节奏的适应

　　人的一生，经历着多次不同社会角色的转换和不同人生环境的变化，从校园到社会，是人生的一次重大转折。在这一过程中，毕业生面对新的环境、新的角色，以及单位激烈的竞争、复杂的人际关系等，需要刚刚走出校门走向工作岗位的毕业生尽快完成角色转换，适应职场环境。

一、完成角色转换

（一）社会角色

　　社会角色是指由人们所处的特定社会地位和身份所决定的一系列规范和行为模式，是人们对具有特定地位的人的行为的一种期望，是社会群体的基础。它随着社会实践的发展而不断更新内容。

　　社会角色确定了个人在社会中的权利和义务。每一个社会角色都有特定的社会行为准则，以揭示每个人在社会中的地位和在人际关系中的位置。社会角色代表了每个人的身份。

　　人们在社会中总是同时承担着各种不同的角色。这些角色是由个体在不同的时间、场合、环境中占据着不同的社会位置，履行着不同的社会义务，遵循着不同的社会规范而决定的。例如，一位大学生，在学校里对教师来说是学生，在家里对父母来说是子女，在医院里对医生来说是患者，在商场里对售货员来说是顾客等。在社会生活中，每个社会成员都是集多种角色于一身的。但是，由于大学生的主要任务是学习，因此，在社会中主要扮演的角色是学生。

(二)大学生角色与职业角色的区别

大学生角色与职业角色有哪些区别呢？

1. 角色不同

(1)社会责任不同。社会角色的角色义务就是角色的社会责任。学生角色的主要责任是接受教育、储备知识、锻炼能力。职业角色的责任则是以特定的身份去履行自己的职责，依靠自己的本领或技能去创造社会效益和经济效益。两种责任履行所产生的后果也是有区别的。学生角色责任履行得如何，主要关系到本人知识掌握的多少和能力培养的程度。职业责任履行得如何，则影响较大。职业角色要求职业人能在社会中承担某部分工作，充分履行其职业责任。

(2)社会权利不同。社会赋予角色的权利，就是角色履行义务时依法应有的支配权利和应享受的权益的总称，或应取得的精神或物质报酬。学生角色的权利主要是接受教育。职业角色则是依法行使职权，开展工作，并在履行义务的同时取得报酬。

(3)社会规范不同。角色规范是对角色扮演者的行为规定。对于不同的社会角色，就会有不同的行为规范和要求。如学生规范多是从培养、教育的角度出发，促使其以后能顺利成长为合格的人才。学校制定有明确的规章制度，社会对处于成长时期的学生也有一些约定俗成的要求，如怎样学习、怎样做人等。社会赋予职业角色的规范、提供的行为模式，则因职业的不同而千差万别。这些模式既具体又严格，若违背了就要承担一定的责任，甚至法律责任。比如，国家工作人员，必须严于律己、克己奉公，渎职、玩忽职守、收受贿赂等就要受到纪律甚至法律的处罚。

总之，学生角色与职业角色的不同点在于：前者是受教育，通过学习现代科学知识，掌握本领，逐步完善自己，为将来服务于社会作准备；后者是用已掌握的本领，通过具体工作为社会付出，具有一定的权利和义务，以自己的行为承担社会责任。

2. 要求不同

对于大学毕业生来说，从学生角色转换到职业人角色，跨度非常大，对其角色要求也更高，具体体现在以下几方面。

(1)社会责任增强。职业人角色责任履行的结果，不仅会影响到本人的收入和职业生涯的发展，还会对其所处的单位甚至整个社会中的某个领域产生影响。因此，相对于简单的学生角色，职业人角色的社会责任大大增强。

(2)独立性增强。大学生的生活在经济上主要依赖于家庭的供给，在接受教育和管理方面有老师、家长的引导和同龄人的沟通和交流。大学毕业生走上工作岗位后，不但经济上要走向独立，而且在工作中的各个方面都需要独立承担：从生活的安排、工作中问题的思考与解决、参与竞争、承担责任到职业生涯的定位与抉择等。在这种情况下，对于那些原来独立生活能力强的同学，会相对迅速地适应新角色的要求，逐步锻炼，基本达到独立的要求。对于那些习惯于依赖的同学，他们总试图在新的社会环境中寻找新的依赖，但其新担当的职业角色是难以满足这一要求的。大学毕业生走上工作岗位后，如果能较快地适应新角色的要求，将有利于自身的发展和事业的成功。

（3）规范性增强。大学生虽然应遵循学校的规章制度和纪律要求，但学生的行为规范相对于社会中的职业规范而言要简单得多。俗话说"没有规矩，不成方圆"，在现代社会中，每种职业都会有其相应的行为规范、职业道德规范和技术操作规范，要求员工遵守一定的劳动纪律和规则。告别了"无拘无束"生活的大学生走上工作岗位，应尽快树立起规范意识，虚心学习，按照工作岗位的要求做事，遵守原则，增强自律，为自身的成长和事业的发展打下坚实的基础。

（三）角色转换

如何适应社会，顺利完成角色转换，是摆在每一个毕业生面前的现实问题。由学生角色转换为新的职业角色，这一转换不是瞬间发生和完成的，而是一个过程性行为，它包括取得新角色资格和进入新角色这两个环节。

1. 取得新角色资格

临近毕业阶段，大学生了解社会人才需求的信息，进行充分的就业准备，从这时起就孕育着角色转换的发生。通过多种形式的双向选择，大学毕业生与用人单位双方达成协议，再经过一系列的审批程序，大学生持报到证到用人单位报到，走上工作岗位，这时角色转换正式发生。

大学毕业生到了一个新的环境，逐渐熟悉单位的规章制度，了解工作的业务程序，建立新的人际关系，积极主动地开展工作，完成大学生就业后的社会角色转换，我们一般称之为角色适应期。每个人角色适应期的长短是不一样的，一般说来，角色适应期在见习期结束时就基本完成。

2. 进入新角色

进入新角色包括要获得承担某个角色的认可，表现出与这一角色相匹配的品质和才能，积极主动地从精神上和行动上完全投入这一角色等方面的内容。获得角色的认可，即能承担某一岗位的职责，并有效地完成职责任务，得到社会认同。

一个好的实际工作者需要极大的工作热情和耐心；需要克己奉公、勤勉机敏的工作态度；需要用所学知识解决实际问题；需要善于沟通，处理协调各方面关系的能力。大学生在校时，与书本接触得比较多，实际动手机会少，解决问题的能力相对较弱，对社会现象理想化的多，具体化、现实化的少，因而在工作初期不可避免地会存在一些困难。大学毕业生要利用自己的知识优势去克服这些困难，努力在实践锻炼中逐渐成长。

3. 角色转换的实现

学生角色向职业角色转换的实现是一个艰苦的过程，需要坚持不懈的努力。

(1)尽快适应，安心于本职工作。安心本职工作是职业角色转换的基础。许多大学毕业生工作后还沉湎于大学生活，几个月还适应不了工作岗位的生活节奏，不安心本职工作，静不下心来做事，难以进入工作角色。甘于吃苦是大学毕业生迅速进入角色的前提条件。有的大学生缺乏吃苦耐劳的精神，到了工作岗位后怕苦怕累，对工作任务挑肥拣瘦，工作不能深入，这必然会影响到角色转换的顺利实现。

(2)从零开始，虚心学习。实践证明，一个人在学校学到的东西是有限的，而且大学生所学的知识与工作实践中需要的知识和技能还存在不少差距。因此，大学毕业生进入工作岗位后，应有一切从头学起的意识，在工作环境中，一切有经验的技术人员、领导、师傅、同事都是很好的老师，他们在工作岗位上工作多年，具有丰富的专业知识和实践经验。大学生只有放下架子，虚心学习，才能从他们身上学到许多观察问题、分析问题和解决问题的方法，学到工作中实际需要的真本领，不断提高业务水平，尽快实现角色转换。反之，若放不下架子，自以为是，就很难学到真本领，角色的转换也难以完成。

(3)勤于思考，勇于创新。要胜任职业角色，还需要积极开动脑筋，在工作中善于观察，勤于思考，勇于创新。只有善于观察，真正探索到职业对象的内部结构，掌握第一手资料，才能发现问题，并运用自己所学到的知识努力去解决问题。只有勤于思考，在工作中才会有自己的见解，逐步培养独立开展工作的能力，更好地承担角色责任。只有勇于创新，才能将所学知识和技术创造性地应用于工作实际，胜任职业角色，开拓工作新局面。

(4)乐于奉献，勇挑重担。这是完成角色转换的重要体现。大学毕业生奔赴工作岗位后，应当从一开始就严格要求自己，增强自主意识，树立高度的责任意识和积极的奉献意识，爱岗敬业，不计个人得失，不求蝇头小利，任劳任怨，努力承担岗位责任，勇挑工作重担，主动适应工作环境，更好、更快地完成角色转换。

案例

张朋是一名比较优秀的大学毕业生。他曾经成功地应聘了一家公司的文秘职位。

试用期开始，张朋就很珍惜自己好不容易得来的机会，对工作很有激情。一来为公司更好地发展，二来为自己求得更大的发展空间。但时间不长，他就厌倦了。

他发现，公司养着一批出工不出力的闲人和动口不动手的"侃爷"。张朋的工作稍稍做出一点成绩，大家都会用异样的态度对待他，甚至在背后对他指指戳戳，好像光拿钱不干活的人应该理直气壮，为公司做事的人反倒不可理喻。"这样的公司，做好本职工作对我来说太轻松，待遇也可以，可是总觉得自己的能力无法得到充分发挥，混日子又不是我的风格。"张朋心想。

出于"毋宁死，不苟活"的心理，张朋在那家公司没干到一个月就心灰意冷地自己炒了自己的"鱿鱼"。朋友们也很为张朋伤脑筋，帮他找了一个又一个新的工作，尽管不一定都是文秘工作，但职业都不错。但由于张朋本身的心态一直陷在当初文秘工作时的那种阴影里，始终没有调整好，以致一次又一次地重复着自炒"鱿鱼"的傻事。

朋友们纳闷：张朋这是怎么了？

刚走上工作岗位，在短时间内未完成心理上的角色定位，这是可以理解的。但如果给你一段时间还没有快速调整过来，这就是自己的不是了。上例中的主人公张朋，起初是满怀期望地进入那家公司的，不曾想其热情却在无情的"世态"面前碰了一鼻子灰，严酷的现实让他感到身心疲惫，万念俱灰。这是他把自己的角色定位凌驾于企业之上所导致的必然结果。

即便如此，张朋如果狠一狠心、咬一咬牙，在原单位干下去的话，情况又会是怎样的呢？可惜张朋没有这种尝试的勇气和信心，而是选择了逃避。然而，逃避并没有给他带来更多的实惠，而是使其陷入一种莫名的"职场阴影"里。这就说明张朋是只善于变换环境、不善于变换自己的角色的"固执"之人。

"固执"无疑会给自己的角色转换造成极大的心理障碍，以致他陷入最初那种阴影的心理误区中难以自拔，到哪里工作都感到不适应。如果张朋没有在这个问题上把思路理清楚，他自炒"鱿鱼"的悲剧还会继续重演。

此外，高职大学生要顺利完成角色转换，还需从以下几方面入手。

第一，要充分认识自己所服务的企业的运行机制、企业文化和经济实力，以及自己融入企业的结合点。

第二，要客观地设计好自己在试用期里主攻的新知识方向，不要凭着职业感性去看待企业的领导和同事，更不要以"专业不对口"动辄闹情绪，对工作心猿意马。

第三，要以平和之心，主动搞好新老同事之间的人际关系，以己之心换人之心，这样有利于增强你获取新知识的信心，又获得好人缘。

第四，要增强自己对未知领域的适应能力。如果你感觉对目前的工作有些力不从心，甚至再干下去连通过试用期都有危险的话，则需考虑为下个角色转换做心理准备。如果在现有企业里转换不了职位，则需考虑换个单位。

二、适应职场环境，尽快融入新的集体

（一）正确对待"蘑菇期"

许多初涉职场的大学毕业生常抱怨"理想与现实有很大差距"，在单位里自己"吃的是杂粮，干的是杂活，做的是杂人"。其实，这是每一个职场新人都要经历的一个"蘑菇期"。所谓"蘑菇期"就是指职场新人被分配到不受重视的部门，或被安排做打杂跑腿的工作，就

像蘑菇被搁在阴暗的角落一样不被重视，很可能自生自灭的阶段。职场新人刚入公司，都会经历这样的阶段。

需要提醒刚步入职场的大学生的是："蘑菇期"的经历对年轻人来说是成长必经的一步。在世界级大公司，管理人员都要从基层小事做起，就连老板的儿子也不例外。如何快速高效地走出"蘑菇期"，为日后积累工作经验和人生阅历，是每个经过十几年寒窗苦读后踏入社会的年轻人必须面对的问题。下面这些建议对你也许会有所帮助。

1. 任劳任怨，少说多干

刚刚踏入社会的职场新人，往往抱有不切实际的幻想，期望拥有一份挑战与乐趣并存、薪酬丰厚的职业，而事实上，初涉职场的年轻人由于缺少经验、缺少对单位理念文化的了解，很难委以重任。当期望与现实发生矛盾时，便又往往丧失信心、失去对工作的热情，工作时容易采取敷衍了事应付的态度，导致情况更加恶化。因此，职场新人应调整心态，老老实实做人，踏踏实实做事，这对于他们走出职业生涯的那段"蘑菇期"是最基本的，具体来说：

第一，从小事做起，认真对待每一件事。涉世之初的大学毕业生要抱着多学一点、多做一点的心态，从打水、扫地、打字、复印等琐事做起，与大家打成一片，融入新环境。如果连小事都做不好，谁敢把大事交给你呢？一屋不扫，何以扫天下？因此，要放下架子，多做实事，少高谈阔论，这样就会获得大家的认同。据有经验的"过来人"介绍：对那些不是很起眼或者不很重要的工作，如果你都能一丝不苟地努力完成，那么，你就是在给自己加分，很快就会被领导"相中"。因为许多领导都宁肯相信：能把"小儿科"当回事并认真做好的人，肯定是敬业、有责任感的员工。不久，他就会安排更重要的任务给你，为你施展才华创造机会。正如一位作家所言：无论做什么事情，都应该尽心尽力，一丝不苟，因为究竟什么才是大局，什么才是最重要的，这一点其实我们并不清楚。也许，在我们眼里微不足道的细节，实际上却可能生死攸关。

第二，少说多听，累积人脉。作为职场新人，初来乍到，你不了解组织的情况，应该管住嘴巴，少点阔论，多倾听同事们的心声，避免陷入是非圈。保持多听、多看，用谦虚诚恳的态度向同事学习业务知识；主动与同事接触，可积极参加一些单位里组织的业余活动，或与同事在一块儿聊聊天，尽快熟悉"圈子"里的人和事，同时要奉行内方外圆的为人处世之道，内方即诚实、守信、谦虚，外圆即做事要讲究方法、技巧、艺术，积累足够的人脉，须知人缘也是生产力。今天的努力会在明天收获丰硕的果实，良好的人际关系是人格魅力的展现，是实力积累的表现，也是积蓄资源的最好方式。

第三，不断学习，提高学习力。毋庸讳言，职场新人都拥有一张不错的学历文凭，但学力应该是学习能力的汇集。职场新人从学校走向社会，要学的东西还很多，所以毕业后千万别停止进修学习，要使自己处于不断的学习、充电之中，这是个人能力的一种递增。要想在职场脱颖而出除了积累实力之外，还必须拥有多张专业认证"执照"，这样才能快速升迁或顺利转职。

2. 勇于且善于表现自己

一个聪明的职场人不仅要善于做事，还要"善于表现"，寻找机会让自己迅速脱颖而出。

第一，主动请示，及时汇报。职场新人要养成及时请示、汇报的习惯，同时要注意运用得体的方式方法，特别是要注意如实汇报在工作中取得的成绩，这样就能够给人留下尊重上司和同事、工作效率高、踏实可靠的良好形象。

第二，周密地准备会议发言。开会前，就你要做的会议发言进行周密的准备，把可能遇到的问题及解决的对策列出来，尽可能做到言之有物，有理有据。开会时大声清晰地陈述你的意见，并注意用诚恳的眼神与上司和同事交流，让他们注意到自己。

第三，面对变化，勇于冒险。当今世界，唯一不变的是变化。变化的社会、变化的环境需要我们适时改变战略、策略，以适应环境。面对环境的这种持续不断的变化，需要我们敢于冒险、勇于冒险。这种冒险体现了勇于创新、敢于挑战自我的精神，这种精神也正是组织发展壮大的不竭动力。

第四，找准定位，扬长避短。职场新人要进行正确的职业定位，评估自己的长处、短处，把有限的精力投入到那些能真正给你事业带来发展机会的工作中。同时，工作仅仅是完善自我的一部分，要积极参加单位组织的各项文体活动，在那里展现自我，锻炼能力，得到同事、上司的认可，真正融入团队。

总之，对于刚步入职场的毕业生，只有提高认识社会和认识自我的能力，认真地对待每一件小事，力争把每一件小事都做好，并以乐观、自信、向上的心态去面对你的组织、上司和同事，尽快适应职场环境，并找到适合自己的职业规划，你才能高效顺利地走出职业发展的"蘑菇期"，你事业发展的春天才能真正来临。

(二)尽快融入新集体

一个没有集体的人是很孤独的，而比此更孤独的则是生活在集体当中却与所在的集体格格不入。没有一个开放型的集体会拒绝一个新人，也没有一个不合群的新人能征服一个集体。所以，作为新人，从你踏入一个团队的那一天起，你就必须明白这样一个道理：你的到来，前提条件就是要做一个适应并增强这个集体的战斗力的重要部件，而不是独来独往的孤胆英雄。要想孤军奋战而成功那是不可能的，滴水只有融于涌泉，才不会干涸！

第一，高职大学生走上工作岗位，首先要了解并同化于集体文化中的各种相关制度，如培训制度、新人指导制度、新人职业发展计划以及试用期考核办法，以便于尽量用集体文化中的进步精神来同化自己的言行，使自己尽快地与环境相适应。因为单位要求你遵守规则，期望你的劳动和贡献。

第二，集体制度、团队文化的构建者一般说来也就是集体的主要领导。不遵守规章制度、纪律涣散，实际就是对领导的不尊重，因此自觉融入团队，体悟制度之精髓，实际上是对团队领导人的个性、管理方式和文化取向的了解与尊重。试想，你对领导的个性不尊重，领导会把你当人才培养吗？

第三，愉快地与人相处。当然不是像"万金油"那样四处拉关系，而是要以谦逊的态度，向团队里有经验的老同事请教，并尽可能地做他们的帮手，乐于给他们打下手，以赢得老同事的厚爱。如果团队领导安排你参与集体公关项目，那么千万别错过这种千载难逢的机会，向参与公关的其他长辈取经，这样既能增强自己的团队合作精神，又能学到更多实战经验。

（三）树立良好的第一印象

第一印象是指某种客观事物首次作用于人的感官，在人的头脑中产生的对事物整体的反映，包括事物的外观形状、行为特点、价值评判等。大学毕业生走上工作岗位，留给别人良好的第一印象非常重要，因为一旦留给别人的第一印象不好，今后很难改变。第一印象的作用表现在：

第一，前摄作用，即先入为主。第一印象是在毫无意识基础的情况下获得的，在人的大脑中嵌入较深。

第二，光环作用，亦称晕轮效应。在人们的交往中，突出一个人的某一特点，掩盖住这个人的其他特点和本质。

第三，定式作用，也叫定式效应。第一印象的状况如何，会对以后的发展形成一个固定的趋势。

影响第一印象的因素是多方面的，既同刺激客体的行为过程有关，又与反映主体本身的价值取向、知识经验以及需要程度等因素密不可分。要留下良好的第一印象就要注意以下几点：衣着整洁，讲究仪表；举止得体，虚心求教；守时守信，主动工作；严守秘密，待人真诚。

小故事

三只兔子同时跑到河边，一只兔子毫不犹豫地向对岸跳去，结果掉进河里，被无情的河水冲走，剩下两只兔子则停下脚步。这时一头水牛走过来，问它们过河干什么？第二只兔子说："过河为了自己能吃更多的萝卜。"水牛摇了摇头。第三只兔子说："过河是为了更多的兔子能吃到萝卜。"水牛被第三只兔子感动了，撇下第二只兔子，把第三只兔子背过了河。这则故事说明：如果需要别人的力量来帮助你，首先要给对方留下好印象。

三、职场节奏的适应

对于初入职场的毕业生，不仅要适应职场新环境，还要逐渐从学校的学习节奏中走出来，适应职场的工作节奏，怎样才能更快地适应职场节奏，并从中找到自己的平台加以开拓？我们先来看下面的案例。

案例

毕业于某职业学院的小李在北京一家企业上班，刚去的那一段时间，他感到很不适应单位的工作节奏，上班经常迟到。以前在学校课程安排较松，有很多自由支配的时间，因此养成了睡懒觉的习惯，现在上班了，早上稍稍多睡一会儿就可能迟到，每天像车轱辘一样不停地转。他很认真地、努力地做事情，还是不能把工作干好，单位领导仍觉得他工作不够努力。同事也觉得他有点懒散，甚至还有人对他的工作能力提出了怀疑。小李大呼冤枉，他问心无愧地说自己每天手忙脚乱，可总是跟不上大家的节奏。他觉得自己很不习惯这种紧张的工作节奏。

小李的这种情形属于生活节奏紊乱。因为人都有自己习惯的生活节奏，这是长期在熟悉的生活环境中培养出来的。生活环境突然改变了，但生活节奏却不是瞬间可以改变的。对于习惯了学校生活节奏的小李，他以学校养成的生活习惯来对待工作，这是不行的。俗话说："人在职场，身不由己"，一旦你步入职场，就要使自己逐渐适应职场的工作节奏。小李的这种感受在初入职场的毕业生中具有一定的代表性，由于学校和职场的任务、特点不同，在运转节奏上也有较大的差异，要从在学校较慢的节奏中走向职场中的快节奏，需要职场新人积极面对，主动调整，尽快适应。

（一）调整好心态

面对新的环境、快节奏的职场生活，每一个职场新人都会有不同程度的不适应，要度过这种不适应期还得靠自己。如果不能尽快地走出这个让疲惫的心理期的话，适应和磨合的时间就会越长，越不利于自我的发展。职场新人首先要调整好自己的心态，在进入一个全新的职场领域后，首先要明确自己已经是一名员工而不是学生，自己面对的是职场而不是学校，认清职场的工作节奏与学校学习生活的节奏是有区别的，要随时提醒自己不要总是生活于过去的节奏中，要主动去适应职场的工作节奏，以满腔的热情面对新的工作，把刚开始的职场生活当成一种体验和学习的过程。

（二）学会安排工作

对于要完成的工作，不妨先给其排队。公司要你做什么？你能做什么？你要对什么任务负责，要向谁汇报？列个清单可能更为直观。这是你和工作磨合的过程，所以给工作任务分类、分级别是很重要的。排好队后，在实际进展中工作就有组织、有安排、有序地推进，这将让个人迅速摆脱入职后迷茫的状态。

（三）加强自我暗示

从心理学角度来讲，所谓暗示是指通过人体的语言、行为、心理或是环境的特殊语言，对人们的心理和行为产生影响的过程。自我暗示来源于人体自身，即自己把某种观念暗示给自己。

在工作进行时，要经常提醒自己：我在上班，我需要快，尽快完成手头的工作。这既是在提醒自己，又是对自己的暗示和鼓励。有了这种积极的暗示，我们就能给自己以动力，促使自己尽快完成工作。

（四）向不良生活节律宣战

要尽快适应新的工作节奏，还要向在学习期间养成的不良生活节律宣战。较快的生活节奏和高效率的工作，不仅给新老板、新同事好的印象，本身的效率也会缓解工作交接和适应过程的压力。而许多刚入职的大学毕业生却经常因为娱乐过度和学习计划失衡而生活在另外的时区，缺乏一定的时间管理能力，时间管理能力也是工作效率的有机成分，还会对职业心态产生影响。因此，我们要努力挑战一下自己性格的弱点，让生活规律一些，再规律一些，逐渐改变不良的生活习惯和慢节奏的行为方式，以高效率的节奏去适应职业生活。

第二节　职场人际关系的适应

人际关系是人与人之间心理上的关系和心理上的距离，是以一定的群体为背景，在互相交往的基础上，经过认识的调节、感情的体验、行为的交往等手段而形成的，是人们长期交往的结果。

作为职业人，要与很多人发生各种各样的关系。尤其是在业务上、交际上的活动较多，与同事之间、领导之间的交往频繁，人际关系就显得更为重要了。职场上流传着"三分做事，七分做人"的说法，可见职场中的人际关系是十分重要的。和谐的人际关系可以尽快地消除陌生感和孤独感，可以创造良好的工作环境，使人工作顺心，提高效率；可以营造一个宽松的生活环境，使人生活愉快，心理健康；可以增进团结，有利于集体，有益于事业。因此，良好、和谐的人际关系对于高职大学毕业生的职业发展和自身发展都有非常重要的意义。

在你为自己融入一个集体而奋力争取的进程当中，千万别忽略了从三种角色身上巧取

"印象分"。他们是企业"一把手"、顶头上司和你的同事。也就是说，你的前程建立在和谐的人际关系上。如何才能建立和谐的人际关系呢？

一、敢于并善于与"一把手"共舞

古人云："伴君如伴虎。"但这只是一种包含政治层面的解释，它与大多数企业"一把手"的地位根本不搭界。因为现代企业的"一把手"，大多数是投资人、大股东、职业经理人之类，他们虽然掌控着企业经济的生杀大权，但他们心里比谁都清楚，人才就是生产力，所以他们没有任何理由武断地去埋没一个有前途的新人，断了自己的"才"、"财"两路。任何一个有实力、有潜质的员工都会引起他的密切关注。只要员工对企业尽心尽力，只要员工为企业作出贡献，他们绝不会凭个人的好恶解聘一个员工。

如果新劳动者能主动地和"一把手"形成有效沟通，在"一把手"心里植下好的印象，就等于已经抓住了顺利通过试用期、今后有所作为的"金钥匙"。

新劳动者要想有所作为，就要敢于并善于与"一把手"共舞！

案例

李琳刚到一家广告公司时，和同事们关系相处尚可，但在"一把手"面前就特腼腆，躲之唯恐不及，更谈不上主动搭讪。眼看试用期已经过去一半，工作上没问题，但"一把手"对她的印象居然还是个未知数。她心里有些慌了："签约考核时，我能得到'一把手'的赞成票吗？"

李琳的一个师姐看出了她的心事，一席话点中了命门："你是把董事长当老虎了吧？其实，他是很爱才的，而且比谁都富有人情味，就看你是否让他发现了你。你这样躲着他，他对你一点印象都没有，又怎能叫他老人家对你赋予人情味呢？"

第二天，通过师姐的热心"引见"，李琳把自己业余时间设计的一份广告墨稿面呈"一把手"指点。"一把手"果然如师姐所述那样，对李琳进行悉心指导，态度十分和蔼，李琳先前的不安心理立即打消了。从此，李琳成了"一把手"办公室的"常客"。通过交流与沟通，"一把手"发现了她的设计能力和潜质，加深了对她的印象，不但在试用期满后促成了她与公司签下劳动合同，而且不久后还把她当做骨干使用。

然而，另一名大学毕业生就不善于与"一把手"有效沟通。

案例

刚走出大学校门的王欣是个埋头苦干的主儿。生性内向的他，本来话就不多，应聘到一家企业后，他在陌生的环境里话少到了不能再少。每天早早地去上班，晚上又自觉加班到深夜，全身心投入到工作中，任劳任怨。领导说什么，他就立即执行，从不抬杠。但就是有一弱点，一见领导，就像小偷一样避而远之，跟领导说话就脸红。这个老实巴交的王欣，在度过三个月的试用期后，并没有因为其苦干而顺理成章地被企业正式录用。有些同事为他所受的不公感到愤愤不平，人力资源部门负责人却说，他的工作并没有得到他的领导的认可，要不为什么迄今为止，领导还不知王欣是谁呢？

刚到新集体，李琳和王欣一样，都是"怵"老板的，可是后来，两个人的命运出现了反差。李琳在师姐的帮助下，成了"一把手"办公室的"常客"，使"一把手"能直接发现她身上的潜质。这样，她就从"一把手"那里得到了应有的"印象分"。第二个例子中的王欣则不然，他整个试用期里都只把自己当做服从的工具，虽然"埋头苦干"，但一见领导就像见"老虎"一般，"脸红"不已，"避而远之"，如此表现，怎能让老板记得起他的身边还有这么一位默默无闻的员工？

那么，高职大学生应如何获取"一把手"的好印象？

第一，学会察言观色。在一个团队里，"一把手"总是最神秘的。他心里想什么，并不会告诉每一个下属，但他心里的喜怒哀乐却往往自觉不自觉地表露在面部表情上。如果你在"一把手"心情不好的时候不是火上加油，而是雪中送炭，使其转忧为安，或转怒为喜，你就能给"一把手"留下好的印象。

第二，突出自己的一个优点。即使你的能量再大，初到一个团队，也不可能一下子就把自己的全部能量统统释放出来让所有的人都对你刮目相看。但在规定的几个月试用期内，足够让你展示某一种突出的优点，以此获得"一把手"的好印象。如每逢周末让"一把手"常常能看到你在办公室进行业务技能自练的身影。又如下班后你总是能让自己所在的办公区整洁如镜等。这些习惯虽然很细微，但却很容易打动领导，并被领导树为员工的楷模，而且这种楷模对他人无利益之害，不会讨人嫉妒。

第三，尽可能地暗助领导一臂之力。人无完人，即使是团队中地位"至高无上"的"一把手"，有其优势也会有其弱势。如果你能发挥自己的优势，不声不响地为"一把手"分忧解难，又不贪图己功，"一把手"还会把你当做微不足道的无名小卒吗？不过，需要补充的是，在技术上暗助"一把手"时，一定要注意成功率和把握性。如果不注意成功率和把握性，非但助不了"一把手"，弄不好还会给自己带来负面影响。

二、给你顶头上司留下好印象

县官不如现管。用这句话来形容顶头上司对新人在试用期里的评价所起的作用再恰当不过。给你的主管留下好的印象，这可不是像在企业最高领导人面前那样"表现一下"那么简单。作为部门领导，他有责任安排和监督你的工作，因此他也就成了你完成工作的态度与质量的第一见证人和评判人。对于新人而言，安全通过试用期，主管的票是含金量最高的一票。如果你给他留下了不好的印象，以致他在关键时刻投了你的反对票，那一定会是最致命的一票!

 案例

　　莎莎的自述:被一家公司录用后,在三个月的试用期里,每天提前半小时到达办公室干杂活,其他活儿还好说,费力不费脑,可给顶头上司整理办公桌就没那么容易了,既要做到不打乱领导的习惯,又要做到由杂乱到有序。

　　开始,动不动就见到领导的"雷霆"之威,不是文件找不到,就是资料不见了。我便弹簧般地冲到领导面前,边努力回忆着,边乱翻着刚整理好的文件堆。

　　当然,最后会以好不容易找到东西和上司的一通"结案陈词"为结束。我甚至为此患了"幻听症",总觉得有人在叫自己的名字……

　　还好,到试用期考核时,我的那颗忐忑不安的心总算可以放下来了。因为就是这个平常看上去老气横秋的顶头上司,在关键时刻为我"美言"几句很有分量的话,使我有了与公司签订为期五年的劳动合同的机会。现在我要考虑的是,该请老人家去哪家饭馆"海吃海喝"一顿了。

　　案例中主人公莎莎以风趣的语言,以"雷霆"引"幻听症",再从"美言"到"海吃海喝",给我们展示了一个极难伺候的顶头上司的刻薄形象。在这样的顶头上司的麾下工作,简直就是"受罪"。就在她几近"崩溃"之际,迎来了试用期考核的关键时刻,正是顶头上司的"几句很有分量"的话,成全了她的也许是影响一生的大事,原因就在于莎莎在受"折磨"的时候,能摆正自己的心态和位置,一丝不苟地对待"以杂活为业"的工作。这样的新人如果不能给顶头上司留下好印象,什么人能给他留下好印象呢?

　　另一方面,这个例子也暗示我们:新人是人,顶头上司也是人,人都是有感情的,在心里也都是有好坏之分的。上司对新人的"霸道"态度,那是他所处的地位引致的一种官位表象,剥开这种官位表象,是人类共有的真实情感。正所谓精诚所至,金石为开。只要努力,终有所获。

　　高职大学生要给顶头上司留下好印象,应注意以下几点。

　　第一,你把上司所有的优缺点都相加起来,然后与自己进行一下比较,可能会发现自己只是有个别地方能超过他,其他方面都不如他。在这样的前提下,你再换个角度设身处地想想,如果你是上司,对方是员工,你又会怎样呢?上司在你面前摆摆架子,对新人"发号施令"也好,"雷霆之威"也罢,那都是因为他所在的职位所致,丝毫不影响他对你的观察和判断。你完全不必谨小慎微,杞人忧天。新人应该端正自己的态度,用平凡心看待自己的上司。尝试与他接触,在接触中带着谦逊的态度,努力把自己比较突出的一面展示出来,以期达到影响上司的效果。

　　第二,养成在上司面前多请教、少争辩的习惯。谁都知道,能当上领导的,不论职位大小,都有一定的才能。尤其是那些能被团队"一把手"提拔为部门主管的人,在技术、能

力上都有其过人之处。此外，他们丰富的工作经验和为人处世的方略也值得人们学习和借鉴。新人被团队分配到一个部门，绝不能回避和部门主管打交道，要多向主管虚心请教，并巧妙地流露出些许对他的崇拜感；不要不懂装懂，或者刚刚有一点成绩就急于贪功；要练就把荣耀归于主管的涵养。这样，主管对你的印象分就会提升。试用期中，你的工作、学习态度，进步情况，在很大程度上取决于主管对你的评价。有了主管的支持，还怕度不过试用期吗？

第三，多思考、少冒进。试用期既是考验自己的机会，也是展示自我的舞台。能大胆展示自己这当然好，但凡事有个度。比如，在主管面前，你就要学会循序渐进，切不可过犹不及、锋芒毕露。如果主管问你目标是什么？你就要多思考、少冒进地作答。从一般人的心态而言，主管最爱听的是："您要是能培养我，我一定成为您手下最称职的员工。"倘若你天花乱坠地大谈职场理想，将来要当重磅人才之类，那么，你的"勃勃野心"很可能就会被主管装进"小鞋"中，请你试试脚。到试用期满时，你都不知道自己是怎样被人"炒"掉的。

三、与同事建立良好的人际关系

很多新人初到团队时，都会有一种跃跃欲试的感觉，但必须清楚：在试用期里，对你表现具有否决权的绝不仅仅是领导层，还有团队里与你共事的每一位员工。亦即是说，不但要给领导层留下好印象，也要给团队里的同事留下好印象。

在同事当中的好印象也叫"有人缘"。人缘好的新人身上会散发出一种神奇的和谐魅力，这种魅力尽管不像好领导那般具有凝聚力，但就凭着这种魅力，已经把自己自觉不自觉地融入整个团队里了，叫群众投你的反对票都难！

然而更多的团队，领导和员工并非一条心。新人介于这中间，究竟该怎样做，才能既获得领导的好感，又能获得群众的好评呢？

案例

小艾，一位尚处于试用期的女孩，一开始"人缘"还不错。可是没多久，她便发现办公室只要主管不在，打私人电话的、上网聊天的、看小说的比比皆是，心里觉得别扭。于是，她有两次悄悄打电话向主管汇报这种情况，并好心地建议公司安装摄像头，监督员工工作。

主管淡淡地回了一句："这种情况我早就略知一二了。"小艾听了一头雾水。

后来小艾发现，自己的"合理化建议"不但没有得到公司的采纳，而且主管对她的态度也不像以前那样热情。小艾心想，既然大家都如此，我何不随大溜去？

于是她渐渐地放松了自己，学会了阳奉阴违，和其他员工一样，在主管不在时干脆趴在桌子上呼呼大睡。这样经过几次以后，正逢试用期考核，结果大大出乎她的意料：领导层对她评价一般，部门的同事也没人投她的票。

小艾心里很不服气，找主管问明缘由。主管再一次淡淡地回答："公司是考核你们新人，而不是其他人。至于你说的那种情况，你现在回办公区看看还有没有？"小艾回到办公室看时才大吃一惊：原来那些对企业缺乏忠诚的新老员工统统被责令"卷铺盖"了。

小艾临走时，又获得了一条新信息：原来公司早在办公区安装了一个"活探头"，那就是"混"在员工中的董事长的堂弟。

作为新劳动者，小艾本来还是有积极向上的意识的，但这种向上根基并不牢固，经不起推敲，存在很大的变数。主要表现在当她的"合理化建议"不被采纳时，一种失落感导致了她对公司的忠诚发生了 180°大转变。这样的新人在团队里怎么能经得住考验呢？

当然，从小艾身上也反映出：一些新人对自己如何融入团队的技巧有所缺失。她本来还是有人缘的，为什么这种人缘到后来化成了人人对她都没好印象了呢？原因有两点：一是打小报告。打小报告的行为一向是让人反感的，小艾恰恰犯了这个忌，而且告的是整个办公室的群众，自然会引起众人的义愤。二是放松了对自己的严格要求。当她发现领导对如此涣散的纪律没有进行整改时，她选择了随大溜。这种意志不坚定的新人不但得不到领导的赏识，而且同样不会得到众人的欢迎。

高职大学生与同事建立良好的人缘关系，需要注意以下几点。

第一，要尊重所有的同事。一个新劳动者要被一个群体接受，可不像被一个人接受那么简单。团队有多少人就有多少双陌生的眼睛盯着你。这些盯着你的人就是你日后要共事的同事。尽管他们情志各异，心态也各异，但无论是谁，如果你能尊重身边的每一个人，你就会有良好的人际关系基础。即使你有令人羡慕的学历，但这并不是你高高在上的资本。如果你满足于以此为资本而不尊重身边的同事，那么身边的同事就更不会尊重你，你的一些缺点就会在大家日常的谈笑中被无形扩大。例如，有一位大学生入厂后，以知识渊博自居，终日足不出户，闭门造车。一天正绘制一机械图，一位师傅默默审视良久，说："这图的某部位好像不对。"他一听便火了："我学过，我是从书本上学来的！"师傅说："我没上过大学，可机械我摸了几十年，我觉得……"他反讥道："那你怎么没考上大学？"此事传出，全厂哗然。从此，再也无人给他提意见。一年后，他郁郁地被"调"出了厂。

第二，合理地展示才能。试用嘛，就是要让你充分展示自己，在展示的同时，争取赢得大家的好评。所以，新人应学会在同事面前合理地展示自己的才能，以赢得大家的认可。但别忘了，一个人的知识毕竟有限，如果你只顾展示，却不注意展示的尺度，那就是哗众取宠，哗众取宠的人是不可能留给集体好印象的。

第三，让自己勤快起来。打扫办公室卫生、整理报纸架、擦洗计算机、倒纸篓、接听电话等这些工作以外的辅助性工作，应主动去做，并逐渐养成习惯。这不但能让自己勤快起来，而且你在团队同事中的人气也会得到急剧飙升。

第四，改掉不合群的坏毛病。有些新人来自高等学府，容易自以为是，瞧不起别人。

回答问话时往往显出不耐烦的神情；即使求助于别人，也爱摆出一副似乎胸有成竹的架势，好像在考人家。这些表现如果不及时克服，新人必将处于被孤立的境地，肯定不会给群众留下好印象。

第五，向资深员工致敬。①不要与资深员工斗心眼，虚心向资深员工请教。不要视资深员工为思想陈腐的一族，更不要以为年轻就是资本，因为"他们的工龄比你走的路还长"，"他们经历的经验教训比你读的书还多"。他们身上确实有很多值得新人好好学习与看齐的优点。虚心地向资深员工请教，并从他们不同角度的思考与判断能力中找到共同点，如此无论是对资深员工还是对新人都会形成一种潜在的激励。②善借有真本领的资深员工的力量。现在很多团队十分注重数字化绩效管理，而绩效考评直接交给在技能上素有"师爷"级别的资深员工。由此，资深员工手里很可能就掌握了新人试用期的"生杀"大权。如果新人能充分利用"人和"的微妙定律，与资深员工和睦相处，并能适度地捧一捧资深员工，博得资深员工的欢心，那么资深员工就会自觉地把你视为他身边难得的助手，其他事宜也就不用操心。因为资深员工最大的成就感莫过于自己能为团队培养一个爱徒，既然你已是他的爱徒，他有什么理由在考评时不为你的"转正"事宜奋力一争呢？

思考与练习

1. 高职毕业生应怎样完成角色的转变？

2. 你对职场环境有所了解吗？你打算怎样去适应职场环境？

3. 面对即将开始的职业生活，你准备怎样去调整自己的生活习惯？

第 十 章

高职大学生创业

面对严峻的就业形势，大学生特别是高职大学生创业越来越成为人们关注的热点。高职大学生在毕业前后要充分了解国内大学生创业形势和创业政策，通过对大学生创业活动和大学生创业现状分析，把握大学生创业的走向。毕业后可以迅速走向市场，及时抓住机会找到自己的项目，进行创业。

第一节　高职大学生创业环境

一、大学生创业的含义

（一）什么是创业

"业"的内涵是"职业"、"产业"、"基业"三个基本范畴。而职业仅仅是其中的一部分。创业不仅局限于职业，还包括其他两业，不过与职业关系最大。为了说清当代人创业的方方面面，我们把它结合起来，从不同的角度去定义。

1. 工作岗位或岗位群

从人们在物质和精神生产中所处的位置角度看，从事某种行业里的"业"是指那些已由别人创立出来的性质相同或相近的工作岗位或岗位群。这些岗位或岗位群就是每一个占据它们的人的"业"。有了这个业，就开始了人生的奋斗，成功了也就创了"业"。还有一少部分人从谋生开始，自己当老板，我们把他们叫"独立创业"或"自主创业"。

经过几千年的发展，人们从事的职业由最初几种发展到几千种，而职业的存在和发展有它的历史性和地域性。例如，我国的"炼丹术"业曾经风行几千年，现在已经完全消亡。一些新的职业以惊人的速度发展，如手机修理行业。随着科技的发展，当随着手机不再昂贵时，此业也将消失。

职业是从无到有，从少到多发展变化的，所以业是靠那些有头脑、有创意、有资金、有勇气或什么都没有但为生存所逼迫的人创出来的。所以，凡是依靠自身力量，创造、创设和创新某种事业或职业岗位就叫创业。

2. 创业层次

人们通常把创业分为三个层次。①开创新的职业。这是最高层次的创业。②创建就业岗位。③创造辉煌业绩。

3. 创业的意义

第一，创业是时代发展的需要。

第二，创业是经济发展的必然要求。

第三，创业是自身发展的需要。

（二）大学生创业的定义

大学生为实现自我发展的需要，用其现有资源和自身能力，在经济环境中寻找并把握创业的机会来创建企业或产业，以实现自我价值、经济价值和社会价值的过程叫大学生创业。

大学生自主创业是必然趋势。现在社会的就业形势比较紧张，大学生自主创业不仅可以解决自己的就业问题，也可以为社会提供一些就业机会。最近几年，国家为鼓励大学生自主创业，出台了一系列优惠政策，社会各方面也为大学生创业大开绿灯，这也可以看出大学生自主创业已受到社会的认可。

二、创业的重要意义

（一）中国人口的负担呼唤创业

据 2005 年 1 月份统计，我国内地人口总数约 13 亿人（不包括港、澳、台三个地区的人口），预计未来 20 年 16 岁以上人口将以平均每年增长 550 万人的规模增长，到 2020 年劳动年龄人口总规模将达到 9.4 亿。从 2000 年以来，就业形势的严峻让人们感到危机，国家忧虑。所以，扩大就业实现充分就业是全面建设社会主义、提高人民收入和生活水平的根本保证。扩大就业是化解劳动者流动频繁带来的压力，保证社会稳定的基础。只有引导、鼓励人们自谋职业、自主创业，创业的人多了，经济发展了，就业问题才能得到根本解决。

（二）中国人力资源开发的重要目的是为了创业

中国人力资源开发的空间大，一旦开发取得良好效果，世上无人可比。《中国教育与人力资源问题的报告》的资料显示，我国 15 岁以上国民受教育年限仅为 7.85 年，25 岁以上的国民受教育年限为 7.42 年。两项平均仍不到初中二年级的水平，与美国 100 年前的水平相仿。专家们在报告中指出，我国国民教育年限的差距主要表现在接受高层次教育和初中以下教育的人口过多。因此，当前国家开发人力资源的重要手段是政府加大对教育的投入力度，全面实施九年义务教育制度，大力发展高中阶段教育和高等教育，从精英教育走向大众化教育。但最终目的是提高人口质量和素质，培养创造和创新人才，壮大事业，增强综合国力，实现民族振兴。

（三）创业是民族振兴的必由之路

改革开放以来，一大批有志之士投入创业大潮中。事实证明要民族振兴就必须创业，特别是高科技领域的创业。

三、高职大学生创业的类型

高职大学生创业的类型可以从创业时间、创业目的、创业主体、创业起点、创业投资资源、企业制度创新等几方面来划分。

（一）高职大学生创业从创业时间上分

可分为在校创业、休学创业、毕业即创业、毕业后创业或深造再创业。

1. 在校创业

这是指大学生在校期间，在学习的同时进行创业。在校创业的优点是可以在学习的同时从事社会实践活动，这一方面可以使大学生把书本知识结合创业需要转化为商业资源，同时创业活动也为大学生的学习提供了生动的素材，可以进一步指导大学生将理论与实际相结合。在校创业活动是大学生联系社会的直接桥梁和纽带。

但是这种创业形式也有一定缺陷。如可能会出现学习和创业两者难以兼顾的情况。大学生在校毕竟应以学业为主，如果投入过多的精力去创业，可能会导致学业荒废。另外，高职大学生大部分没有足够的经验，如果直接走出校园，面对复杂多变的社会环境和市场环境，一方面其创业点子不一定符合社会需求或市场需求；另一方面由于高职大学生普遍缺乏社会经验，面对鱼龙混杂的社会环境时也会遇到重重困难，甚至带来不堪设想的后果。

2. 休学创业

这是指为了全身心地投入创业活动而向学校申请休学。国家高等教育对大学生创业活动给予了极大支持。1999年，清华大学推出政策，允许在校大学生休学创业；2001年，教育部关于贯彻落实中共中央、国务院《关于加强技术创新、发展高科技、实现产业化的决定》的若干意见的新政策，明确规定：大学生、研究生（包括硕士生、博士生）可以休学保留学籍创办高新技术企业。一般休学期限为一年。

休学创业的优点是可以使大学生集中精力从事创业活动，尤其是对转瞬即逝和非常难得的创业机会，如果不集中精力关注创业，则会浪费创业机会甚至导致创业失败。休学创业就可以避免因为要兼顾学业和创业所带来的时间与精力冲突。但休学创业也有与在校创业类似的缺陷，即大学生缺乏社会的历练，可能导致其在创业的过程中遇到许多不必要的麻烦。另外，休学创业也可能使学业荒废。

3. 毕业即创业

这是目前国家政策积极提倡的创业形式。它相当于一种特殊的"就业"方式，即自己创立企业为自己打工。由于我国高校招生规模的扩大，社会所创造的就业机会又相对有限，大学生就业难已经成为社会普遍关注的问题。因此，通过"创业"这种特殊的"就业"方式，不仅可以解决大学生就业难的问题，而且对于优化我国经济结构，提高我国经济实力，加快我国技术创新和技术进步，为国家创造更多的国民财富等方面都有极大的价值。

4. 毕业后创业

这也是非常普遍的创业形式。有创业理想的大学生，可能在校或刚毕业时因为各种条件欠缺，选择先就业后创业的创业形式。先在工作过程中注重培养和锻炼自己的创业能力，并注意在工作中发现商机和创业项目，在拥有一定的社会阅历和社会经验后再进行创业。一般来说，毕业后创业相对于前三种创业形式来说，成功几率大些。但对许多创业机会，因为其存在期限较短，所谓"机不可失，时不再来"，毕业创业或毕业后创业可能会使创业者丧失一些创业机会，错过最佳创业时机。

5. 深造再创业

知识经济时代应当是知识英雄时代，也是"知本家"们的时代，知识越来越成为社会发展的主导因素，新的经济增长点往往产生于高新技术领域。高校毕业生掌握现代科技文化知识且能熟练运用获取信息的工具，他们的创业活动对于提高国民经济素质具有重要的意义。目前，在我国大学生中持续出现出国留学、考研热，也反映了大学生面对竞争激烈的人才市场，意识到能量储备对未来竞争的意义。在创业大军中，硕士生、博士生特别是出国留学回国创业的学生，他们创业的起点高、素质高、科技含量高，创造了巨大的社会价值。

为了吸引海外留学人员回国创业，党和国家制定了一系列正确的工作方针，出台了诸多吸引人才的政策。教育部、中科院、科技部等还推出了许多吸引留学生回国的措施。目前我国已基本构建了留学生回国人员工作服务体系，人事部设立留学生人员与专家处为留学生人员与专家回国创业、报效祖国服务。

(二)依照创业目的来划分

可以分为生存型创业和机会型创业。

1. 生存型创业

这是指大学毕业生迫于生存压力，不得不自己开一家小店、办一家小厂等走上创业的路。随着就业形势的越来越困难，刚毕业的大学生找不到工作，为谋生只有进行生存型创业。这种创业一般只局限于商业贸易、餐饮等服务行业。

2. 机会型创业

这是为了寻求更好的发展机会或寻求更多的财富而进行的创业。这种创业者一般会有自己的知识产权。一些自我意识很强的学生，选择创业是为了通过这一途径来证明自己的能力。创业可以有一个空间来发挥、实现自我价值，得到认可。我国机会型的创业少于生存型的创业。

（三）按创业主体不同分类

可以分为独立创业、公司内部员工创业。

1. 独立创业

这是指由个人或几个人组成的创业团队，创建一个从无到有的新企业的创业过程。经济的全球化使得科学技术的传播速度加快，技术的应用周期缩短，从而使技术更替频率高。新情况下，只要拥有吸引人的创业项目就可以进行创业。因此，独立创业在现在社会已经成为一种普遍的社会现象。

2. 公司内部员工创业

这是在公司的支持下，由具有创业愿望的员工创办的、由员工和企业共担风险、共享成果的企业的创业过程。这种创业机制的出现由以下几个原因造成。一是随着经济的发展，人们的需求不断变化，尤其是企业内部优秀员工，其需要层次已经到了"自我实现"的层次，因此很多优秀的企业人才有创业的意向。二是现代化社会人力资本已经作为企业的重要财富和资本，甚至是企业得以生存和维持其竞争力的核心，许多企业非常关注的问题。

（四）按创业起点分类

可以分为建立新企业和再创业。创建新企业是建立一个从无到有的新企业组织的过程。它既包括创业者独立创建新企业，也包括在原有企业的基础上创建一个相对独立的企业。再创业是指原有企业由于产品、技术、管理、资金或企业组织体系等方面的问题导致经营失败，而进行"二次创业"。

此外，按创业企业投入资源的不同，高职大学生创业活动主要有人力资源转移型、技术转移型、直接投资型；按企业制度创新层次划分，可以分为基于产品层次的创业、营销层次的创业和组织管理层次的创业。

第二节 高职大学生创业的途径

案例

大学生张浩的创业路

张浩毕业时的 1991 年，大学生工作好找得很，何况他以优异成绩拿到了电子科技大学的双学位，所以毕业后他被分配进了一家上市公司，之后又被选送到日本进修半年，到香港培训 3 个月，月薪拿到 5000 多元——这在当时已经相当高了。

可是 1995 年 8 月，张浩辞职回到了湖南浏阳市洞阳镇生基村的老家当农民，理由是"作为一个青年知识分子，有责任搞高效生态农业的综合开发，有责任改变中国农村的落后面貌"。直接的"导火索"是他在日本的时候，参观一个现代化的农庄，其生产和经营模式深深地触动了他，他想在自己的家乡做实验。

这当然赢得一片反对声。有人甚至认为他是犯错误被开除回来的，当过村支书的老父亲也强烈反对："花上万块钱送你读书就是为了跳龙门，现在倒好，放着好好的大城市工程师不做，跟我来种地。有你哭的时候！"

张浩确实哭过。通过广泛的市场调研，张浩确定了第一个项目：种蔬菜。他贷款 3 万元，加上自己的 7 万元积蓄，承包了村里的 20 亩地，购买了 30 个水泥钢筋大棚及配套设施，办起了一个无公害反季节蔬菜基地。结果，第一年就亏了。第二年虽然小有赢利，但"双抢"时请不到人，30 吨辣椒他和父母及小妹卖了半个多月。第三年他投入 50 万元养猪，正要出栏时又遇上"口蹄疫"……3 年内起早贪黑，辛辛苦苦，最后算下来虽然没亏本，但他很受打击。当初回乡创业是想将千家万户的农民组织起来，共同致富，现在可好，不仅周边农民没有带动起来，自己都快做不下去了。这期间他掉过无数次眼泪。

好在当地政府、团组织对他都非常关心，关键时刻，有关部门送来贷款，张浩自己也用功钻研了有关种养技术。渐渐地，他的大棚蔬菜、养猪等项目都有了效益。1998 年 3 月，他注册成立了长沙市浩博实业有限公司，1999 年成立浏阳市北区养猪协会，后来发展为浏阳市养猪协会，2003 年成立浏阳浩博有机蔬菜合作社。上千农户在张浩的带领下甩掉了"穷帽子"，仅他所在的村，就形成了 170 户养猪专业户，户均增收 9000 多元。公司总资产也达到 1610 万元，成为长沙市的农业龙头企业。张浩先后被评为全国十大杰出农民、湖南十大新闻人物、星火科技带头人等。

谈到大学生到基层创业，张浩认为：大学生创业一是要把自己的人生价值实现与社会需求结合起来。二是要吃得苦，耐得住寂寞。回乡头两年时，他真想回原来的公司去，但还是咬牙挺过来了。而现在很多大学生缺少这种品质。比如有一次，张浩招商务秘书，从一所农业院校里的数十个应聘者中挑了3个。上班的第一天，张浩安排这几个毕业生与工人一起移苗，结果才半天，就有两个给我打电话，"应聘秘书，怎么要与工人一起在田里晒太阳？"三是各级政府和相关部门要给予多方支持。他说，如果当初失败时不是组织扶一把，也许就不会有今天的"浩博"。

张浩大学毕业后，从一家大公司的高薪职位辞职，艰苦创业的故事，说明面向基层，自主创业是创造辉煌人生的一个选择。自主创业的方式方法有哪些呢？创业时应如何经营呢？张浩创业的经历对高职毕业生也具有一定的启示。

一、经商创业

经商办企业的前提：自己开公司和给别人打工不一样，要想获得利润，除了要付出艰苦努力外，还要具备许多条件，当然最重要的是你拥有资源。这将决定你开办企业的组织形式、范围、经营方式等。

（一）开办私营企业的条件

根据有关方面的政策规定，开办私营企业必须具备以下条件：①有符合国家规定的企业名称。企业名称是企业形象的重要内容，有时候企业的名称不仅会给企业带来幸运，而且好的企业名称本身就是一笔无形资产。公司的名称不但要好叫易记有特色，还要符合国家有关法律规定，公司不能使用以下名称：对国家、社会或公共利益有损害的名称；外国（地区）名称；国际组织名称，如红十字、绿色和平；除全国性公司外，公司不得使用"中国"、"中华"等字样。②有与生产经营规模和服务规模相适应的从业人员。③有符合规定并与生产经营范围相适应的注册资金。成立有限责任公司，由50人以下股东出资成立，有限责任公司的注册资本的最低限额是3万元人民币。法律、行政法规对有限责任公司的注册资本的最低限额有较高的规定的，从其规定。股东可以用货币出资，也可以用实物、知识产权、土地使用权等可以用货币估价并可以依法转让的非货币财产作价出资。但法律、行政法规规定的不得作为出资的财产除外。对作为出资的非货币财产应当评估作价有规定的，从其规定。全体股东的货币出资金额不得低于有限责任公司注册资金的30%。④有与经营范围、经营方式相适应的经营场所和设施。⑤有符合国家法律、法规和政策规定的经营范围。⑥有健全的、符合国家规定的财务制度、财会人员，能够独立核算、自负盈亏、独立编制资金平衡表或资产负债表。⑦有与生产规模相适应的管理机构。另外，合伙企业登记时，还应该具备合伙人共同签订的合伙协议书。

（二）如何进行企业登记

根据我国《宪法》规定，申请开办私营企业，必须向所在地工商行政机关办理登记经核准发给营业执照后，才能开始营业。私营企业只有经过登记，才能取得经营的资格。企业登记的主要内容：企业名称、企业负责人姓名、经营地址、企业种类、注册资金、经营范围、经营方式、从业人员和雇工人数等。进行企业登记要经过申请、审查、核发营业执照等步骤。

（三）如何选择经营方式

经营方式是指私营企业经营活动中所采取的方式和方法。经营方式包括来料加工、来样加工、来件装配、自产自销、代购代销、批发和销售、咨询服务。小企业选择经营方式时，要注意以下两个问题：①根据企业的实际能力选择。②多种方式并用。

（四）如何筹资办企业

创办自己的企业，资金是一个必不可少的条件。根据我国法律，只有资金达到一定数量，才可以开办公司。私营企业形式一般分三种：独资企业、合伙企业、有限责任公司。通常有以下几种方式筹集资金：①用自己的存款。②向亲朋好友筹措。③向银行贷款（信用担保贷款、抵押担保贷款）。④租赁。⑤做代销商。有位硅酸盐专业的毕业生，在某市的水泥厂当了几年技术员，后来企业不景气，他凭自己学到的知识和掌握的技术，带了几个工人干起了个体，主要做建筑机械。刚开始办企业，一下子就碰到了资金、经验、关系、市场的问题。他顶着方方面面的压力，一样一样地办，一件一件地解决，逐渐立住了脚，有了点小名气。后来他又大胆地打开了西北市场，产品质量有保证，售后服务及时，形成了自己的一套企业风格。现在是生产、开发、销售自成系统，企业资产从当初的几千元发展到现在的上千万元。

（五）怎样办好自己的企业

经营要有特色，形成自己的风格，才能在你争我夺的商界争得一席之地。以诚待客的经营理念效果确实甚好，已广为商界应用。如日本的"美津浓"已成为运动用品的代名词，日本男女老幼都知道。该公司出产的产品，附有一张条子，上面写着："这种运动衣是使用最优秀的染料，用最好的技术漂染的。但我们觉得遗憾的是茶色的染色还没有达到完全不褪色的境界。"由于把商品的缺点毫不隐瞒地给消费者说明了，给人一种诚实感，大家反而对该公司信任，无形中给美津浓作了广告宣传。企业经营应遵循八条原则：①财务控管要精确，以免周转不灵，甚至倒闭的情形出现。②平时要留意账簿变化的情形，什么时候是超支？什么时候是赢余？什么时候是收支平衡？探讨财务发生变化的原因。追求利益是最大的课题，不可盲目扩充，也不可太保守。③随时评估市场，以拟定价格策略。避免无谓的竞争，以免伤害自己。④拟订企业的短、中、长期发展目标和计划，按部就班地进行，不可好高骛远。⑤做好员工的培训，充实工作职能，并时时考核，挖掘优秀人才加以培养，使其能承担重任。⑥各部门主管应充实专业知识，担当好主管角色，加强组织统御能力，使员工都能心悦诚服地接受领导，乐意为企业效力。⑦服务人员态度一定要热忱、积极，博得顾客好感，创造业绩。⑧对于店面地段的选择、店内的装潢、何种年龄的人为消费对象、用何种销售手段吸引顾客最有效、存货量等都需要规划。

（六）几种商战技巧

①消费心理。追求欲望、追求健康、追求虚荣、追求兴趣、追求稀有、追求便利、追求完美等。抓住消费者的心理，是生意成功之道。针对以上所提，就有许多商机。创业之前应了解消费者想要什么，你要满足他的什么需求，以此选择开创的业种，再充实有关该业的知识，妥善规划，那么成功必然指日可待。②销售产品的时机。顾客仔细看商品时、突然抬头时（决定购买、决定不买、犹豫不决）、驻足观看时、触摸商品时、寻找时。除此之外，销售人员亲切的态度，热忱的服务精神，丰富的商品知识，站在消费者的立场上为其着想的关怀，都是促使销售成功的关键，不可等闲视之。③促销的技巧。宣传、销售特色、有奖销售等。据说多年前，有两位销售人员到某一海岛上推销鞋子，其中一位见到海岛上的人都光着脚不穿鞋，转身就搭船回去了，他认为这里没有市场。另一位则欣喜若狂，他留下来开始创办培训班讲解穿鞋的好处，并进行试穿，后来岛上的男女老少都乐意买鞋穿，这名推销员不仅为公司赢得了客户，自己也发了财。再如推销茶叶蛋，有人问先生吃茶叶蛋吗？一般行人回答不吃。也有人这样问，先生，您吃几个茶叶蛋？由于借助了认同作用，往往得到的是买蛋的回答。

（七）怎样发展自己的企业

一般情况下，私营企业在发展到一定规模时，小老板会不满足于现状。的确，如果企业永远保持现状的规模，小企业永远是小企业，小老板永远是小老板，没有谁会安心如此。因而他们试着拓展自己的事业，尝试着新的成功。私营企业的合并是指两个或两个以上独立承担民事责任的企业为了生产经营或竞争的需要，在双方自愿的基础上合并为一家企业。其中，双方企业都消灭而成立一家新企业，称为消灭或合并；如果合并后一方仍存在，另一方消灭，称为存续式合并，即我们平时所说的兼并。通过合并，企业可以扩大规模，资金、设备、场地都有所增加，但也必须承担企业的债务。在某私营企业园，我们了解到几家小阀门厂合并成为一家公司，过去产品单一不成系列、技术力量薄弱、装机设备不配套，甚至为争市场你抢我夺，结果渔翁得利。现在结盟组成新的公司，竞争力强，率先在西部大开发中抢滩登陆。购买现成的企业是指购买他人想要出售的企业。购买这样的企业无须承担任何债务，实际是购买出售企业的场地、设备。购买企业可以省去一笔开办企业的费用，但应调查企业出售的原因以及经营状况，是否有发展前景，赢利的可能有多大，发展的机会多不多，然后再决定是否购买。某房地产开发商，在开发中购买了一家市场前景较好的倒闭企业，他将废旧厂房、设备处理后，清理好地皮进行住宅楼开发，还将临街的办公楼改造扩建成为一家星级大酒店，真是一举两得。

二、小本创业

（一）小本创业意义大

大多创业者，起初并没有太多的本钱，一般都是从小本生意、小打小闹开始的。

小故事

> 某老板大学刚毕业时常因找不到工作而烦恼，几经周折，最后下决心，自己创业。凑了100元作本钱在浙江与江苏之间跑服装，仅留够了往返的车票钱，其余全进了货。由于进货有特色，转手就尝到了甜头。自那以后他的生意就像万花筒一样，一变一个样，非常红火。

这位老板成功的故事告诉我们，在创业前，到底应开办怎样的事业非常重要。如果选择不当，赔了本钱，就很难东山再起。无论经营什么生意，都要准确定位，应尽量建立特色，不致让自己的生意在五花八门的行业中给淹没，努力在市场的夹缝中生存、发展。据估计，美国平均每11秒就有一家家庭公司进入营业。美国每年都有数万家公司因资不抵债而申请破产保护。但在过去的几年里，美国95％的家庭企业得以生存，仅有5％的家庭企业被迫关门。据企业研究机构认为，在过去几年里，家庭公司的成功率为85％，而普通常规小公司的成功率仅有20％。有专家认为，小企业实际上是美国的立国之本。美国是靠农业起家的，而农业也是以家庭为基础的小型企业。但要开办无论多么小的企业和做生意，资金、客户和技术人才这三者都是必备的。美国有较好的商业环境，注册容易，管理宽松。小企业资金来源，一靠个人存款，二靠亲友集资，三靠银行贷款，四靠政府小企业优惠计划。例如，某男士有理发的专长，为一家公司干了几年后有了点积蓄想开自己的公司，由于技术娴熟，又有一定管理经验和一些可靠的客户，自办一家美容美发企业已具备了良好的基础条件，则亲友乐于投资帮助，银行乐于提供贷款。

瑞士企业界人士说："瑞士船小不到大海中去同别国的大船相争捕鱼，而是在小河捕大鱼。"这就是瑞士小企业能在国际市场占有一席之地赖以生存之道。

在市场经济框架的整体运行中，大企业与中小企业的关系具有双重内容和含义：从社会占有角度看，它们是分工协作、相互配合的关系。值得注意的是，恰恰是为数众多的中小企业构成了国民经济的重要组成部分。这是因为绝大多数的资本是由小资本积累起来的，绝大多数的大型企业是由中小型企业成长起来的。中小企业是大企业的"胎盘"。中小型企业是扩大就业的主要基地，是繁荣市场、方便居民生活的重要保障，是大企业发展的重要依托，是技术创新的重要源泉，是青年人创业的重要场所。在一般情况下，中小型企业的"出生率"远高于破产率,其再生率和转型率也相对要高,这是形成一个国家资本流动及其合理配置的重要因素。一般来说,小本创业具有以下特点和优势:①所需资金数量小,投资少,见效快。②生产成本低,应变能力强。③产品在价格和销售等方面具有竞争力。④消化新技术快,转产迅速灵活。

(二)小本创业项目的选择

选对行业是创业成功的第一步。如果某一领域市场供大于求,则不能盲目投资到此领域;要考虑自身的能力,倘若自己对某个领域一无所知或知之甚少,也不要盲目投资。决定投资前,要先做市场调查。选择可以得到政府部门优待照顾的行业,如科技养殖、资源开发、出口创汇,以及有助于残疾人就业的小企业;选择在经济落后地区进行投资,可享受某些优惠政策;选择"冷门"行业等。一句话,既要量力而行,又要寻找发展潜力。

根据我国有关的法律法规,私营企业可以在国家法律、法规和政策规定的范围内从事工业建筑业、交通运输业、商业、饮食业、服务业、修理业和科技咨询业等,还可以从事文化艺术、旅馆以及体育、医药、养殖等行业。一些允许私营企业经营的特种行业,如旅店业、旧货业等,因为与一般的工商企业经营范围或经营方式的不同,需要在公安部门备案登记。以下项目及经营建议可供你创业时参考。

1. 农家土布

在西安长安县的许多村子里农家土布热悄然兴起,这种面料上市后,立即受到都市人的欢迎。市场上一条土布床单一般能卖到四五十元。长安县的农民看准这一行情,将传统的织布手艺发挥出来,他们以每千克12~20元的价格从市场上购回各色纯棉线,村里老人和姑娘,都争着上机织起五颜六色的土布来。在他们手中,这些色彩各异的棉线变成了花格子棉布、彩色的床单。纯棉布料,结实耐用,且图案变化多端,在市场上根本不愁销路。一些濒临失传的传统色织、染织工艺也焕发出了新的生机。

经营思路:自己率先在一些做得好的农家进行参观学习,然后再到一些大的现代化织布厂去了解,看其整个工艺流程及生产方法,使自己在这个门道中,从一个门外汉变成内行;在资金不充裕的条件下,先考察并选择一个较为偏僻的山区,发动那里的人们在农闲或空余时间里织布,他们提供图样和棉线,根据各自的加工能力,在每家象征性地交了押金后把这些原料领回家;在一定期限内再去收取,按质论价,给其相应的加工费。

2. 民族服装店

这个项目是售卖各种用土布加工而成的民族服装,即用土布的一些余料进行加工,做成服装,开设民族服装专卖店。在资金较为宽裕时,可与前一项相结合,做成产供销配套。若资金有限,则只需办一家小型服装加工厂和租一间门面经营。

经营思路:因为有民族特色的服装适应范围广,对于流行趋势来说,其反应也不会太敏感,对时髦的女装,款式是第一诉求点,尤其是在较小的服装店,对品质与价格,消费者都会要求在一个较低的水平。因此，这类服装应越土越好，越有味道。取其价格低廉，但质量要有保证。对于个性男装，由于逛街的男性比女性少得多，他们一般会选择百货公司或专卖店，进一般的小店淘衣的通常只有两种人：追求个性者和渴求廉价者。追求个性的男性会比较舍得花钱，因此定位于个性男装只需考虑如何在前卫与实用之间找到一个中庸的流行点；对于儿童系列，随着人们生活质量的提高，儿童服装以全棉、全麻、真丝为主，而传统的地主帽、旗袍、各式民族土布裙，成为孩子们如今的时尚。如今的童装价格越来越贵，民族服装店只要价廉实用、色彩丰富，就一定有市场。

店址选择：不同定位的服装店可以根据消费对象群体、个人的财力状况选择开店地址。另外，加工作坊不必与专卖店在一起，可以到郊区去租工厂。

经营方法：①严把质量关。做这类民族服装店一定不要去抄袭别人的款式再以低劣的做工和低廉的价格去经营。严把质量关，在面料和做工上精益求精，款式上也要不断更新，这样做才长久，才能赢得那些有品位的顾客。②经营者对这一行业要具备一定的专业经验。做这类专卖店，经营者首先应具备一些基本的服装设计能力；在面料的选择、搭配及做工上的精细程度上有相当的眼光，才能做出原汁原味、让人着迷的民族服装来。③产品宜精不宜多。每款服装都不要做得过多，以便让穿着的人拥有个性化的感受。因为量少，就不用担心产品积压。

3. 手机美容店

随着手机开发商在设计时对其外观不断推陈出新，手机带给人们，特别是女士们通信方便的同时，也成为她们生活中的一种个性象征。而在手机款式有限的情况下，为手机"化妆"则可以使女士的手机具有独特的风格。就像发卡、丝巾、手链、背包一样，总会不时地在质地、款式、花样方面出现一股"流行风"，不断满足女孩子们的新奇感。

就目前来看，手机美容店经营的内容大致有：①手机外套。手机外壳就像手机的"时装"，图案各异，价格在几元到几十元之间。大多数型号的手机都有彩壳可配。颜色和图案五花八门，很有动感。目前以透明壳最流行。②手机彩贴。即专门贴在显示屏上的贴纸。还有一种镶嵌着一只造型可爱的塑料卡通动物，将它贴在天线相对的一侧，在手机使用过程中，它总会不经意地晃动着。③手机坠链。坠链有塑料的、银质的、胶质的手机饰带，鲜艳漂亮的图案，长短可调，是目前最为火爆的"手机宝贝"。天然的羽毛皮绳、手编的饰带也在不动声色中崭露头角。④手机吸磁贴片。最具保健功能的"手机宝贝"。可以防止手机磁波辐射，品质好一点的要百元左右。⑤来电显示器。以卡通造型居多。从国外引进的给手机制作"身份证"的新技术在手机一族中掀起了不小的热潮。此种技术可以在手机液晶屏上输入制作出机主的彩色照片，让手机像身份证一样"立此存照"。无论是何种型号的手机，都可以输入制作可视影像。

4. 化妆咖啡屋

创业设想：①让爱美的女性手捧一杯香浓的咖啡，伴着袅袅的音乐，在化妆师的侍弄下，扮靓每一天。②成为美容界人士交流和相互切磋技术的场合。

经营方法：①以为女性日常化妆为主要概念，开一家这样的小型咖啡屋，咖啡屋设计五个化妆座，其余的部分按一般的咖啡音乐吧布置。顾客一落座，既是服务员，又是化妆师，兼做售货员的侍应会立刻给你端来一杯香气浓郁的咖啡，让你边喝咖啡边化妆。②化妆台上自然摆放有几十种供你挑选试用的化妆品样品，并有热心的化妆师耐心地为你解答各种问题。将化妆品放在咖啡屋里经营，既可以与顾客做一些沟通交流，了解她们的消费取向，又可以以此将人气和概念烘托出来。③订阅各类美容方面的刊物。对投资者而言，最好是美容方面的专业人士，或有专业人士支持。这样，使自己在行业内产生影响，对于以后资金充裕或店铺有一定影响时再进行品牌的扩张，就会显得容易了。如开办美容学校等。

三、科技创业

知识经济时代的到来为科技创业提供了新的机遇。据有关资料表明：我国经济效益最好的 500 家企业中，70 家是烟厂，90 家是酒厂。而其他发达国家 500 家经济效益最好的企业中，大部分是高新技术企业，我国高新技术产品出口大概只占 5%，一般的国家都达到 20%～30%，日本已达到 40% 以上。在信息技术部门的带领下，美国自 1994 年以来保持近 4% 的增长率，失业率由原来的 6% 下降到 4%，通货膨胀率越来越低。除去副食和能源，1999 年的消费品通货膨胀率只有 1.9%，是 34 年来增幅最小的一年。这种惊人的增长反映出人们愿意在革新的信息技术方面进行大规模风险投资，也就形成了更快的增长速度和更低的通货膨胀率。

著名的未来学家托夫勒说，在人类社会发展进程中，农业社会重视过去，工业社会重视现在，信息社会重视未来。这是因为农业社会发展过程中，重要的是总结过去的经验，所以他必须重视过去；工业社会面对着社会大量的需求，并且是大规模的生产方式，因而是重视现在；在信息社会，信息的一个主旋律是不断变化。如果不能把握住发展的趋势，掌握未来的变化规律，那你就很难适应这个变化，更难在这个变化过程中成为一个赢家。从这个角度来说，把握发展的趋势特别重要，因为科技发展的趋势是整个发展趋势的主导力量。关于这一点，马克思 100 多年前就说过："科学是最高意义上的革命力量。"企业是未来经济的主体，必须具有掌握"4C＋IQ"的特点。4C 指通信、资金、分工和消费，"IQ"指高智商的高附加值的产品。按照这样的要求中国的经济要从粗放的、外延式的发展经济模式向依靠科技进步和提高劳动者素质的模式。冷战的结束和技术的进步，使得全球化成为可能。全球化将消除国家限制，建立跨国家的经济区。全球化要求我们比以往任何时候都善于交际和开放。谁与世隔绝，谁就会成为全球的失败者。

（一）高职大学生要学做网络经济的商务通

计算机的普遍使用和上网已成为知识经济的显著特征，一种新型的电子商务热潮正在悄然掀起，青年大学生要从事科技创业，必须在现有计算机知识的基础上，抓紧学习电子商务新技术，逐步成为网络经济的商务通。

1. 电子商务的效应

寻求新的商业领域、在世界市场上站住脚跟和加强互联网上的经营活动是企业在 21 世纪面临的挑战。这意味着企业必须解开其创造价值链，使之重新组合，并且必须超越本行业的界限，在陌生的领域开辟战场。企业将受到全球化的电子商务的推动。根据专家们的看法，电子商务的发展不亚于工业革命。如果说过去还可以明确地给竞争下定义，那么如今阵线在被越来越多地突破，威胁不再仅仅来自自己的阵营。谁与谁竞争？将来这种生存游戏将每天发生变化。

在新的千年里，投资环境的重要性将减弱。波士顿咨询集团的顾问桑德说："真正从全球考虑的企业不再把地球划分成国家和文化区，而是按照买主集团来划分。"因为在媒体社会里，顾客是生活在东京、华盛顿还是巴塞罗那都无关紧要，重要的是顾客属于某个社会阶层、某个年龄段和收入组。网络的发展已导致企业和顾客的全新关系，它使时间概念和价值观发生了根本的变化，结果是行业的界限变得模糊不清，创造价值链被打开和重新组合。现在，在新型技术中，互联网似乎是最有前途的联络和沟通工具，它将使企业的运转和人际关系发生革命性的变化。

我们所处的世界发生了翻天覆地的变化，学校不可能一成不变，职业不可能只作表面上的调整。首先，几乎所有可通过计算机处理的事情都将由自动装置来完成。其次，很少有人一生中只从事一门职业；许多人将频繁变换职业、公司和经济部门，不管是出于个人意愿还是根据工作需要，崭新的、迅速变换的角色在工作场所不断涌现，这使教育的复杂性达到了前所未有的程度，拥有技术和商业敏感的求职者需求很大，因而在大学里一个新专业也应运而生：电子商务。

2. 电子商务的走势

下一场变革早已随着互联网的发展而开始。这场变革产生的影响将比电气化的影响还大，现在，数亿的互联网使用者正促使互联网获得成功，并在经济界引起了上网热。根据美国市场研究机构福里斯特研究公司的调查，仅仅在 1998 年，虚拟商店的销售额就达到 40 亿美元。到 2003 年，全世界企业和消费者之间的电子贸易金额上升到 1080 亿美元。安德林咨询公司的菲利普·科隆贝·多芬尔强调说："比如一家银行，它既是服务性行业的生产者，又是它的销售者。如果它不加注意的话，它就很快只会是一个生产者了，因为有了互联网之后，一些新的中间人会试图将商品销售得更快和更便宜。"这个问题将会在很多行业中出现。现在，问题不在于知道哪些工业已被电子贸易所涉及，而是要知道被涉及的程度如何，因为现在所有的部门都已涉及了。某些部门将要重新考虑对它们的购货过程管理。但变革最大的部门显然还是售后服务部门。

（二）高职大学生科技创业实践的成功之路

在我们的工作实践中接触了不少毕业考上研究生的同学，他们中有些还继续攻读博士学位。他们在知识经济的大潮中，勇于创业，有的拥有几十项专利产品；有的走学研、技工贸一条龙的路子；有的创办了信息咨询公司、广告公司、软件公司等，将自己所学的知识转化为科技生产力，产生了良好的经济和社会效益。回顾他们的成功历程，那就是有新的思维、创造的能力和创业的素质。具体可概括为以下几点。

第一，为了在竞争激烈的环境下生存，必须不断地制造新点子出来，使自己能在各方面求新求变，并且适应四面八方而来的变化。

第二，创造新点子的原则。创造一种从前没有过的东西，完全是全新的产品，不像别的产品只是旧的东西用新的包装。不过，要创造一个新东西毕竟不是一件容易的事。如果有一种存在已久的东西，却没有几个人知道它的存在，那么可借此难得的机会将它发掘出来，省得再花一笔庞大的研究费去开发一件产品，不仅能有很大的效用，也可省时省力，达到同样良好的反映，为自己的企业再度成功出击；对于旧有的已不符合潮流的产品，稍微加以修饰，增加或减少一些东西，使其看起来更具有时代感，并不一定要完全改变，只要在外观形状、内在材料、色彩搭配等方面有些变化，就可成为截然不同的产品了。

第三，创造新点子可用静坐法、注意力分散法、做笔记等。创新产品可将现有物品"上下左右延伸"，像算术中的"加、减、乘、除"一样，通过运算法则，可算出无穷无尽的数，可创新出举不胜举的产品。改进，对产品造型、花色等做些改变，使其面目焕然一新；强化，延长产品耐用性；标新，给产品赋予新奇功能；轻巧，使产品体积缩小，造型更臻完美；简化，对产品结构进行简化使功能提高；伸缩，产品的大小长短可根据需要伸缩，以便于携带和运输；替代，用新材料代替传统材料，既可以降低成本，又可增加新鲜感；美化，增加产品的实用性与艺术性，让产品增添美色；系列，把产品的品种、规格、花色往相类似的产品延伸，形成系列；创新，应用最新的科学技术实施商品化。

第四，不断增加信息。从事科技创业信息至关重要，也是无价之宝。过去我们已学过或拥有的知识，陈旧老化的周期快，在科技领域更是如此。因此，我们要不断学习新的知识，上网上大学，通过网络掌握行业的前沿的重要信息和大的趋势，使自己的企业时时掌握主动权，立于不败之地。

第三节　高职大学生的创业程序与方法

毕业生创业办理手续的程序怎样，需要具备金融保险和法律的哪些知识，在形式和场地的选择上应注意的问题有哪些。大学毕业生应多了解各方面知识，从成功和失败的案例中吸取经验和教训，促使创业成功。

一、创办企业的相关程序

(一)工商登记

1. 个体工商户的注册登记

提出申请。申请人向户籍所在地工商部门提出申请，需要递交的文件如下。

(1)个体工商户名称预先核准登记表。

(2)个体工商户开业登记申请表。

(3)从业人员情况登记表。

(4)负责人、从业人员身份证原件、复印件、暂住人口计划生育证明等相关证件。

(5)经营场地证明。

(6)法律、行政法规规定需报批的项目要提交国家有关部门的批准文件。

(7)登记机关要求提交的其他文件。

领取营业执照。国家工商行政管理局和地方各级工商行政管理局对个体工商户的申请进行审核、登记、颁发营业执照。个体工商户营业执照的有效期为 4 年，临时执照有效期为 6 个月，起始时间是营业执照的批准日期。

2. 个人独资企业的注册登记

提出申请。向企业登记机关工商行政管理部门提交相关文件。文件包括：

(1)投资人签署的个人独资企业设立申请书。

(2)投资人身份证原件及复印件。

(3)企业住所证明。

(4)企业所在地工商所签署意见的"企业场地情况调查表"。

(5)名称预先核准通知书。

(6)资金证明。

(7)投资人的计划生育证明。

(8)雇用人员的劳动用工手册。

(9)法律、行政法规规定必须报批的项目要提交有关部门的批准文件。

(10)登记机关规定提交的其他文件。

工商登记。登记机关在收到申请 15 日内作出核准登记或不予登记的决定，符合规定的条件，发给营业执照。执照签发日期为企业的成立日期。

3. 合伙企业注册登记

提出申请。向工商行政管理部门提交相关文件，包括：

(1)全体合伙人签署的设立登记申请书。

(2)全体合伙人的身份证原件及复印件。

(3)全体合伙人指定的代表或共同委托的代理人的委托书。

(4)合伙协议。

(5)出资证明。

(6)经营场所证明。

(7)企业所在地工商所签署意见的"企业场地情况调查表"、"企业名称预先核准通知书"。

(8)合伙企业执行人的委托书。

(9)执行人的人口计划生育证明。

(10)企业劳务用工手续证明。

(11)法律、法规、行政规定须报批的项目要提交国家有关部门的批准文件。

(12)登记机关要求提交的其他有关文件。

工商登记。符合法律规定条件的申请，登记机关在收到申请30日内予以登记。营业执照的签发日期为企业的成立日期。

4. 设立有限责任公司的步骤

第一步，领取《名称预先核准申请书》。

第二步，递交名称登记材料，领取《名称登记受理通知书》。按《名称登记受理通知书》确定的日期领取《企业名称预先核准通知书》，同时领取《企业设立登记申请书》，并按要求准备开业申请材料。

第三步，递交设立申请材料，材料齐全，符合规定后领取《受理通知书》。

第四步，按《受理通知书》约定日期核准登记的，缴纳登记费，领取执照。

申请有限责任公司登记注册应提交的文件、证件如下。

(1)有拟设立公司法定代表人(董事长或执行董事)签署的《公司设立登记申请书》(领表)。

(2)经营范围中涉及法律、法规规定审批项目的必须提交有关审批部门批准文件或许可证明。

(3)全体股东签署的《公司章程》。

(4)验资机构出具的验资证明。

(5)企业法人股东应提交盖章的营业执照复印件和对外投资董事会(股东会)决议，以及委派到新设公司任职人员的委派文件和该人员的身份证复印件。

(6)写明公司董事、监事、经理姓名、住所的文件以及有关委派、选举或聘用的证明。

(7)公司法定代表人(董事长、执行董事)的任职文件和身份证复印件。

(8)《公司名称预先核准通知书》原件。

(9)公司住所证明。公司自有房屋提交房屋产权证明或能证明产权归属的有效证件。租赁房屋提交与房屋产权所有人签订房屋租赁协议书或合同及出租的房产证明。

(10)登记机关要求提交的其他材料。

5. 申请股份有限公司登记注册应提交的文件、证件

股份有限公司设立登记应提交的文件、证件如下。

(1)《企业设立登记申请书》。

(2)国务院授权部门或省政府的批准文件,募集设立的股份有限公司还应提交国务院证券管理部门的批准文件。

(3)创立大会的会议记录或创立大会的决议。

(4)公司章程。

(5)筹办公司的财务审批报告。

(6)具有法定资格的验资机构出具的验资报告。

(7)发起人的法定资格证明、身份证明。

(8)公司住所材料。

(9)《企业名称预先核准通知书》。

(10)法定代表人、董事、监事、经理任职的职业证明及身份证明。

(11)经营范围涉及前置审批项目的,应提交有关审批部门的批准文件。

(12)登记机关认为必要,要求提交的其他材料。

(二)税务登记

根据《中华人民共和国税收征收管理法》的规定,企业应在取得工商部门核发的营业执照后 30 日内办理税务登记;不需办理营业执照的企业应自有关部门批准之日起 30 日内,办理税务登记。税务登记需在国家税务局和地方税务局分别处理。

二、金融保险

(一)银行贷款

向银行贷款,由企业申请,银行审查。企业向银行贷款,均应事前提出申请。与银行有长期业务关系的私营企业按年度、季度需要用款情况,在年初编制借款计划,报给开户行。临时性生产经营贷款,需在 3 天前向银行申请,写明贷款数额、用途、还款期限。新开户的私营企业、以前从未发生过借款关系的私营企业,要在 10 天前向开户银行提出贷款申请计划，并且提供申请书与证明本企业的贷款用途、还款能力、信用程度、确定贷或不贷。贷款额度确定后，私营企业办理手续、订立借据。根据国家颁布的《合同法》经备案的合同签订契约，双方恪守执行。

（二）要合理使用资金

创业之初，企业必须及时掌握信息，进行科学决策，加强监控力，进行事前监督、事中监督、事后审查，同时合理预算、调度、安排确定资金合理需要量，合理使用商业承兑汇票和银行承兑汇票等结算方式，减少资金使用量，降低筹资成本，提高资金使用率。加快流动资金的周转速度，使企业生产产品的成本迅速回收，减少资金占有量，避免短贷长用现象。严禁企业资金入不敷出、借新还旧现象，减轻企业偿债压力。避免盲目投资，提高资金的周转速度，及时回收资金，获得更大赢利。

（三）有效回避风险

创业阶段资金紧张，在合理筹集资金、合理使用资金时，还要进行税收筹划，做到风险最小化。

三、经济法律知识储备

大学生创业需要进行市场调查，选好生产项目，懂会计知识、税务知识和有关的法律知识。相关法律法规有《公司法》《合伙企业法》《个人独资法》《企业登记管理条例》《公司登记管理条例》《担保法》《合同法》《票据法》《证券法》《著作权法》《专利法》《商标法》《仲裁法》《会计法》《税法》《劳动法》等。

四、创业方向与场地资金准备

（一）创业方向的选择

第一，选择创业要着眼于长远，不能只看当前。

第二，把目标盯住大公司不能插足的行业。生产大公司不能胜任、特殊而个性的产品，争取有长期稳定的市场。

第三，从容易操作的行业起步，千万不要一步冲上制高点。刚创业时可以从小百货、杂货店、修理店、速递服务等起步，逐步积累经验，沟通关系，积累资本。只要起步好，就不怕没发展。

第四，要选择有发展潜力的行业。那些冷门的行业，竞争小，可以从容不迫地打开市场。

第五，选择资本周转率高的行业，要回避资本周转率低的行业。资本就好比人身上的血液，要流得快，不能阻塞。周转率高，一元可以当几元用；周转率低，一百元只能当一元用。

第六，要有稳定的业务。做生意最好要有回头客，客户要像滚雪球，越滚越大才好。

（二）创业场地及资金的准备

1. 创业选址

创业选址是创业前期准备的一项重要工作，无论创立什么类型的企业，地点的选择都是决定成败的一大要素。

公司选址要与自己的经营项目相符合，根据经营特点的不同，选择合适的场所。

第一，交通便捷，要有足够的客流量。

第二，辐射半径内有足够的客流量。

第三，根据需要确定同业市场或综合市场。

第四，租金高低与发展前景。经营场地租金是最固定的运营成本之一，不营业照样必须支出。所以创业者要量力而行。但如果公司的业务前景看好，就算租金高一些，也可以考虑。

2. 所需资金

创业所需资金的用途包括三部分：①设立企业资金（公司注册费用、前期可行性研究费用）。②推动项目启动所需费用。③新企业运行费用。资金的来源有自筹、外筹、所有权融资和融资租赁。

自筹包括个人储蓄和向亲戚、朋友、同学借钱。

外筹的主要形式是向银行贷款。适合创业者的贷款形式有抵押贷款、担保贷款、创业贷款和保证贷款。

所以权融资有合伙人入股、风险投资。

融资租赁是指由出租方融通资金，并为承租方提供所需设备，具备融资、融物双重职能的租赁交易。租赁方式有两种，经营性租赁和融资性租赁。相比银行贷款更加灵活，有利于企业资金周转。

思考与练习

1. 高职大学生创业的环境包括哪些？
2. 创办企业所要进行的相关登记程序有哪些？

附录1 关于引导和鼓励高校毕业生
面向基层就业的意见

(中办发〔2005〕18号)

各省、自治区、直辖市党委和人民政府，中央和国家机关各部委，解放军各总部、各大单位，各人民团体：

《关于引导和鼓励高校毕业生面向基层就业的意见》经党中央、国务院领导同志同意，现印发给你们，请结合实际认真贯彻执行。

中共中央办公厅

国务院办公厅

2005 年 6 月 29 日

为进一步落实科学发展观，推进科教兴国战略和人才强国战略的实施，加快全面建设小康社会的步伐，现就做好引导和鼓励高校毕业生面向基层就业工作提出如下意见。

一、充分认识引导和鼓励高校毕业生面向基层就业的重要意义。高校毕业生是国家宝贵的人才资源，他们的就业是一个涉及全局的重大问题，不仅关系到广大人民群众的切身利益，而且直接影响到经济发展和社会稳定。当前，随着经济体制改革的深化和经济结构的战略性调整，一方面高校毕业生就业面临着一些困难和问题，另一方面广大基层特别是西部地区、艰苦边远地区和艰苦行业以及广大农村还存在人才匮乏的状况。积极引导和鼓励高校毕业生面向基层就业，有利于青年人才的健康成长和改善基层人才队伍的结构，有利于促进城乡和区域经济的协调发展，有利于构建社会主义和谐社会和巩固党的执政地位。各地区各部门要站在党和国家事业发展全局的高度，统一思想，提高认识，在充分发挥市场配置高校毕业生人才资源的基础上，进一步加大政府宏观调控力度，切实做好引导和鼓励高校毕业生面向基层就业工作，努力建立与社会主义市场经济体制相适应的高校毕业生面向基层就业的长效机制。

二、积极引导高校毕业生树立正确的成才观和就业观。要认真贯彻《中共中央、国务院关于进一步加强和改进大学生思想政治教育的意见》(中发〔2004〕16号)，开展积极有效的思想政治教育，引导大学生树立正确的世界观、人生观和价值观，自觉地把个人理想同国家与社会的需要紧密结合起来。要通过社会实践等多种方式于帮助大学生深入了解国情、了解社会，正确认识就业形势，树立行行建功、处处立业的观念，踊跃到基层锻炼成才。要加大宣传力度，通过报刊、广播、电视、网络等媒体，深入宣传党和政府有关高校毕业生到基层就业的政策，大力宣传高校毕业生在基层创业成才的先进典型，唱响到基层、到西部、到祖国最需要的地方建功立业的主旋律，在全社会形成良好的舆论导向。

三、完善鼓励高校毕业生到西部地区和艰苦边远地区就业的优惠政策。要完善人才资源市场配置与政府宏观调控相结合的运行机制，进一步消除政策障碍，健全社会保障体系，促进高校毕业生到西部地区、艰苦边远地区和艰苦行业就业。对到西部县以下基层单位和艰苦边远地区就业的高校毕业生，实行来去自由的政策，户口可留在原籍或根据本人意愿迁往西部地区和艰苦边远地区。工作满 5 年以上的，根据本人意愿可以流动到原籍或除直辖市以外的其他地区工作，凡落实了接收单位的，接收单位所在地区应准予落户；需要人事代理服务的，由有关机构提供全面的免费代理服务。对毕业后自愿到艰苦地区、艰苦行业工作，服务达到一定年限的学生，其在校期间的国家助学贷款本息由国家代为偿还。到艰苦边远地区和国家扶贫开发工作重点县就业的，可提前执行转正定级工资，高定 1 至 2 档工资标准。

四、积极鼓励、支持高校毕业生到基层自主创业和灵活就业。要大力倡导高校毕业生发扬自强自立的精神，在就业时不等不靠、不挑不拣，勇于到市场经济大潮中拼搏竞争。各级党委和政府要创造良好的政策环境和市场条件，鼓励和支持高校毕业生到基层自主创业和灵活就业。对高校毕业生从事个体经营的，除国家限制的行业外，自工商行政管理部门登记注册之日起 3 年内免交登记类、管理类和证照类的各项行政事业性收费。要加强对大学生的创业意识教育和创业能力培训，为到基层创业的高校毕业生提供有针对性的项目、咨询等信息服务，对其中有贷款需求的提供小额贷款担保或贴息补贴。有条件的地区，可通过财政和社会两条渠道筹集"高校毕业生创业资金"。对于高校毕业生以从事自由职业、短期职业、个体经营等方式灵活就业的，各级政府要提供必要的人事劳动保障代理服务，在户籍管理、劳动关系形式、社会保险缴纳和保险关系接续等方面提供保障。

五、大力支持各类中小企业和非公有制单位聘用高校毕业生。各类中小企业和非公有制单位是高校毕业生就业的重要渠道。各级党委和政府要为高校毕业生到这些企业和单位就业营造氛围、疏通渠道、创造条件。对非公有制单位聘用非本地生源的高校毕业生，省会及省会以下城市要取消落户限制。对到中小企业和非公有制单位就业的高校毕业生，在专业技术职称评定方面，要与国有企业员工一视同仁；对他们当中从事科技工作的，在按规定程序申请国家和地方科研项目和经费、申报有关科研成果或荣誉称号时，要根据情况给予重视和支持。要规范人才、劳动力市场秩序，加大人事、劳动保障执法监察力度，通过法律、经济、行政等手段，规范高校毕业生和用人单位的"双向选择"行为。要依法加强对各类企业签订劳动合同、兑现劳动报酬和缴纳社会保险情况的监督检查，维护到中小企业和非公有制单位就业的高校毕业生的合法权益。到非公有制单位就业的高校毕业生，参加了基本养老保险的，今后考录或招聘到国家机关、事业单位工作，其缴费年限可合并计算为工龄。

六、探索建立高校毕业生就业见习制度。为帮助回到原籍、尚未就业的高校毕业生提升职业技能和促进供需见面，地方政府要创造条件，探索建立高校毕业生见习制度。地方政府有关部门可根据实际需要，联系部分企事业单位，为高校毕业生建立见习基地或提供见习岗位，安排见习指导老师，组织开展见习和就业培训，促进他们尽快就业。见习期一般不超过一年，见习期间，由见习单位和地方政府提供基本生活补助。当地有关服务机构要为这些毕业生提供免费的人事代理和就业指导等服务。

七、逐步实行省级以上党政机关从具有2年以上基层工作经历的高校毕业生中考录公务员的办法。省级以上党政机关在贯彻执行党和国家的路线方针政策、指导各地区各部门开展工作方面负有十分重要的职责，需要拥有一支德才兼备、熟悉基层的高素质干部队伍。从2006年开始，省级以上党政机关考录公务员，考录具有2年以上基层工作经历的高校毕业生(包括报考特种专业岗位)的比例不得低于1/3，以后逐年提高。对招录到省级以上党政机关、没有基层工作经历的高校毕业生，应有计划地安排到县以下基层单位工作1至2年。副省级城市党政机关考录公务员参照以上办法执行。今后在选拔县处级以上党政领导干部时，要注意从有基层工作经历的高校毕业生中选拔。

八、加大选调应届优秀高校毕业生到基层锻炼的工作力度。选调应届优秀高校毕业生到基层锻炼，在改革、建设的第一线和艰苦的环境中了解国情、砥砺品格、增长才干是青年人才成长的重要途径，也是优化基层公务员队伍结构、提高基层干部队伍素质的有效方式。要进一步扩大选调生的规模，各省、自治区、直辖市每年都要选拔一定数量的应届优秀高校毕业生到基层工作，主要充实到农村乡镇和城市街道等基层单位。各级组织人事部门要加强对选调生的日常管理和培养，在他们到基层工作2至3年后，按照干部队伍"四化"方针和德才兼备的原则，按照有关规定，结合岗位需求，从中择优选拔部分人员任用到乡镇、街道领导岗位。今后，县级以上党政机关补充公务员，应优先从选调生中选用。

九、实施高校毕业生到农村服务计划。目前，广大农村教育、医疗卫生、现代农业技术推广等方面的人才极其短缺，引导和鼓励高校毕业生到农村工作是促进农村发展的客观要求。各级党委和政府要重视加强农业推广服务机构和动物防疫体系的建设，搭建吸纳高校毕业生的舞台，既有利于高校毕业生就业，又有利于推动"三农"工作。中央和国家机关有关部门要继续做好"大学生志愿服务西部计划"，为西部基层教育、医疗卫生、文化、农技推广服务等公共事业的发展提供阶段性服务，要进一步落实和完善配套支持政策，丰富服务内容。各省、自治区、直辖市也要有计划地选派高校毕业生到本地区农村服务。从2005年起连续5年，每年招募2万名左右高校毕业生，主要安排到乡镇开展支教、支农、支医和扶贫工作，时间一般为2到3年，工作期间给予一定生活补贴。安排到西部地区农村中小学、医疗卫生机构和农技推广服务机构工作的高校毕业生，其生活补贴由财政安排专项经费予以支付。服务期满后，进入市场自主择业，有关部门应协助在本系统内推荐就业。在今后晋升中高级职称时，同等条件下应优先评定。对报考公务员的，可以通过适当增加分数以及其他优惠政策，优先录用。对于已被录取为研究生的应届高校毕业生到基层服务的，为其保留学籍2年；对于到西部地区和艰苦边远地区服务2年以上的高校毕业生报考研究生的，应适当给予优惠并在同等条件下优先录取。

十、大力推广高校毕业生进村、进社区工作。要把引导和鼓励高校毕业生面向基层就业同加强基层组织建设结合起来，从2006年起，国家每年有计划地选拔一定数量的高校毕业生到农村和社区就业。到城市社区就业的，其薪酬可由所在地财政和社区共同解决。到农村就业的，可通过法定程序安排担任村党支部、村委会的相应职务，市县两级政府可给予适当的生活补贴，其人事档案由县级人事部门管理。要把这批人员作为将来补充乡镇、街道干部的重要来源。对工作2年后报考公务员的，要采取适当增加分数以及其他优惠政策，优先录用；报考研究生的，应适当给予优惠并在同等条件下优先录取。争取用3到5年时间基本实现全国每个村、每个社区至少有1名高校毕业生的目标。

十一、加大财政支持高校毕业生面向基层就业的力度。引导和鼓励高校毕业生面向基层就业，一方面要以基层经济社会全面协调可持续发展为长远基础，另一方面要加大财政支持的力度。地方财政可根据当地实际情况和发展需要安排专门经费，用于引导和鼓励高校毕业生面向基层就业。中央财政将通过不断加大转移支付力度予以支持。

十二、为西部地区和艰苦边远地区基层单位适当增加周转编制。为缓解西部地区和艰苦边远地区基层单位急需人才与编制紧缺的矛盾，在严格控制总体编制的前提下，从2006年起连续3年，采取先进后出的办法，由组织人事部门会同编制部门每年给西部地区和艰苦边远地区的乡镇下达一部分周转编制，用于接收应届或往届高校毕业生。

十三、实行面向基层就业的定向招生制度。根据基层的实际和需要，适当采取优惠政策，面向中西部地区生源实行定向招生，毕业后到中西部地区基层和艰苦行业就业。要严格招生管理，严格执行定向招生协议，保证招生工作公平公正，保证这部分学生完成学业后到协议单位服务。高等职业院校要以就业为导向，广泛加强与用人单位的合作，积极推行学历证书和职业资格证书制度，努力为基层培养更多的高技能人才和适应农村经济发展迫切需要的实用人才。

十四、认真做好高校毕业生就业信息服务工作，各高校就业指导服务机构要与各级人才交流服务机构、公共职业介绍机构合作，共同加强与社会用人单位的沟通，逐步建立起统一的高校毕业生就业服务信息、网络，实现高校、省、国家三级就业网的联通和就业工作的信息化，及时发布需求信息，为高校毕业生与用人单位搭建方便、快捷、覆盖面广、资源丰富的信息平台。各级政府要统筹高校毕业生市场、人才市场和劳动力市场建设，使现有各类人才和劳动力市场实现联网贯通，加快建设统一的人才市场。当前应在已有的市场内开设不同类别的专业市场特别是面对高校毕业生的专业市场，提高供需对接的针对性，既方便高校毕业生求职择业，也帮助用人单位选用合适的高校毕业生。

十五、面向基层经济社会发展需要，进一步深化高等教育改革。要根据国家发展和社会需要科学规划高等学校的区域布局和层次结构，明确不同层次高校的办学宗旨和目标。要加强对高等教育发展的分析和预测，保持合理的招生规模，按照经济社会发展对人才的需求调整学科和专业设置。要加强素质教育，注重学生的技能培养和社会实践，提高毕业生适应市场和基层需求的能力。要切实加强对学生的职业发展指导，开设有关职业生涯发展辅导课程，帮助他们确立面向基层的职业意向。要把教育、指导和帮助学生面向基层就业作为高等学校的一项重要任务，大力整合校内资源，形成所有部门和教师共同关心和促进学生就业的强大合力。

十六、加强对高校毕业生面向基层就业工作的领导。高校毕业生就业是整个社会就业的重要组成部分，涉及方方面面，是一项长期的工作任务。各级党委和政府要注意结合本地实际，明确目标任务，采取有力措施，创新工作方法，把引导和鼓励高校毕业生面向基层就业的各项政策落实到位。组织人事部门要把引导和鼓励高校毕业生面向基层就业作为人才队伍建设的一项基础工作抓紧抓好。要从政治上爱护、工作上关心在基层工作的高校毕业生，积极为他们在基层经济社会发展的各项事业中贡献才智创造条件。为引导和鼓励高校毕业生面向基层就业，中央和国家机关有关部门及各省、自治区、直辖市要建立扎根基层、建功立业优秀人才评选表彰制度。

附录 2 国家职业资格证书规定

第一条 为了深化劳动、人事制度改革，适应社会主义市场经济对人才的需求，客观公正地评价专业（工种）技术人才，促进人才的合理流动，制定本规定。

第二条 职业资格是对从事某一职业所必备的学识、技术和能力的基本要求。职业资格包括从业资格和执业资格。从业资格是指从事某一专业（工种）学识、技术和能力的起点标准。执业资格是政府对某些责任较大，社会通用性强，关系公共利益的专业（工种）实行准入控制，是依法独立开业或从事某一特定专业（工种）学识、技术和能力的必备标准。

第三条 职业资格分别由国务院劳动、人事行政部门通过学历认定、资格考试、专家评定、职业技能鉴定等方式进行评价，对合格者授予国家职业资格证书。

第四条 职业资格证书是国家对申请人专业（工种）学识、技术、能力的认可，是求职、任职、独立开业和单位录用的主要依据。

第五条 职业资格证书制度遵循申请自愿、费用自理、客观公正的原则。凡中华人民共和国公民和获准在我国境内就业的其他国籍的人员都可按照国家有关政策规定和程序申请相应的职业资格。

第六条 职业资格证书实行政府指导下的管理体制，由国务院劳动、人事行政部门综合管理。

若干专业技术资格和职业技能鉴定（技师、高级技师考评和技术等级考核）纳入职业资格证书制度。

劳动部负责以技能为主的职业资格鉴定和证书的核发与管理（证书的名称、种类按现行规定执行）。

人事部负责专业技术人员的职业资格评价和证书的核发与管理。

各省、自治区、直辖市劳动、人事行政部门负责本地区职业资格证书制度的组织实施。

第七条 国务院劳动、人事行政部门会同有关行业主管部门研究和确定职业资格的范围、职业（专业、工种）分类、职业资格标准以及学历认定、资格考试，专家评定和技能鉴定的办法。

第八条 国家职业资格证书参照国际惯例。实行国际双边或多边互认。

第九条 本规定适用于国家机关、团体和所有企、事业单位。

第十条 国务院劳动、人事行政部门按职责范围分别制定实施细则。

第十一条 本规定由国务院劳动、人事行政部门按职责范围分别负责解释。

第十二条 本规定自颁发之日起实施。

附录3 中华人民共和国劳动合同法

(2008 年最新实施的中华人民共和国劳动合同法)

中华人民共和国主席令

第六十五号

《中华人民共和国劳动合同法》已由中华人民共和国第十届全国人民代表大会常务委员会第二十八次会议于 2007 年 6 月 29 日通过，现予公布，自 2008 年 1 月 1 日起施行。

中华人民共和国主席　胡锦涛

2007 年 6 月 29 日

中华人民共和国劳动合同法

(2007 年 6 月 29 日第十届全国人民代表大会常务委员会第二十八次会议通过)

目　录

第一章　总　则

第一条　为了完善劳动合同制度，明确劳动合同双方当事人的权利和义务，保护劳动者的合法权益，构建和发展和谐稳定的劳动关系，制定本法。

第二条　中华人民共和国境内的企业、个体经济组织、民办非企业单位等组织(以下称用人单位)与劳动者建立劳动关系，订立、履行、变更、解除或者终止劳动合同，适用本法。

国家机关、事业单位、社会团体和与其建立劳动关系的劳动者，订立、履行、变更、解除或者终止劳动合同，依照本法执行。

第三条 订立劳动合同，应当遵循合法、公平、平等自愿、协商一致、诚实信用的原则。

依法订立的劳动合同具有约束力，用人单位与劳动者应当履行劳动合同约定的义务。

第四条 用人单位应当依法建立和完善劳动规章制度，保障劳动者享有劳动权利、履行劳动义务。

用人单位在制定、修改或者决定有关劳动报酬、工作时间、休息休假、劳动安全卫生、保险福利、职工培训、劳动纪律以及劳动定额管理等直接涉及劳动者切身利益的规章制度或者重大事项时，应当经职工代表大会或者全体职工讨论，提出方案和意见，与工会或者职工代表平等协商确定。

在规章制度和重大事项决定实施过程中，工会或者职工认为不适当的，有权向用人单位提出，通过协商予以修改完善。

用人单位应当将直接涉及劳动者切身利益的规章制度和重大事项决定公示，或者告知劳动者。

第五条 县级以上人民政府劳动行政部门会同工会和企业方面代表，建立健全协调劳动关系三方机制，共同研究解决有关劳动关系的重大问题。

第六条 工会应当帮助、指导劳动者与用人单位依法订立和履行劳动合同，并与用人单位建立集体协商机制，维护劳动者的合法权益。

第二章 劳动合同的订立

第七条 用人单位自用工之日起即与劳动者建立劳动关系。用人单位应当建立职工名册备查。

第八条 用人单位招用劳动者时，应当如实告知劳动者工作内容、工作条件、工作地点、职业危害、安全生产状况、劳动报酬，以及劳动者要求了解的其他情况；用人单位有权了解劳动者与劳动合同直接相关的基本情况，劳动者应当如实说明。

第九条 用人单位招用劳动者，不得扣押劳动者的居民身份证和其他证件，不得要求劳动者提供担保或者以其他名义向劳动者收取财物。

第十条 建立劳动关系，应当订立书面劳动合同。

已建立劳动关系，未同时订立书面劳动合同的，应当自用工之日起一个月内订立书面劳动合同。

用人单位与劳动者在用工前订立劳动合同的，劳动关系自用工之日起建立。

第十一条 用人单位未在用工的同时订立书面劳动合同，与劳动者约定的劳动报酬不明确的，新招用的劳动者的劳动报酬按照集体合同规定的标准执行；没有集体合同或者集体合同未规定的，实行同工同酬。

第十二条 劳动合同分为固定期限劳动合同、无固定期限劳动合同和以完成一定工作任务为期限的劳动合同。

第十三条 固定期限劳动合同，是指用人单位与劳动者约定合同终止时间的劳动合同。

用人单位与劳动者协商一致，可以订立固定期限劳动合同。

第十四条　无固定期限劳动合同，是指用人单位与劳动者约定无确定终止时间的劳动合同。

用人单位与劳动者协商一致，可以订立无固定期限劳动合同。有下列情形之一，劳动者提出或者同意续订、订立劳动合同的，除劳动者提出订立固定期限劳动合同外，应当订立无固定期限劳动合同：

（一）劳动者在该用人单位连续工作满十年的。

（二）用人单位初次实行劳动合同制度或者国有企业改制重新订立劳动合同时，劳动者在该用人单位连续工作满十年且距法定退休年龄不足十年的。

（三）连续订立二次固定期限劳动合同，且劳动者没有本法第三十九条和第四十条第一项、第二项规定的情形，续订劳动合同的。

用人单位自用工之日起满一年不与劳动者订立书面劳动合同的，视为用人单位与劳动者已订立无固定期限劳动合同。

第十五条　以完成一定工作任务为期限的劳动合同，是指用人单位与劳动者约定以某项工作的完成为合同期限的劳动合同。

用人单位与劳动者协商一致，可以订立以完成一定工作任务为期限的劳动合同。

第十六条　劳动合同由用人单位与劳动者协商一致，并经用人单位与劳动者在劳动合同文本上签字或者盖章生效。

劳动合同文本由用人单位和劳动者各执一份。

第十七条　劳动合同应当具备以下条款：

（一）用人单位的名称、住所和法定代表人或者主要负责人。

（二）劳动者的姓名、住址和居民身份证或者其他有效身份证件号码。

（三）劳动合同期限。

（四）工作内容和工作地点。

（五）工作时间和休息休假。

（六）劳动报酬。

（七）社会保险。

（八）劳动保护、劳动条件和职业危害防护。

（九）法律、法规规定应当纳入劳动合同的其他事项。

劳动合同除前款规定的必备条款外，用人单位与劳动者可以约定试用期、培训、保守秘密、补充保险和福利待遇等其他事项。

第十八条　劳动合同对劳动报酬和劳动条件等标准约定不明确，引发争议的，用人单位与劳动者可以重新协商；协商不成的，适用集体合同规定；没有集体合同或者集体合同未规定劳动报酬的，实行同工同酬；没有集体合同或者集体合同未规定劳动条件等标准的，适用国家有关规定。

第十九条　劳动合同期限三个月以上不满一年的，试用期不得超过一个月；劳动合同期限一年以上不满三年的，试用期不得超过二个月；三年以上固定期限和无固定期限的劳动合同，试用期不得超过六个月。

同一用人单位与同一劳动者只能约定一次试用期。

以完成一定工作任务为期限的劳动合同或者劳动合同期限不满三个月的，不得约定试用期。

试用期包含在劳动合同期限内。劳动合同仅约定试用期的，试用期不成立，该期限为劳动合同期限。

第二十条　劳动者在试用期的工资不得低于本单位相同岗位最低档工资或者劳动合同约定工资的百分之八十，并不得低于用人单位所在地的最低工资标准。

第二十一条　在试用期中，除劳动者有本法第三十九条和第四十条第一项、第二项规定的情形外，用人单位不得解除劳动合同。用人单位在试用期解除劳动合同的，应当向劳动者说明理由。

第二十二条　用人单位为劳动者提供专项培训费用，对其进行专业技术培训的，可以与该劳动者订立协议，约定服务期。

劳动者违反服务期约定的，应当按照约定向用人单位支付违约金。违约金的数额不得超过用人单位提供的培训费用。用人单位要求劳动者支付的违约金不得超过服务期尚未履行部分所应分摊的培训费用。

用人单位与劳动者约定服务期的，不影响按照正常的工资调整机制提高劳动者在服务期期间的劳动报酬。

第二十三条　用人单位与劳动者可以在劳动合同中约定保守用人单位的商业秘密和与知识产权相关的保密事项。

对负有保密义务的劳动者，用人单位可以在劳动合同或者保密协议中与劳动者约定竞业限制条款，并约定在解除或者终止劳动合同后，在竞业限制期限内按月给予劳动者经济补偿。劳动者违反竞业限制约定的，应当按照约定向用人单位支付违约金。

第二十四条　竞业限制的人员限于用人单位的高级管理人员、高级技术人员和其他负有保密义务的人员。竞业限制的范围、地域、期限由用人单位与劳动者约定，竞业限制的约定不得违反法律、法规的规定。

在解除或者终止劳动合同后，前款规定的人员到与本单位生产或者经营同类产品、从事同类业务的有竞争关系的其他用人单位，或者自己开业生产或者经营同类产品、从事同类业务的竞业限制期限，不得超过二年。

第二十五条　除本法第二十二条和第二十三条规定的情形外，用人单位不得与劳动者约定由劳动者承担违约金。

第二十六条　下列劳动合同无效或者部分无效：

（一）以欺诈、胁迫的手段或者乘人之危，使对方在违背真实意思的情况下订立或者变更劳动合同的。

（二）用人单位免除自己的法定责任、排除劳动者权利的。

（三）违反法律、行政法规强制性规定的。

对劳动合同的无效或者部分无效有争议的，由劳动争议仲裁机构或者人民法院确认。

第二十七条　劳动合同部分无效，不影响其他部分效力的，其他部分仍然有效。

第二十八条　劳动合同被确认无效，劳动者已付出劳动的，用人单位应当向劳动者支付劳动报酬。劳动报酬的数额，参照本单位相同或者相近岗位劳动者的劳动报酬确定。

第三章　劳动合同的履行和变更

第二十九条　用人单位与劳动者应当按照劳动合同的约定，全面履行各自的义务。

第三十条　用人单位应当按照劳动合同约定和国家规定，向劳动者及时足额支付劳动报酬。

用人单位拖欠或者未足额支付劳动报酬的，劳动者可以依法向当地人民法院申请支付令，人民法院应当依法发出支付令。

第三十一条　用人单位应当严格执行劳动定额标准，不得强迫或者变相强迫劳动者加班。用人单位安排加班的，应当按照国家有关规定向劳动者支付加班费。

第三十二条　劳动者拒绝用人单位管理人员违章指挥、强令冒险作业的，不视为违反劳动合同。

劳动者对危害生命安全和身体健康的劳动条件，有权对用人单位提出批评、检举和控告。

第三十三条　用人单位变更名称、法定代表人、主要负责人或者投资人等事项，不影响劳动合同的履行。

第三十四条　用人单位发生合并或者分立等情况，原劳动合同继续有效，劳动合同由承继其权利和义务的用人单位继续履行。

第三十五条　用人单位与劳动者协商一致，可以变更劳动合同约定的内容。变更劳动合同，应当采用书面形式。

变更后的劳动合同文本由用人单位和劳动者各执一份。

第四章　劳动合同的解除和终止

第三十六条　用人单位与劳动者协商一致，可以解除劳动合同。

第三十七条　劳动者提前三十日以书面形式通知用人单位，可以解除劳动合同。劳动者在试用期内提前三日通知用人单位，可以解除劳动合同。

第三十八条　用人单位有下列情形之一的，劳动者可以解除劳动合同：

（一）未按照劳动合同约定提供劳动保护或者劳动条件的。

（二）未及时足额支付劳动报酬的。

（三）未依法为劳动者缴纳社会保险费的。

（四）用人单位的规章制度违反法律、法规的规定，损害劳动者权益的。

（五）因本法第二十六条第一款规定的情形致使劳动合同无效的。

（六）法律、行政法规规定劳动者可以解除劳动合同的其他情形。

用人单位以暴力、威胁或者非法限制人身自由的手段强迫劳动者劳动的，或者用人单位违章指挥、强令冒险作业危及劳动者人身安全的，劳动者可以立即解除劳动合同，不需事先告知用人单位。

第三十九条　劳动者有下列情形之一的，用人单位可以解除劳动合同：

（一）在试用期间被证明不符合录用条件的。

（二）严重违反用人单位的规章制度的。

（三）严重失职，营私舞弊，给用人单位造成重大损害的。

（四）劳动者同时与其他用人单位建立劳动关系，对完成本单位的工作任务造成严重影响，或者经用人单位提出，拒不改正的。

（五）因本法第二十六条第一款第一项规定的情形致使劳动合同无效的。

（六）被依法追究刑事责任的。

第四十条　有下列情形之一的，用人单位提前 30 日以书面形式通知劳动者本人或者额外支付劳动者一个月工资后，可以解除劳动合同：

（一）劳动者患病或者非因工负伤，在规定的医疗期满后不能从事原工作，也不能从事由用人单位另行安排的工作的。

（二）劳动者不能胜任工作，经过培训或者调整工作岗位，仍不能胜任工作的。

（三）劳动合同订立时所依据的客观情况发生重大变化，致使劳动合同无法履行，经用人单位与劳动者协商，未能就变更劳动合同内容达成协议的。

第四十一条　有下列情形之一，需要裁减人员 20 人以上或者裁减不足 20 人但占企业职工总数 10% 以上的，用人单位提前 30 日向工会或者全体职工说明情况，听取工会或者职工的意见后，裁减人员方案经向劳动行政部门报告，可以裁减人员：

（一）依照企业破产法规定进行重整的。

（二）生产经营发生严重困难的。

（三）企业转产、重大技术革新或者经营方式调整，经变更劳动合同后，仍需裁减人员的。

（四）其他因劳动合同订立时所依据的客观经济情况发生重大变化，致使劳动合同无法履行的。

裁减人员时，应当优先留用下列人员：

（一）与本单位订立较长期限的固定期限劳动合同的。

（二）与本单位订立无固定期限劳动合同的。

（三）家庭无其他就业人员，有需要扶养的老人或者未成年人的。

用人单位依照本条第一款规定裁减人员，在 6 个月内重新招用人员的，应当通知被裁减的人员，并在同等条件下优先招用被裁减的人员。

第四十二条　劳动者有下列情形之一的，用人单位不得依照本法第四十条、第四十一条的规定解除劳动合同：

（一）从事接触职业病危害作业的劳动者未进行离岗前职业健康检查，或者疑似职业病病人在诊断或者医学观察期间的。

（二）在本单位患职业病或者因工负伤并被确认丧失或者部分丧失劳动能力的。

（三）患病或者非因工负伤，在规定的医疗期内的。

（四）女职工在孕期、产期、哺乳期的。

（五）在本单位连续工作满 15 年，且距法定退休年龄不足五年的。

（六）法律、行政法规规定的其他情形。

第四十三条　用人单位单方解除劳动合同，应当事先将理由通知工会。用人单位违反法律、行政法规规定或者劳动合同约定的，工会有权要求用人单位纠正。用人单位应当研究工会的意见，并将处理结果书面通知工会。

第四十四条　有下列情形之一的，劳动合同终止：

（一）劳动合同期满的。

（二）劳动者开始依法享受基本养老保险待遇的。

（三）劳动者死亡，或者被人民法院宣告死亡或者宣告失踪的。

（四）用人单位被依法宣告破产的。

（五）用人单位被吊销营业执照、责令关闭、撤销或者用人单位决定提前解散的。

（六）法律、行政法规规定的其他情形。

第四十五条　劳动合同期满，有本法第四十二条规定情形之一的，劳动合同应当续延至相应的情形消失时终止。但是，本法第四十二条第二项规定丧失或者部分丧失劳动能力劳动者的劳动合同的终止，按照国家有关工伤保险的规定执行。

第四十六条　有下列情形之一的，用人单位应当向劳动者支付经济补偿：

（一）劳动者依照本法第三十八条规定解除劳动合同的。

（二）用人单位依照本法第三十六条规定向劳动者提出解除劳动合同并与劳动者协商一致解除劳动合同的。

（三）用人单位依照本法第四十条规定解除劳动合同的。

（四）用人单位依照本法第四十一条第一款规定解除劳动合同的。

（五）除用人单位维持或者提高劳动合同约定条件续订劳动合同，劳动者不同意续订的情形外，依照本法第四十四条第一项规定终止固定期限劳动合同的。

（六）依照本法第四十四条第四项、第五项规定终止劳动合同的。

（七）法律、行政法规规定的其他情形。

第四十七条　经济补偿按劳动者在本单位工作的年限，每满一年支付一个月工资的标准向劳动者支付。6 个月以上不满一年的，按一年计算；不满 6 个月的，向劳动者支付半个月工资的经济补偿。

劳动者月工资高于用人单位所在直辖市、设区的市级人民政府公布的本地区上年度职工月平均工资3倍的，向其支付经济补偿的标准按职工月平均工资3倍的数额支付，向其支付经济补偿的年限最高不超过12年。

本条所称月工资是指劳动者在劳动合同解除或者终止前12个月的平均工资。

第四十八条 用人单位违反本法规定解除或者终止劳动合同，劳动者要求继续履行劳动合同的，用人单位应当继续履行；劳动者不要求继续履行劳动合同或者劳动合同已经不能继续履行的，用人单位应当依照本法第八十七条规定支付赔偿金。

第四十九条 国家采取措施，建立健全劳动者社会保险关系跨地区转移接续制度。

第五十条 用人单位应当在解除或者终止劳动合同时出具解除或者终止劳动合同的证明，并在十五日内为劳动者办理档案和社会保险关系转移手续。

劳动者应当按照双方约定，办理工作交接。用人单位依照本法有关规定应当向劳动者支付经济补偿的，在办结工作交接时支付。

用人单位对已经解除或者终止的劳动合同的文本，至少保存2年备查。

第五章 特别规定
第一节 集体合同

第五十一条 企业职工一方与用人单位通过平等协商，可以就劳动报酬、工作时间、休息休假、劳动安全卫生、保险福利等事项订立集体合同。集体合同草案应当提交职工代表大会或者全体职工讨论通过。

集体合同由工会代表企业职工一方与用人单位订立；尚未建立工会的用人单位，由上级工会指导劳动者推举的代表与用人单位订立。

第五十二条 企业职工一方与用人单位可以订立劳动安全卫生、女职工权益保护、工资调整机制等专项集体合同。

第五十三条 在县级以下区域内，建筑业、采矿业、餐饮服务业等行业可以由工会与企业方面代表订立行业性集体合同，或者订立区域性集体合同。

第五十四条 集体合同订立后，应当报送劳动行政部门；劳动行政部门自收到集体合同文本之日起十五日内未提出异议的，集体合同即行生效。

依法订立的集体合同对用人单位和劳动者具有约束力。行业性、区域性集体合同对当地本行业、本区域的用人单位和劳动者具有约束力。

第五十五条 集体合同中劳动报酬和劳动条件等标准不得低于当地人民政府规定的最低标准；用人单位与劳动者订立的劳动合同中劳动报酬和劳动条件等标准不得低于集体合同规定的标准。

第五十六条 用人单位违反集体合同，侵犯职工劳动权益的，工会可以依法要求用人单位承担责任；因履行集体合同发生争议，经协商解决不成的，工会可以依法申请仲裁、提起诉讼。

第二节 劳务派遣

第五十七条 劳务派遣单位应当依照公司法的有关规定设立，注册资本不得少于50万元。

第五十八条 劳务派遣单位是本法所称用人单位，应当履行用人单位对劳动者的义务。劳务派遣单位与被派遣劳动者订立的劳动合同，除应当载明本法第十七条规定的事项外，还应当载明被派遣劳动者的用工单位以及派遣期限、工作岗位等情况。

劳务派遣单位应当与被派遣劳动者订立2年以上的固定期限劳动合同，按月支付劳动报酬；被派遣劳动者在无工作期间，劳务派遣单位应当按照所在地人民政府规定的最低工资标准，向其按月支付报酬。

第五十九条 劳务派遣单位派遣劳动者应当与接受以劳务派遣形式用工的单位（以下称用工单位）订立劳务派遣协议。劳务派遣协议应当约定派遣岗位和人员数量、派遣期限、劳动报酬和社会保险费的数额与支付方式以及违反协议的责任。

用工单位应当根据工作岗位的实际需要与劳务派遣单位确定派遣期限，不得将连续用工期限分割订立数个短期劳务派遣协议。

第六十条 劳务派遣单位应当将劳务派遣协议的内容告知被派遣劳动者。

劳务派遣单位不得克扣用工单位按照劳务派遣协议支付给被派遣劳动者的劳动报酬。

劳务派遣单位和用工单位不得向被派遣劳动者收取费用。

第六十一条 劳务派遣单位跨地区派遣劳动者的，被派遣劳动者享有的劳动报酬和劳动条件，按照用工单位所在地的标准执行。

第六十二条 用工单位应当履行下列义务：

（一）执行国家劳动标准，提供相应的劳动条件和劳动保护。

（二）告知被派遣劳动者的工作要求和劳动报酬。

（三）支付加班费、绩效奖金，提供与工作岗位相关的福利待遇。

（四）对在岗被派遣劳动者进行工作岗位所必需的培训。

（五）连续用工的，实行正常的工资调整机制。

用工单位不得将被派遣劳动者再派遣到其他用人单位。

第六十三条 被派遣劳动者享有与用工单位的劳动者同工同酬的权利。用工单位无同类岗位劳动者的，参照用工单位所在地相同或者相近岗位劳动者的劳动报酬确定。

第六十四条 被派遣劳动者有权在劳务派遣单位或者用工单位依法参加或者组织工会，维护自身的合法权益。

第六十五条 被派遣劳动者可以依照本法第三十六条、第三十八条的规定与劳务派遣单位解除劳动合同。

被派遣劳动者有本法第三十九条和第四十条第一项、第二项规定情形的，用工单位可以将劳动者退回劳务派遣单位，劳务派遣单位依照本法有关规定，可以与劳动者解除劳动合同。

第六十六条　劳务派遣一般在临时性、辅助性或者替代性的工作岗位上实施。

第六十七条　用人单位不得设立劳务派遣单位向本单位或者所属单位派遣劳动者。

第三节　非全日制用工

第六十八条　非全日制用工，是指以小时计酬为主，劳动者在同一用人单位一般平均每日工作时间不超过 4 小时，每周工作时间累计不超过 24 小时的用工形式。

第六十九条　非全日制用工双方当事人可以订立口头协议。

从事非全日制用工的劳动者可以与一个或者一个以上用人单位订立劳动合同；但是，后订立的劳动合同不得影响先订立的劳动合同的履行。

第七十条　非全日制用工双方当事人不得约定试用期。

第七十一条　非全日制用工双方当事人任何一方都可以随时通知对方终止用工。终止用工，用人单位不向劳动者支付经济补偿。

第七十二条　非全日制用工小时计酬标准不得低于用人单位所在地人民政府规定的最低小时工资标准。

非全日制用工劳动报酬结算支付周期最长不得超过 15 日。

第六章　监督检查

第七十三条　国务院劳动行政部门负责全国劳动合同制度实施的监督管理。

县级以上地方人民政府劳动行政部门负责本行政区域内劳动合同制度实施的监督管理。

县级以上各级人民政府劳动行政部门在劳动合同制度实施的监督管理工作中，应当听取工会、企业方面代表以及有关行业主管部门的意见。

第七十四条　县级以上地方人民政府劳动行政部门依法对下列实施劳动合同制度的情况进行监督检查：

（一）用人单位制定直接涉及劳动者切身利益的规章制度及其执行的情况。

（二）用人单位与劳动者订立和解除劳动合同的情况。

（三）劳务派遣单位和用工单位遵守劳务派遣有关规定的情况。

（四）用人单位遵守国家关于劳动者工作时间和休息休假规定的情况。

（五）用人单位支付劳动合同约定的劳动报酬和执行最低工资标准的情况。

（六）用人单位参加各项社会保险和缴纳社会保险费的情况。

（七）法律、法规规定的其他劳动监察事项。

第七十五条　县级以上地方人民政府劳动行政部门实施监督检查时，有权查阅与劳动合同、集体合同有关的材料，有权对劳动场所进行实地检查，用人单位和劳动者都应当如实提供有关情况和材料。

劳动行政部门的工作人员进行监督检查，应当出示证件，依法行使职权，文明执法。

第七十六条　县级以上人民政府建设、卫生、安全生产监督管理等有关主管部门在各自职责范围内，对用人单位执行劳动合同制度的情况进行监督管理。

第七十七条　劳动者合法权益受到侵害的，有权要求有关部门依法处理，或者依法申请仲裁、提起诉讼。

第七十八条　工会依法维护劳动者的合法权益，对用人单位履行劳动合同、集体合同的情况进行监督。用人单位违反劳动法律、法规和劳动合同、集体合同的，工会有权提出意见或者要求纠正；劳动者申请仲裁、提起诉讼的，工会依法给予支持和帮助。

第七十九条　任何组织或者个人对违反本法的行为都有权举报，县级以上人民政府劳动行政部门应当及时核实、处理，并对举报有功人员给予奖励。

第七章　法律责任

第八十条　用人单位直接涉及劳动者切身利益的规章制度违反法律、法规规定的，由劳动行政部门责令改正，给予警告；给劳动者造成损害的，应当承担赔偿责任。

第八十一条　用人单位提供的劳动合同文本未载明本法规定的劳动合同必备条款或者用人单位未将劳动合同文本交付劳动者的，由劳动行政部门责令改正；给劳动者造成损害的，应当承担赔偿责任。

第八十二条　用人单位自用工之日起超过一个月不满一年未与劳动者订立书面劳动合同的，应当向劳动者每月支付二倍的工资。

用人单位违反本法规定不与劳动者订立无固定期限劳动合同的，自应当订立无固定期限劳动合同之日起向劳动者每月支付二倍的工资。

第八十三条　用人单位违反本法规定与劳动者约定试用期的，由劳动行政部门责令改正；违法约定的试用期已经履行的，由用人单位以劳动者试用期满月工资为标准，按已经履行的超过法定试用期的期间向劳动者支付赔偿金。

第八十四条　用人单位违反本法规定，扣押劳动者居民身份证等证件的，由劳动行政部门责令限期退还劳动者本人，并依照有关法律规定给予处罚。

用人单位违反本法规定，以担保或者其他名义向劳动者收取财物的，由劳动行政部门责令限期退还劳动者本人，并以每人500元以上2000元以下的标准处以罚款；给劳动者造成损害的，应当承担赔偿责任。

劳动者依法解除或者终止劳动合同，用人单位扣押劳动者档案或者其他物品的，依照前款规定处罚。

第八十五条　用人单位有下列情形之一的，由劳动行政部门责令限期支付劳动报酬、加班费或者经济补偿；劳动报酬低于当地最低工资标准的，应当支付其差额部分；逾期不支付的，责令用人单位按应付金额50%以上100%以下的标准向劳动者加付赔偿金：

(一)未按照劳动合同的约定或者国家规定及时足额支付劳动者劳动报酬的。

(二)低于当地最低工资标准支付劳动者工资的。

(三)安排加班不支付加班费的。

(四)解除或者终止劳动合同，未依照本法规定向劳动者支付经济补偿的。

第八十六条　劳动合同依照本法第二十六条规定被确认无效，给对方造成损害的，有过错的一方应当承担赔偿责任。

第八十七条　用人单位违反本法规定解除或者终止劳动合同的，应当依照本法第四十七条规定的经济补偿标准的二倍向劳动者支付赔偿金。

第八十八条　用人单位有下列情形之一的，依法给予行政处罚；构成犯罪的，依法追究刑事责任；给劳动者造成损害的，应当承担赔偿责任：

（一）以暴力、威胁或者非法限制人身自由的手段强迫劳动的。

（二）违章指挥或者强令冒险作业危及劳动者人身安全的。

（三）侮辱、体罚、殴打、非法搜查或者拘禁劳动者的。

（四）劳动条件恶劣、环境污染严重，给劳动者身心健康造成严重损害的。

第八十九条　用人单位违反本法规定未向劳动者出具解除或者终止劳动合同的书面证明，由劳动行政部门责令改正；给劳动者造成损害的，应当承担赔偿责任。

第九十条　劳动者违反本法规定解除劳动合同，或者违反劳动合同中约定的保密义务或者竞业限制，给用人单位造成损失的，应当承担赔偿责任。

第九十一条　用人单位招用与其他用人单位尚未解除或者终止劳动合同的劳动者，给其他用人单位造成损失的，应当承担连带赔偿责任。

第九十二条　劳务派遣单位违反本法规定的，由劳动行政部门和其他有关主管部门责令改正；情节严重的，以每人1000元以上5000元以下的标准处以罚款，并由工商行政管理部门吊销营业执照；给被派遣劳动者造成损害的，劳务派遣单位与用工单位承担连带赔偿责任。

第九十三条　对不具备合法经营资格的用人单位的违法犯罪行为，依法追究法律责任；劳动者已经付出劳动的，该单位或者其出资人应当依照本法有关规定向劳动者支付劳动报酬、经济补偿、赔偿金；给劳动者造成损害的，应当承担赔偿责任。

第九十四条　个人承包经营违反本法规定招用劳动者，给劳动者造成损害的，发包的组织与个人承包经营者承担连带赔偿责任。

第九十五条　劳动行政部门和其他有关主管部门及其工作人员玩忽职守、不履行法定职责，或者违法行使职权，给劳动者或者用人单位造成损害的，应当承担赔偿责任；对直接负责的主管人员和其他直接责任人员，依法给予行政处分；构成犯罪的，依法追究刑事责任。

第八章　附　则

第九十六条　事业单位与实行聘用制的工作人员订立、履行、变更、解除或者终止劳动合同，法律、行政法规或者国务院另有规定的，依照其规定；未作规定的，依照本法有关规定执行。

第九十七条　本法施行前已依法订立且在本法施行之日存续的劳动合同，继续履行；本法第十四条第二款第三项规定连续订立固定期限劳动合同的次数，自本法施行后续订固定期限劳动合同时开始计算。

本法施行前已建立劳动关系，尚未订立书面劳动合同的，应当自本法施行之日起一个月内订立。

本法施行之日存续的劳动合同在本法施行后解除或者终止，依照本法第四十六条规定应当支付经济补偿的，经济补偿年限自本法施行之日起计算；本法施行前按照当时有关规定，用人单位应当向劳动者支付经济补偿的，按照当时有关规定执行。

第九十八条 本劳动合同法自 2008 年 1 月 1 日起施行。

附录4 中华人民共和国就业促进法

中华人民共和国主席令
第七十号

《中华人民共和国就业促进法》已由中华人民共和国第十届全国人民代表大会常务委员会第二十九次会议于 2007 年 8 月 30 日通过，现予公布，自 2008 年 1 月 1 日起施行。

中华人民共和国主席　胡锦涛

2007 年 8 月 30 日

中华人民共和国就业促进法

(2007 年 8 月 30 日第十届全国人民代表大会常务委员会第二十九次会议通过)

目　录

第一章　总　则

第一条　为了促进就业，促进经济发展与扩大就业相协调，促进社会和谐稳定，制定本法。

第二条　国家把扩大就业放在经济社会发展的突出位置，实施积极的就业政策，坚持劳动者自主择业、市场调节就业、政府促进就业的方针，多渠道扩大就业。

第三条　劳动者依法享有平等就业和自主择业的权利。

劳动者就业，不因民族、种族、性别、宗教信仰等不同而受歧视。

第四条　县级以上人民政府把扩大就业作为经济和社会发展的重要目标，纳入国民经济和社会发展规划，并制定促进就业的中长期规划和年度工作计划。

第五条　县级以上人民政府通过发展经济和调整产业结构、规范人力资源市场、完善就业服务、加强职业教育和培训、提供就业援助等措施，创造就业条件，扩大就业。

第六条　国务院建立全国促进就业工作协调机制，研究就业工作中的重大问题，协调推动全国的促进就业工作。国务院劳动行政部门具体负责全国的促进就业工作。

省、自治区、直辖市人民政府根据促进就业工作的需要，建立促进就业工作协调机制，协调解决本行政区域就业工作中的重大问题。

县级以上人民政府有关部门按照各自的职责分工，共同做好促进就业工作。

第七条　国家倡导劳动者树立正确的择业观念，提高就业能力和创业能力；鼓励劳动者自主创业、自谋职业。

各级人民政府和有关部门应当简化程序，提高效率，为劳动者自主创业、自谋职业提供便利。

第八条　用人单位依法享有自主用人的权利。

用人单位应当依照本法以及其他法律、法规的规定，保障劳动者的合法权益。

第九条　工会、共产主义青年团、妇女联合会、残疾人联合会以及其他社会组织，协助人民政府开展促进就业工作，依法维护劳动者的劳动权利。

第十条　各级人民政府和有关部门对在促进就业工作中作出显著成绩的单位和个人，给予表彰和奖励。

第二章　政策支持

第十一条　县级以上人民政府应当把扩大就业作为重要职责，统筹协调产业政策与就业政策。

第十二条　国家鼓励各类企业在法律、法规规定的范围内，通过兴办产业或者拓展经营，增加就业岗位。

国家鼓励发展劳动密集型产业、服务业，扶持中小企业，多渠道、多方式增加就业岗位。

国家鼓励、支持、引导非公有制经济发展，扩大就业，增加就业岗位。

第十三条　国家发展国内外贸易和国际经济合作，拓宽就业渠道。

第十四条　县级以上人民政府在安排政府投资和确定重大建设项目时，应当发挥投资和重大建设项目带动就业的作用，增加就业岗位。

第十五条　国家实行有利于促进就业的财政政策，加大资金投入，改善就业环境，扩大就业。

县级以上人民政府应当根据就业状况和就业工作目标，在财政预算中安排就业专项资金用于促进就业工作。

就业专项资金用于职业介绍、职业培训、公益性岗位、职业技能鉴定、特定就业政策和社会保险等的补贴，小额贷款担保基金和微利项目的小额担保贷款贴息，以及扶持公共就业服务等。就业专项资金的使用管理办法由国务院财政部门和劳动行政部门规定。

第十六条　国家建立健全失业保险制度，依法确保失业人员的基本生活，并促进其实现就业。

第十七条　国家鼓励企业增加就业岗位，扶持失业人员和残疾人就业，对下列企业、人员依法给予税收优惠：

（一）吸纳符合国家规定条件的失业人员达到规定要求的企业。

（二）失业人员创办的中小企业。

（三）安置残疾人员达到规定比例或者集中使用残疾人的企业。

（四）从事个体经营的符合国家规定条件的失业人员。

（五）从事个体经营的残疾人。

（六）国务院规定给予税收优惠的其他企业、人员。

第十八条　对本法第十七条第四项、第五项规定的人员，有关部门应当在经营场地等方面给予照顾，免除行政事业性收费。

第十九条　国家实行有利于促进就业的金融政策，增加中小企业的融资渠道；鼓励金融机构改进金融服务，加大对中小企业的信贷支持，并对自主创业人员在一定期限内给予小额信贷等扶持。

第二十条　国家实行城乡统筹的就业政策，建立健全城乡劳动者平等就业的制度，引导农业富余劳动力有序转移就业。

县级以上地方人民政府推进小城镇建设和加快县域经济发展，引导农业富余劳动力就地就近转移就业；在制定小城镇规划时，将本地区农业富余劳动力转移就业作为重要内容。

县级以上地方人民政府引导农业富余劳动力有序向城市异地转移就业；劳动力输出地和输入地人民政府应当互相配合，改善农村劳动者进城就业的环境和条件。

第二十一条　国家支持区域经济发展，鼓励区域协作，统筹协调不同地区就业的均衡增长。

国家支持民族地区发展经济，扩大就业。

第二十二条　各级人民政府统筹做好城镇新增劳动力就业、农业富余劳动力转移就业和失业人员就业工作。

第二十三条　各级人民政府采取措施，逐步完善和实施与非全日制用工等灵活就业相适应的劳动和社会保险政策，为灵活就业人员提供帮助和服务。

第二十四条　地方各级人民政府和有关部门应当加强对失业人员从事个体经营的指导，提供政策咨询、就业培训和开业指导等服务。

第三章　公平就业

第二十五条　各级人民政府创造公平就业的环境，消除就业歧视，制定政策并采取措施对就业困难人员给予扶持和援助。

第二十六条　用人单位招用人员、职业中介机构从事职业中介活动，应当向劳动者提供平等的就业机会和公平的就业条件，不得实施就业歧视。

第二十七条　国家保障妇女享有与男子平等的劳动权利。

用人单位招用人员，除国家规定的不适合妇女的工种或者岗位外，不得以性别为由拒绝录用妇女或者提高对妇女的录用标准。

用人单位录用女职工，不得在劳动合同中规定限制女职工结婚、生育的内容。

第二十八条　各民族劳动者享有平等的劳动权利。

用人单位招用人员，应当依法对少数民族劳动者给予适当照顾。

第二十九条　国家保障残疾人的劳动权利。

各级人民政府应当对残疾人就业统筹规划，为残疾人创造就业条件。

用人单位招用人员，不得歧视残疾人。

第三十条　用人单位招用人员，不得以是传染病病原携带者为由拒绝录用。但是，经医学鉴定传染病病原携带者在治愈前或者排除传染嫌疑前，不得从事法律、行政法规和国务院卫生行政部门规定禁止从事的易使传染病扩散的工作。

第三十一条　农村劳动者进城就业享有与城镇劳动者平等的劳动权利，不得对农村劳动者进城就业设置歧视性限制。

第四章　就业服务和管理

第三十二条　县级以上人民政府培育和完善统一开放、竞争有序的人力资源市场，为劳动者就业提供服务。

第三十三条　县级以上人民政府鼓励社会各方面依法开展就业服务活动，加强对公共就业服务和职业中介服务的指导和监督，逐步完善覆盖城乡的就业服务体系。

第三十四条　县级以上人民政府加强人力资源市场信息网络及相关设施建设，建立健全人力资源市场信息服务体系，完善市场信息发布制度。

第三十五条　县级以上人民政府建立健全公共就业服务体系，设立公共就业服务机构，为劳动者免费提供下列服务：

（一）就业政策法规咨询。

（二）职业供求信息、市场工资指导价位信息和职业培训信息发布。

（三）职业指导和职业介绍。

（四）对就业困难人员实施就业援助。

（五）办理就业登记、失业登记等事务。

（六）其他公共就业服务。

公共就业服务机构应当不断提高服务的质量和效率，不得从事经营性活动。

公共就业服务经费纳入同级财政预算。

第三十六条　县级以上地方人民政府对职业中介机构提供公益性就业服务的，按照规定给予补贴。

国家鼓励社会各界为公益性就业服务提供捐赠、资助。

第三十七条　地方各级人民政府和有关部门不得举办或者与他人联合举办经营性的职业中介机构。

地方各级人民政府和有关部门、公共就业服务机构举办的招聘会，不得向劳动者收取费用。

第三十八条 县级以上人民政府和有关部门加强对职业中介机构的管理，鼓励其提高服务质量，发挥其在促进就业中的作用。

第三十九条 从事职业中介活动，应当遵循合法、诚实信用、公平、公开的原则。

用人单位通过职业中介机构招用人员，应当如实向职业中介机构提供岗位需求信息。禁止任何组织或者个人利用职业中介活动侵害劳动者的合法权益。

第四十条 设立职业中介机构应当具备下列条件：

（一）有明确的章程和管理制度。

（二）有开展业务必备的固定场所、办公设施和一定数额的开办资金。

（三）有一定数量具备相应职业资格的专职工作人员。

（四）法律、法规规定的其他条件。

设立职业中介机构，应当依法办理行政许可。经许可的职业中介机构，应当向工商行政部门办理登记。

未经依法许可和登记的机构，不得从事职业中介活动。

国家对外商投资职业中介机构和向劳动者提供境外就业服务的职业中介机构另有规定的，依照其规定。

第四十一条 职业中介机构不得有下列行为：

（一）提供虚假就业信息。

（二）为无合法证照的用人单位提供职业中介服务。

（三）伪造、涂改、转让职业中介许可证。

（四）扣押劳动者的居民身份证和其他证件，或者向劳动者收取押金。

（五）其他违反法律、法规规定的行为。

第四十二条 县级以上人民政府建立失业预警制度，对可能出现的较大规模的失业，实施预防、调节和控制。

第四十三条 国家建立劳动力调查统计制度和就业登记、失业登记制度，开展劳动力资源和就业、失业状况调查统计，并公布调查统计结果。

统计部门和劳动行政部门进行劳动力调查统计和就业、失业登记时，用人单位和个人应当如实提供调查统计和登记所需要的情况。

第五章 职业教育和培训

第四十四条 国家依法发展职业教育，鼓励开展职业培训，促进劳动者提高职业技能，增强就业能力和创业能力。

第四十五条 县级以上人民政府根据经济社会发展和市场需求，制定并实施职业能力开发计划。

第四十六条 县级以上人民政府加强统筹协调，鼓励和支持各类职业院校、职业技能培训机构和用人单位依法开展就业前培训、在职培训、再就业培训和创业培训；鼓励劳动者参加各种形式的培训。

第四十七条　县级以上地方人民政府和有关部门根据市场需求和产业发展方向，鼓励、指导企业加强职业教育和培训。

职业院校、职业技能培训机构与企业应当密切联系，实行产教结合，为经济建设服务，培养实用人才和熟练劳动者。

企业应当按照国家有关规定提取职工教育经费，对劳动者进行职业技能培训和继续教育培训。

第四十八条　国家采取措施建立健全劳动预备制度，县级以上地方人民政府对有就业要求的初高中毕业生实行一定期限的职业教育和培训，使其取得相应的职业资格或者掌握一定的职业技能。

第四十九条　地方各级人民政府鼓励和支持开展就业培训，帮助失业人员提高职业技能，增强其就业能力和创业能力。失业人员参加就业培训的，按照有关规定享受政府培训补贴。

第五十条　地方各级人民政府采取有效措施，组织和引导进城就业的农村劳动者参加技能培训，鼓励各类培训机构为进城就业的农村劳动者提供技能培训，增强其就业能力和创业能力。

第五十一条　国家对从事涉及公共安全、人身健康、生命财产安全等特殊工种的劳动者，实行职业资格证书制度，具体办法由国务院规定。

第六章　就业援助

第五十二条　各级人民政府建立健全就业援助制度，采取税费减免、贷款贴息、社会保险补贴、岗位补贴等办法，通过公益性岗位安置等途径，对就业困难人员实行优先扶持和重点帮助。

就业困难人员是指因身体状况、技能水平、家庭因素、失去土地等原因难以实现就业，以及连续失业一定时间仍未能实现就业的人员。就业困难人员的具体范围，由省、自治区、直辖市人民政府根据本行政区域的实际情况规定。

第五十三条　政府投资开发的公益性岗位，应当优先安排符合岗位要求的就业困难人员。被安排在公益性岗位工作的，按照国家规定给予岗位补贴。

第五十四条　地方各级人民政府加强基层就业援助服务工作，对就业困难人员实施重点帮助，提供有针对性的就业服务和公益性岗位援助。

地方各级人民政府鼓励和支持社会各方面为就业困难人员提供技能培训、岗位信息等服务。

第五十五条　各级人民政府采取特别扶助措施，促进残疾人就业。

用人单位应当按照国家规定安排残疾人就业，具体办法由国务院规定。

第五十六条　县级以上地方人民政府采取多种就业形式，拓宽公益性岗位范围，开发就业岗位，确保城市有就业需求的家庭至少有一人实现就业。

法定劳动年龄内的家庭人员均处于失业状况的城市居民家庭，可以向住所地街道、社区公共就业服务机构申请就业援助。街道、社区公共就业服务机构经确认属实的，应当为该家庭中至少一人提供适当的就业岗位。

第五十七条　国家鼓励资源开采型城市和独立工矿区发展与市场需求相适应的产业，引导劳动者转移就业。

对因资源枯竭或者经济结构调整等原因造成就业困难人员集中的地区，上级人民政府应当给予必要的扶持和帮助。

第七章　监督检查

第五十八条　各级人民政府和有关部门应当建立促进就业的目标责任制度。县级以上人民政府按照促进就业目标责任制的要求，对所属的有关部门和下一级人民政府进行考核和监督。

第五十九条　审计机关、财政部门应当依法对就业专项资金的管理和使用情况进行监督检查。

第六十条　劳动行政部门应当对本法实施情况进行监督检查，建立举报制度，受理对违反本法行为的举报，并及时予以核实处理。

第八章　法律责任

第六十一条　违反本法规定，劳动行政等有关部门及其工作人员滥用职权、玩忽职守、徇私舞弊的，对直接负责的主管人员和其他直接责任人员依法给予处分。

第六十二条　违反本法规定，实施就业歧视的，劳动者可以向人民法院提起诉讼。

第六十三条　违反本法规定，地方各级人民政府和有关部门、公共就业服务机构举办经营性的职业中介机构，从事经营性职业中介活动，向劳动者收取费用的，由上级主管机关责令限期改正，将违法收取的费用退还劳动者，并对直接负责的主管人员和其他直接责任人员依法给予处分。

第六十四条　违反本法规定，未经许可和登记，擅自从事职业中介活动的，由劳动行政部门或者其他主管部门依法予以关闭；有违法所得的，没收违法所得，并处 10000 元以上 50000 元以下的罚款。

第六十五条　违反本法规定，职业中介机构提供虚假就业信息，为无合法证照的用人单位提供职业中介服务，伪造、涂改、转让职业中介许可证的，由劳动行政部门或者其他主管部门责令改正；有违法所得的，没收违法所得，并处 10000 元以上 50000 元以下的罚款；情节严重的，吊销职业中介许可证。

第六十六条　违反本法规定，职业中介机构扣押劳动者居民身份证等证件的，由劳动行政部门责令限期退还劳动者，并依照有关法律规定给予处罚。

违反本法规定，职业中介机构向劳动者收取押金的，由劳动行政部门责令限期退还劳动者，并以每人 500 元以上 2000 元以下的标准处以罚款。

第六十七条　违反本法规定，企业未按照国家规定提取职工教育经费，或者挪用职工教育经费的，由劳动行政部门责令改正，并依法给予处罚。

第六十八条 违反本法规定，侵害劳动者合法权益，造成财产损失或者其他损害的，依法承担民事责任；构成犯罪的，依法追究刑事责任。

第九章 附 则

第六十九条 本法自 2008 年 1 月 1 日起施行。

附录5 部分就业网站推荐

一、全国性就业指导网站

1. 中国高校毕业生就业服务信息网

http://www.myjob.edu.cn

2. 中国高职高专招生就业网

http://www.zggz123.com

3. 中国企业人才网

http://www.job100.com/default.asp

4. 中华英才网

http://www.chinahr.com

5. 人才招聘——前程无忧

http://www.51job.com

6. 智联招聘网

http://www.zhaopin.com

7. 百大英才网

http://www.baidajob.com

8. 中国高校就业联盟网

http://www.job9151.com/t_index.asp

9. 全国高校毕业生就业网站

http://www.gradnet.edu.cn

10. 学生求职网站

http://www.china5000.com/student

11. 中国招聘求职网

http://www.528.com.cn

12. 中国人才热线

http://www.cj01.com

13. 中国易聘网

http://www.employchina.com

14. 中国求职热线

http://www.china-hotjob.com

15. 中国人才盟网

http://www.jobs.com.cn

16. 中国人才网

http://www.chinatalent.com.cn

17. IT 人才求职中心

http://www.jobcenter.com.cn

18. 大学生资讯网

http://www.collegelift.yeah.net

19. 大学毕业生求职网

http://www.lstjob.net

20. 中国院校人才求职网

http://www.china-pro.net

21. 全国高校毕业生就业网站

http://www.gradnet.edu.cn

22. 人事部人才市场公共信息网

http://www.chrm.gov.cn

23. 中国卫生人才网

http://www.21wecan.com.cn

24. 中国农业人才网

http://www.agrihr.gov.cn

25. 信息产业部中国 IT 人才网

http://www.ittalent.com.cn

26. 中国铁路人才网

http://www.railjob.com.cn

27. 中国劳动力市场网

http://www.lm.gov.cn

28. 大学生求职365

http://www.54youth.com.cn

29. 中国中原人才网

http://www.zyrc.tom.cn

30. 建设部人力资源网

http://www.mochr.com

31. 中国水利人才网

http://www.chinawater.net.cn

32. 中国化工人才网

http://www.chemjob.com.cn

二、地方就业指导网站

1. 北京高校毕业生就业信息网

http://www.bjbys.com.cn　　http://www.bjbys.net.cn

2. 天津市高校毕业生就业信息网

http://www.tjbys.com

3. 河北省就业信息服务网——大中专学生网

http://www.students.educast.cn

4. 山西毕业生就业信息网

http://www.sxbys.com.cn

5. 内蒙古高校毕业生就业信息网

http://www.nmbys.com

6. 辽宁省高校毕业生就业信息网

http://www.lnbys.com.cn

7. 吉林省大学生就业信息网

http://www.jilinjobs.com

8. 黑龙江省大中专学校毕业生就业信息服务网

http://www.work.gov.cn

9. 上海市高校毕业生就业信息网

http://www.firstjob.com.cn

10. 江苏省毕业生就业网

http://www.jsbys.com.cn/index.aspx

11. 浙江省高校毕业生就业信息网

http://www.bys.zjedu.org

12. 安徽大中专毕业生就业信息网

http://www.ahbys.com

13. 福建省毕业生就业公共网

http://www.ahbys.com

14. 江西省高等院校毕业生就业信息网

http://www.jxbys.net.cn/Default.asp

15. 山东高校毕业生就业信息网

http://www.sdbys.cn

16. 湖南省毕业生就业信息网

http://www.hunbys.com/index.htm

17. 湖北毕业生就业信息网

http://www.job.e21.edu.cn

18. 广东高等学校毕业生就业指导中心

http://www.gradjob.com.cn/defaults/index2.html

19. 重庆高校毕业生就业信息网

http://www.edu.cqbys.com

20. 广西毕业生就业网

http://www.gxbys.com.cn

21. 海南省大中专毕业生就业指导信息网

http://www.hnbys.net

22. 云南省毕业生就业信息网

http://www.ynjy.cn/officeall/xs

23. 陕西高校毕业生就业网

http://61.185.221.109/Shxbys/main.aspx

24. 宁夏毕业生就业信息网

http://www.nxbys.com

25. 青海毕业生就业信息网

http://www.qhbys.com

26. 新疆人事人才信息网

http://www.xjrs.gov.cn

27. 北京人才市场

http://10.2.1.68/eco-infr/inf-talen.htm

28. 上海人才市场

http://www.shrc.online.sh.cn

29. 苏州人才市场

http://www.rencai.sz.jsinfo.net

30. 武汉人才市场

http://www.whhr.com

31. 西安人才市场

http://www.xa.col.com.cn/job

32. 成都人才市场

http://www.cchrm.com

33. 重庆人才市场

http://www.info.cq.cninfo.net/rcsc/index2.html

34. 四川人才市场

http://www.sc.cninfo.net/trade/index/mu06.htm

35. 云南人才市场

http://www.cynosure.ynu.edu.cn/person/market.htm

36. 甘肃人才市场

http://www.lz.gs.cninfo.net/rencai/rcxx.html

37. 南方人才市场

http:/www.schr.com

38. 北方人才市场

http://www.bfrc.online.tj.cn

39. 网上求职一站通

http://www.jobseeker.163.net

40. 四川人事信息网

http://www.scrs.gov.cn

41. 四川省人才网

http://www.scrc168.com

42. 深圳人才网

http://www.szhr.eom.cn

43. 新疆建设兵团人才服务中心

http://www.xbrs.gov.cn

44. 广东人才网

http://www.gdrc.com

45. 网上求职一站通

http://www.jobseeker.163.net

46. 求职求才网

http://www.careerpost.com

47. 前程周刊

http://www.careet－post.com

48. 百灵人才在线

http://www.beelink.com.cn/rencai/default.htm

49. 财经人才网

http://www.cool.zz.cn/default.asp

50. 求职网

hrrp://www.jobnet.com.hk

参考文献

1. 干旭. 高职大学生就业指导. 北京：科学出版社，2007

2. 曹广辉. 职业生涯规划与择业. 北京：高等教育出版社，2005

3. 李桂荣. 大学生职业生涯规划与就业指导. 北京：科学出版社，2008

4. 张子睿. 大学生创新与创业能力提升. 北京：科学出版社，2008

5. 瞿振元. 大学生就业指导. 北京：高等教育出版社，2001

6. 曹天杰. 大学生就业指导. 西安：西安出版社，2002

7. 肖建中. 职业规划与就业指导. 北京：北京大学出版社，2006

8. 陈社育. 大学生职业心理辅导. 北京：北京出版社，2003

9. 陆红，索桂芝. 大学生职业生涯规划与职业素质培养. 长春：东北财经大学出版社，2009

10. 曹鸣岐. 职业生涯规划. 北京：高等教育出版社，2009

11. 仝广东. 大学生职业发展与就业指导. 南京：东南大学出版社，2009

12. 赵新娟. 高职高专学生就业与创业指导. 北京：北京交通大学出版社

13. 徐振轩. 职业规划与就业指导. 重庆：西南师范大学出版社

14. 凌晓萍. 就业指导实务. 北京：北京理工大学出版社

15. 中华职业生涯网 http://www.caeerchina.net

16. 中国人力资源开发网 http://www.chinahrd.net